D1179705

THERESE et LISIEUX

Photographies
Helmuth Nils Loose

Texte
Pierre Descouvemont

Présentation
Daniel Leprince

4e édition

Orphelins Apprentis d'Auteuil Office Central de Lisieux Novalis cerf

ARBRE GÉNÉALOGIQUE DE THÉRÈSE MARTIN

Pierre-François MARTIN (1777-1865) × Fanie BOUREAU (1800-1883)

Isidore GUÉRIN (1789-1868) × Louis-Jeanne MACÉ (1805-1859)

Marie-Louise GUÉRIN (1829-1877)
sœur Marie-Dosithée
à la Visitation du Mans

Louis MARTIN (1823-1894) a épousé à Alençon le 13/8/1858 Azélie-Marie GUÉRIN (1831-1877)

Isidore GUÉRIN (1841-1909) a épousé à Lisieux le 11/9/1866 Elisa-Céline FOURNET (1847-1900)
pharmacien à Lisieux
(1866-1888)

Marie-*Louise* (1860-1940)
marraine de Thérèse
sœur Marie du Sacré-Cœur
au carmel de Lisieux (1886)

Marie-*Pauline* (1861-1951)
sœur Agnès, puis Mère Agnès
au carmel de Lisieux (1882)

Marie-*Léonie* (1863-1941)
sœur Françoise-Thérèse
à la Visitation de Caen (1899)

Marie-Hélène (1864-1870)

Marie-Joseph (1866-1867)

Marie Jean-Baptiste (1867-1868)

Marie-*Céline* (1869-1959)
sœur Geneviève de la Sainte-Face
au carmel de Lisieux (1894)

Marie-Mélanie Thérèse (1870)

Marie-Françoise THÉRÈSE
(2/1/1873-30/9/1897)
sœur Thérèse de l'Enfant-Jésus
et de la Sainte-Face
au carmel de Lisieux (1888)

Jeanne GUÉRIN × Docteur Francis La Néele
(1858-1916)

Marie GUÉRIN
sœur Marie de l'Eucharistie
au carmel de Lisieux (1895)

Paul, mort à la naissance (1871)

L'éditeur, le photographe et l'auteur tiennent à exprimer leur profonde et amicale gratitude à la prieure du carmel, à la sœur archiviste et aux carmélites de Lisieux pour l'aide attentive et très généreuse qu'elles ont apportée à la réalisation de cet album en l'honneur de sainte Thérèse de l'Enfant-Jésus et de la Sainte-Face.

Pour la première fois, les photos faites au carmel par Céline (sœur Geneviève), la sœur de sainte Thérèse, ont été reproduites à l'identique, à partir des tirages originaux réalisés par elle-même (p. 24, 95, 176, 211, 219, 220, 221, 242-243, 289). De même pour la série de photos montrant « la journée d'une novice » (p. 102-113). Pour les autres photos de Thérèse, on a pu utiliser à nouveau les anciennes plaques en verre négatives. On a tiré les photos sur papier couleur d'usage courant, sans manipulation, ce qui en donne le ton sépia. H.N.L.

Crédit photos : Musée de Loigny-la-Bataille, p. 9-10. Roger-Viollet, p. 11-182-290. Maison natale de Thérèse à Alençon, p. 14-15-16-17-21-24. David Loose, p. 32-33-68. Carmel d'Avila, p. 50. Bibliothèque nationale, p. 94. Visitation de Chartres, p. 163. Bibliothèque municipale de Lisieux, p. 183-184-185-217-259-291. Musée des Collections historiques de la Préfecture de Police - Paris, p. 78-79. Gilbert Guillotin, p. 327.

ISBN : CERF 2 204 04439 3 Thérèse et Lisieux © Editions du Cerf, 1991 © Photos CERF-LOOSE
ISBN : OAA 2 907 295 217 ; Novalis 2 89088 513 5.

Voir paraître cet album provoque d'abord une profonde joie. Car c'est le résultat d'une longue attente — tantôt patiente, tantôt rageuse — qui n'arrivait pas à comprendre comment une sainte de l'envergure de Thérèse de Lisieux ne pouvait offrir à ses millions d'amis à travers le monde un album digne d'elle, la montrant dans son environnement, d'Alençon à l'infirmerie du carmel. Certes, nous n'avons garde d'oublier l'éblouissement que fut en 1961 Le Visage de Thérèse de Lisieux, *édité à la perfection par le père François de Sainte-Marie, carme, qui nous livrait 47 photographies authentiques dues en majorité à l'appareil de Céline Martin. Quel choc que de comparer les originaux aux portraits « arrangés » selon les goûts de l'époque. Venant après l'édition des* Manuscrits autobiographiques *(1956), une grande étape était franchie qui nous restituait Thérèse dans « le vrai de la vie » (MS A, 31 v).*

Et pourtant, ayant commencé le travail de l'édition des Derniers entretiens *(Cerf-DDB, 1971) qui aboutira en 1988 au dernier volume de l'Édition dite du Centenaire, nous restions sur notre faim, au plan iconographique. D'autant plus que le carmel de Lisieux, épargné par les bombardements alliés de 1944, contenait une masse de trésors qui permettaient de mieux cerner, jusque dans les détails les plus infimes, le réel de la vie de la jeune carmélite, dans son contexte historique, culturel, religieux. Lieux inchangés, objets conservés, autographes protégés, livres utilisés par Thérèse, images fabriquées par elle, dessins, peintures, statues, visages des sœurs contemporaines, souvenirs préservés avec piété très vite après la parution de* l'Histoire d'une âme *(1898), travaux divers exécutés par Thérèse, objets qui l'entouraient à l'infirmerie du carmel, que sais-je encore... nous allons de découvertes en découvertes. Les textes de Thérèse écrits avec une transparente vérité se mettent à vivre sous nos yeux. Et nous comprenons encore mieux l'originalité de Thérèse qui a redécouvert l'Évangile malgré un environnement iconographique qui l'avait quelque peu occulté.*

Car Thérèse Martin est normande, réaliste, concrète, visuelle. Son univers culturel est infiniment plus pauvre que le nôtre, mais il la marque profondément. « Je ne vous ai pas parlé de mon amour pour les images et la lecture [...] Et cependant, ma Mère chérie, je dois aux belles images que vous me montriez en récompense, une des plus douces joies et des plus fortes impressions qui m'aient excitée à la pratique de la vertu » (Ms A, 31 v). Le décalage est grand entre l'iconographie de la fin du XIXe siècle et la nôtre et pourtant les historiens et les sociologues actuels n'hésitent pas à regrouper en diverses expositions les images de nos grand-mères, porteuses à leur manière d'une théologie. Dans le cas de Thérèse, il ne s'agit pas d'abord de « piété » mais d'imprégnation qui atteindra profondément son cœur.

Voir Thérèse dans son carmel, dans le concret de la vie quotidienne, dans ce petit univers pauvre, c'est mesurer davantage le mystère de sa vie cachée, on pourrait dire dérisoire, et « l'ouragan de gloire » de son rayonnement mondial. Oui, il s'agit bien de six petits cahiers à 0,10 centimes qui ont formé le manuscrit A, et Thérèse écrivait avec un pauvre porte-plume trempé dans un minuscule encrier. Les textes les plus prestigieux de « la plus grande sainte des temps modernes » (saint Pie X) ont jailli dans cette pauvreté.

Cette longue attente pour contempler à loisir ces reliques a peut-être été providentielle. Elle l'a sûrement été. Car cet album — et celui qui suivra, encore plus épais — est une admirable illustration de l'Édition du Centenaire et plus encore.

Il faut chaleureusement remercier les carmélites de Lisieux qui ont permis que l'environnement multiple de sainte Thérèse de l'Enfant-Jésus et de la Sainte-Face soit révélé à la foule de ses amis.

Héritières d'une longue tradition, surchargées d'archives de toutes sortes, elles ont accepté que ces trésors ne restent pas enfouis et ont eu parfois la surprise de faire encore des découvertes ! Car il est sans doute peu de saints au monde dont on ait gardé tant de souvenirs puisque le premier miracle de sœur Thérèse date de 1899. Leur petite sœur devient la sœur universelle et son rayonnement à travers le monde étonne de plus en plus. N'oublions pas qu'elle n'est pas seulement une statue plus ou moins esthétique qui orne des milliers d'églises, mais qu'elle est porteuse d'une doctrine qui n'a pas encore livré toute sa transparente profondeur. L'avenir nous réserve sûrement des surprises sur ce plan.

Le lecteur se rendra vite compte que cet album n'est pas seulement un magnifique recueil de 600 illustrations ou un livre d'art.

Le travail du père Pierre Descouvemont n'a pas consisté uniquement à mettre des légendes sous ces photos. En 330 pages, nous nous trouvons face à un texte très riche de renseignements de toutes sortes, fruit d'années de travail du thérésien passionné qu'est ce prêtre du diocèse de Cambrai. Je l'ai vu travailler dans l'enthousiasme, ses seules tristesses venant des sacrifices à faire pour éliminer tel ou tel cliché afin de respecter les formats prévus. Car il faut bien se rendre compte qu'un travail exhaustif — à vrai dire quasi impossible — aurait demandé plusieurs volumes. Les thérésiens étant insatiables, il a fallu pourtant se limiter.

J'ai gardé pour la fin les remerciements exceptionnels à adresser à Helmuth Loose, photographe allemand de renommée européenne. On lui doit de nombreux albums sur les saints. Mais que s'est-il passé avec Thérèse de Lisieux ? Pendant des mois, avec toutes les ressources des techniques les plus modernes et avec les astuces d'un grand professionnel pour résoudre les cas les plus compliqués, Helmuth Loose a mis tout son art au service de Thérèse. Au point qu'en travaillant quotidiennement à son service, il est devenu lui-même « thérésien » et est entré dans l'intimité de la petite sainte. Il a vécu une aventure inattendue et une véritable amitié s'est créée entre l'artiste et la communauté carmélitaine. Faut-il ajouter que le travail du photographe, loin d'être entièrement publié, constitue un travail d'archives de première valeur dont l'histoire lui sera un jour reconnaissante dans sa collaboration discrète avec les carmélites ?

En définitive, « tout est grâce ». Il a fallu attendre des années pour que sainte Thérèse de l'Enfant-Jésus soit de mieux en mieux révélée au monde. Mais chaque chose vient à son heure. Le travail eût été impossible il y a quelques années. Cet album, enfin, associé aux textes de Thérèse publiés, sera sans doute une révélation pour de nombreux lecteurs, tant il est vrai que Thérèse reste inépuisable et que son enracinement humain, bien loin de la couper d'autres civilisations, lui ouvre des portes sur les cinq continents. Nous ne comprenons pas pourquoi. Nous le constatons simplement et l'afflux des foules de tous pays à Lisieux le prouve.

J'aime le mot d'Emmanuel Mounier : « Thérèse est une ruse du Saint-Esprit. » Comprenne qui pourra. Mais je suis certain que la contemplation de cet album — et du suivant — ne laissera pas insensibles les lecteurs et que le décalage culturel ne les empêchera pas d'entrer dans le mystère.

Guy GAUCHER, carme,
évêque auxiliaire de Bayeux-Lisieux.

Je veux
passer mon Ciel
à faire du bien
sur la terre.
Après ma mort,
je ferai
tomber une pluie
de roses.
(Sœur Thérèse de l'Enfant-Jésus.)

Vive le Dieu des Francs

La couverture du premier cahier d'écolier de trente pages sur lequel Thérèse a écrit en 1895 ses souvenirs d'enfance. Elle en utilisera six et s'arrêtera à la 172e page. Le cahier coûtait 10 sous, soit 0,50 centimes On notera que Thérèse a orthographié « Françs ».

Au verso de la couverture du cahier sont évoqués les faits d'armes inscrits sur le drapeau du 102e régiment de ligne: Valmy, Zurich, Wagram, Forts du Peï Ho. En les lisant, Thérèse pensait sans doute à son grand-père maternel qui, incorporé à dix-neuf ans dans le 96e régiment d'infanterie, avait participé aux guerres napoléoniennes, notamment à la bataille de Wagram.

De façon plus pacifique, elle se compare elle-même à une petite fleur blanche dont elle va écrire l'histoire par obéissance à sa sœur Pauline devenue mère Agnès, prieure du carmel depuis deux ans. Sur le symbolisme de cette petite fleur, voir p. 76.

Vive le Dieu des Francs ! Un cri qui évoque spontanément l'ambiance revancharde dans laquelle a été élevée, comme les autres jeunes de sa génération, Thérèse Martin. Après le triomphe des armées de Bismarck, les Français ne songent qu'à une chose : prendre leur revanche contre les Prussiens et récupérer l'Alsace-Lorraine. Au mois de janvier 1871, la pénétration des armées prussiennes en Normandie avait semé la panique. Des parents de carmélites craignaient pour leurs filles. M. et Mme de Virville avaient par exemple demandé à la prieure du carmel de Lisieux d'autoriser leur fille à quitter le couvent. C'est ainsi que sœur Marie de Gonzague, alors sous-prieure, avait rejoint ses parents à Caen. Le 19 mars, l'alerte passée, elle était revenue à Lisieux.

En écrivant « Vive le Dieu des Francs » sur le drapeau de la couverture de son cahier, Thérèse songe certainement à la bannière du Sacré-Cœur déployée le 2 décembre 1870 à Loigny par le sergent Henri de Verthamon au cours de la charge héroïque menée contre l'armée prussienne par les zouaves pontificaux. Cette bannière, brodée par les visitandines de Paray-le-Monial, fut envoyée à M. Dupont, avec charge pour le « saint homme de Tours » (voir p. 137) de le remettre au lieutenant-colonel de Charette, qui avait reçu le commandement des zouaves pontificaux. Sur la bannière, on pouvait lire autour de l'emblème du Sacré-Cœur : « Cœur de Jésus, sauvez la France ! » Quand la bannière fut déployée sur le champ de bataille, les soldats l'acclamèrent au cri de « Vive la France ! Vive le Sacré-Cœur ! »

Mais Thérèse pense par-dessus tout à l'étendard que brandissait Jeanne d'Arc dans ses combats. En cette année 1895, elle s'identifie de plus en plus à Jeanne : elle en a joué le rôle au début de l'année et elle prépare une autre pièce pour évoquer son procès (voir p. 215). Pour Thérèse, la France est vraiment la fille aînée de l'Église et Jeanne doit aider les Fran-

→

Le général de Sonis (1825-1887)

Né en Guadeloupe où son père était officier, Gaston de Sonis fait ses études en France. Après avoir fait Saint-Cyr et Saumur, le jeune sous-lieutenant est affecté au 5e hussards. En garnison à Castres, il épouse Mlle Anaïs Roger. Douze enfants naissent de leur union.

Après s'être distingué par ses victoires en Algérie, sous le Second Empire, il est nommé général en 1870 et reçoit le commandement du 17e corps d'armée qui comprend un détachement de deux cent quatre-vingt-quatorze « volontaires de l'Ouest » sous les ordres du lieutenant-colonel de Charette, petit-neveu du fameux Vendéen. Ces soldats étaient les « zouaves pontificaux » qui, après la prise de Rome par les Piémontais le 20 septembre 1870, étaient revenus en France défendre leur patrie.

Le 2 décembre 1870, afin d'empêcher l'armée française d'être encerclée par la cavalerie ennemie, le général de Sonis donne l'ordre à Charette de prendre le village de Loigny (à 30 kilomètres au nord-ouest d'Orléans). Les zouaves foncent baïonnette au canon, en direction d'un petit bois qui se trouve à 300 mètres du village. Ils y bousculent mille deux cents Prussiens et Bavarois. Le désastre est évité.

Au matin du 3 décembre, les compagnons de Charette se comptent : quatre-vingt-huit ! Deux cent sept zouaves sont restés sur le terrain. Blessé, le général de Sonis est amputé d'une jambe : ce qui ne l'empêche pas de continuer à monter à cheval pendant des années.

En 1880, il se fait mettre en disponibilité pour protester contre l'expulsion des religieux. En 1883, il devient membre d'une commission au ministère de la Guerre. Il meurt à Paris en réputation de sainteté le 15 août 1887. Chrétien au grand cœur, le général de Sonis composa une prière que Thérèse appréciait, notamment ce passage : « Que je sois à l'édifice, non pas comme la pierre travaillée et polie par la main de l'ouvrier, mais comme le grain de sable obscur, dérobé à la poussière du chemin. » Étant donné le rôle joué par la bannière de Loigny dans l'idée d'ériger une basilique en l'honneur du Sacré-Cœur, on le représenta dans la coupole de l'abside (1910).

çais à en reprendre conscience. Le 21 janvier, elle a chanté, incarnant la bergère de Domrémy s'adressant à son pays :

« Le Dieu des Francs dans sa clémence
A résolu de te sauver,
Mais c'est par moi, Jeanne de France,
Qu'il veut encor te racheter. »

Cela dit, on ne trouve, dans toute l'œuvre de Thérèse, aucune trace — si minime soit-elle — de nationalisme ou de xénophobie.

Dans la seconde moitié du XIXe siècle, la dévotion au Sacré-Cœur atteint son apogée. En 1856, à la demande des évêques français, le pape Pie IX étend au monde entier la fête du Sacré-Cœur. L'apostolat de la prière, créé par les jésuites en 1861, en répand le culte partout. En 1864, Marguerite-Marie Alacoque est proclamée bienheureuse. Succès des litanies du Sacré-Cœur, participation croissante à la messe du « premier vendredi du mois », multiplication des congrégations religieuses sous le signe du Sacré-Cœur en France, puis dans le reste du monde, attestent le développement de la dévotion. Bientôt, le mouvement ultramontain fait campagne pour que soit reconnue la souveraineté du Sacré-Cœur sur la société: les consécrations au Sacré-Cœur de personnes, de familles et de diocèses se développent. Puis viennent celles de pays, la Belgique étant le premier en 1869.
Au lendemain du désastre de Sedan et de la Commune, les catholiques de France sont en état de choc. Humiliés dans leur patriotisme, ils sont aussi douloureusement meurtris par le raz de marée anticlérical qui a poussé les communards à fusiller Mgr Darboy et cinquante-trois autres membres du clergé. Le 29 avril 1871, dix mille

La bannière déployée à Loigny
le 2 décembre 1870

Le 7 décembre, les quatre-vingt-huit zouaves pontificaux qui ont survécu à la bataille se regroupent à Poitiers, où se sont déjà réfugiés un certain nombre de Parisiens. Parmi eux se trouve M. Legentil qui, le 2 décembre précédent, a fait avec son beau-frère, Rohault de Fleury, le vœu de bâtir une basilique à Paris en l'honneur du Sacré-Cœur. Le récit de la charge héroïque menée à Loigny ce même 2 décembre sous la bannière du Sacré-Cœur le renforce dans sa décision. En janvier 1871, l'idée est lancée dans le public.
Dans la séance mémorable du 24 juillet 1873 à l'Assemblée nationale, l'évocation de cette bannière par Cazenoves de Pradines, un ancien combattant de Loigny, produisit une grosse impression sur les parlementaires, mais ne fut pas décisive pour le vote de l'Assemblée, laquelle avait seulement à déclarer d'utilité publique l'érection de la basilique de Montmartre. Quand, dans son deuxième manuscrit, Thérèse évoque l'héroïsme des zouaves pontificaux, elle pense certainement à la charge de Loigny.

francs-maçons se sont réunis, tablier au ventre, pour acclamer la Commune et l'encourager à « écraser l'infâme », dans le meilleur style de Voltaire. Il n'en faut pas plus pour que la franc-maçonnerie apparaisse encore un peu plus aux yeux des catholiques de France comme le principal ennemi de l'Église. Ils ont une fâcheuse tendance à oublier les atrocités commises par les Versaillais contre les communards...
En 1873, lors d'un pèlerinage à Paray-le-Monial conduit par plus de cent députés, trente mille personnes réclament la consécration de la France au Sacré-Cœur. Des catholiques se mettent à rêver d'une triple restauration : celle de la monarchie, celle du pape à la tête de ses États, celle de la foi dans le pays. Ils chantent à pleine voix : « Sauvez Rome et la France au nom du Sacré-Cœur. » Religion et politique sont intimement mêlées !
Mais l'archevêque de Paris, Mgr Guibert, ne veut pas que la construction de la basilique de Montmartre apparaisse comme une revanche contre les atrocités anticléricales commises pendant la Commune. Souhaitant éviter l'allusion à la restauration des États pontificaux, il préfère que l'on chante : « Sauvez, sauvez la France au nom du Sacré-Cœur. » Et bon nombre de chrétiens envoient leur souscription pour la construction de la basilique sans souhaiter pour autant le retour à la monarchie. Ils veulent seulement que le Sacré-Cœur règne à nouveau sur Paris et sur la France.

La basilique du Sacré-Cœur
en construction (vers 1895)

OUVERT
HAMPETRE DES PANORAMAS

Chambre natale de Thérèse

Après la mort de Mme Martin, le lit a été transporté aux Buissonnets et placé dans la chambre de Thérèse et de Céline. C'est donc près de ce lit que Thérèse faisait oraison dans son enfance :

« J'allais derrière mon lit dans un espace vide qui s'y trouvait et qu'il m'était facile de fermer avec le rideau... et là je "pensais"...
« Je comprends maintenant que je faisais oraison sans le savoir et que déjà le bon Dieu m'instruisait en secret. »

La maison natale de Thérèse,
rue Saint-Blaise à Alençon

M. et Mme Martin y habitèrent de 1871 à 1877. Vendue par M. Martin en 1880, elle sera achetée par le carmel de Lisieux en 1910. En avril 1912, Alexander James Grant, un pasteur écossais converti au catholicisme après la lecture de l'*Histoire d'une âme*, vient s'y établir avec son épouse. Mrs. Grant fut ainsi de longues années la gardienne de la maison natale.

Si Thérèse est née à Alençon, elle le doit à ses deux grands-pères. Militaires de carrière, ils y prirent leur retraite l'un et l'autre. Le capitaine Pierre-François Martin s'y fixa en 1830. Quant à Isidore Guérin, après plus de trente ans de service dans la gendarmerie, il vendit sa terre, près de Saint-Denis-sur-Sarthon, où ses enfants étaient nés, et il acheta en 1843 à Alençon, en face de la préfecture, l'ancienne demeure des intendants. Thérèse y naîtra trente ans plus tard.
Les Guérin étaient venus s'y installer afin de permettre à leurs deux aînées, Marie-Louise et Azélie, de recevoir une excellente éducation chrétienne chez les religieuses des Sacrés-Cœurs de Jésus et de Marie, appelées aussi les sœurs de Picpus.
Cette « cité des Ducs » — seize mille habitants à la fin du siècle dernier — ne manquait pas de charme avec ses hôtels, ses demeures aux vieilles pierres patinées par les siècles, vestiges d'un opulent passé, qui eurent le don d'intéresser Balzac qui s'y attarda en 1828 et en fit le cadre de certains de ses romans.
Les parents de Thérèse bénéficièrent l'un et l'autre de l'atmosphère franciscaine que l'on respirait chez les clarisses de la rue de la Demi-Lune, parallèle à la rue Saint-Blaise, derrière la préfecture. Louis Martin leur réservait les produits de sa pêche et Zélie, membre du Tiers-Ordre de Saint-François, y assistait à des prédications adressées aux mères chrétiennes.
Plus tard, Léonie, leur troisième fille, fera chez elles son premier essai de vie religieuse qui ne durera que sept semaines.

La préfecture de l'Orne
(face à la maison natale de Thérèse)

L'un des plus beaux spécimens du style Louis XIII en Normandie.
Jeanne Béchard, fille du préfet de l'Orne, avait une prédilection pour Céline et parfois, de son balcon qui donnait sur la maison des Martin, elle faisait signe à ses petites amies de venir jouer avec elle. Thérèse est souvent montée sur la balançoire de la « petite préfète ». Mais les Martin n'étaient pas invités au bal de la préfecture.

Une procession de la Fête-Dieu
à Alençon

La piété eucharistique des époux Martin était solide. Tous les jours, ils se levaient à 5 heures pour se rendre à la messe de 5 heures 30. Faisant partie de la congrégation du Saint-Sacrement, M. Martin participait aux adorations nocturnes mensuelles dans la nuit du jeudi au premier vendredi du mois. Le respect humain ne l'effleurait pas. Lors d'une procession de la Fête-Dieu, il fit sauter, d'un geste rapide, la casquette d'un individu moqueur qui, par bravade, affectait de ne pas se découvrir.

Que j'étais heureuse à cet âge !

Azélie, Isidore et Marie-Louise (sœur Marie-Dosithée) Guérin, en 1857

J'aimais beaucoup Papa et Maman

Isidore Guérin (1789-1868), après trente ans de service dans la gendarmerie, avait été décoré de la médaille de Sainte-Hélène. Une distinction dont Napoléon III récompensait les anciens grognards de Napoléon Ier. Isidore avait reçu le baptême du feu à Wagram

Née le 23 décembre 1831 à Gandelain, dans l'Orne, Marie-Azélie Guérin était une femme intelligente et une travailleuse acharnée. Elle avait songé à devenir religieuse, mais la supérieure de l'Hôtel-Dieu d'Alençon avait découragé net la postulante. Déçue, elle apprend le métier de dentellière. Elle y excelle si rapidement qu'à vingt-deux ans elle s'installe à son compte, rue Saint-Blaise, travaillant d'abord avec sa sœur aînée, Marie-Louise. Mais bientôt celle-ci la quitte pour entrer au monastère de la Visitation, au Mans. Sœur Marie-Dosithée restera toute sa vie la conseillère spirituelle de Zélie, comme de son jeune frère Isidore, l'enfant gâté de la famille.

La dentellière maniait aussi bien le porte-plume que l'aiguille. De façon très vivante, elle raconte à sa sœur visitandine, puis à ses aînées pensionnaires au Mans près de leur tante, les menus faits de sa vie quotidienne. C'est notamment grâce à cette correspondance que nous avons des détails savoureux sur la petite enfance de Thérèse.

FABRIQUE de POINT d'ALENÇON.

LOUIS MARTIN

A ALENÇON.

M Doit

les articles ci-après payables au comptant, à Alençon, à raison de % d'escompte, ou à jours ou sans escompte

Lith. Bouquerel, à la Ferté Macé.

Nos	Met.	Cent.	Alençon, le 186	Prix.	Total.

Dentelle en point d'Alençon exécutée par Azélie Guérin

Après avoir cédé son magasin d'horloger-bijoutier, Louis Martin assure la partie commerciale de l'entreprise dirigée par son épouse

Azélie Guérin était un véritable chef d'entreprise. Quand elle recevait commande d'un article, elle demandait à un certain nombre de dentellières qui travaillaient à domicile d'en exécuter un morceau. Le jeudi, jour de marché, chacune amenait rue Saint-Blaise le résultat de son travail. Azélie le vérifiait, au besoin le corrigeait avant de le passer à une autre ouvrière, et ainsi de suite jusqu'à l'achèvement complet. Azélie était particulièrement experte dans l'art de rendre invisibles les raccords entre les différents « points » d'une dentelle.

Directrice de fabrication, elle devait aussi s'occuper de la commercialisation du « produit fini ». Un travail qu'assumera son mari en 1871, quand, ayant revendu son horlogerie-bijouterie à Adolphe Leriche, son neveu, il pourra se rendre régulièrement dans les grands magasins de Paris pour vendre au meilleur prix les articles de luxe qui sortaient de l'atelier de son épouse.

Louis Martin, le père de Thérèse

Le capitaine Pierre-François Martin (1777-1865) avait été décoré de la médaille de l'Ordre royal et militaire de Saint-Louis

Né à Bordeaux le 22 août 1823, Louis Martin a été élevé dans les camps militaires, au hasard des garnisons de son père. Il choisit le métier d'horloger qui s'accorde bien avec son amour du travail précis et son goût pour la solitude. A vingt-deux ans, il pense lui aussi à la vie religieuse. Il s'adresse au monastère du Grand-Saint-Bernard, mais on lui fait remarquer qu'il ne pourra y entrer qu'après avoir appris le latin. Courageusement, le jeune homme s'y attelle. Il prend des leçons particulières pendant plus d'un an, mais renonce finalement à ce projet. Il fait alors un stage de trois ans à Paris pour parfaire ses connaissances professionnelles. Le sanctuaire de Notre-Dame-des-Victoires y reçoit régulièrement sa visite. En 1850, il s'installe comme horloger à Alençon, chez ses parents.

Sa foi reste vive et active. Pas question d'ouvrir son magasin le dimanche. Ses distractions ? De longues séances de pêche, quelques parties de chasse et des soirées entre jeunes gens au Cercle catholique, fondé par son ami Vital Romet. Sa mère s'inquiète de le voir encore célibataire à trente-quatre ans. Mais, en apprenant elle-même la technique du point d'Alençon, elle remarque une jeune Zélie Guérin, remarquablement douée... Les jeunes gens se marient le 13 juillet 1858.

Une horloge mise au point par Louis Martin

Le magasin de Louis Martin, rue du Pont-Neuf

Le jeune ménage habitait au rez-de-chaussée et le capitaine Martin et son épouse Fanny au premier étage. En 1871, M. Martin céda l'immeuble et son commerce à M. Adolphe Leriche, son neveu.

Thérèse aimait beaucoup fêter son père le 25 août

La statue universellement connue aujourd'hui sous le nom de « Vierge du sourire » — à cause de la guérison miraculeuse dont bénéficia Thérèse aux Buissonnets le 13 mai 1883 — est une madone que Louis Martin avait reçue en cadeau alors qu'il était encore célibataire. Elle lui avait été offerte par Mlle Félicité Baudouin, qui l'avait aidé à installer, rue du Pont-Neuf, son magasin d'horloger-bijoutier.

Louis, dont la piété mariale était déjà solide, campa cette statue dans un décor de verdure, au fond de l'allée centrale du Pavillon, cette sorte d'ermitage qu'il s'était acheté non loin de son magasin et où il aimait se retirer.

Après son mariage (1858), il transporta la statue chez lui, au-dessus de son magasin : elle devint le centre de la liturgie de son foyer. Chaque soir, rue du Pont-Neuf, puis rue Saint-Blaise, parents et enfants se réunissaient devant la Vierge pour prier. Parfois, la prière se faisait plus insistante, quand il y avait une conversion ou une guérison à obtenir. Devant cette statue, Mme Martin avait obtenu, au début de 1870, une grâce précieuse de sérénité. Sa petite Hélène venait de mourir, à l'âge de cinq ans et demi, et elle était d'autant plus affectée par ce deuil qu'elle se reprochait de n'avoir point songé à appeler un confesseur au chevet de sa fille, alors que celle-ci avait commis quelque temps auparavant un léger mensonge. « A cause de ma négligence, se disait-elle, ma fille souffre peut-être en purgatoire. » Dans son angoisse, Mme Martin se tourne alors vers la Vierge. Aussitôt, une voix mystérieuse retentit dans son cœur : « Elle est là, auprès de moi. » On comprend que Mme Martin n'ait pas accepté la proposition de ses aînées qui souhaitaient faire leur prière devant une statue qui ressemblât moins aux statues du pensionnat : « C'est trop comme en classe, maman ! On préfèrerait une statue moins grande et plus fine ! — Mes enfants, j'ai reçu trop de grâces devant cette Vierge ! Tant que je vivrai, la statue ne sortira pas d'ici ! »

Au seuil du mois de mai, on lui dressait un véritable oratoire. Au milieu de branches d'aubépines qui montaient jusqu'au plafond, la statue se détachait sur un fond de fleurs et de verdure et se trouvait éclairée par d'innombrables bougies que les enfants prenaient grand plaisir à allumer.

La Vierge du sourire

Céline

Louis aborde le mariage avec des vues très précises : il veut vivre avec sa femme comme frère et sœur. Il a même recopié le passage d'un livre de théologie qui le confirme dans cette voie. Zélie, elle, voudrait avoir beaucoup d'enfants ; mais elle adopte finalement le point de vue de son mari.
Nul égoïsme pourtant dans ce jeune ménage. A peine installé, il prend en charge un petit garçon de cinq ans dont le père vient de mourir, laissant sa femme avec onze enfants.
Après dix mois de vie commune, l'intervention vigoureuse d'un confesseur amène les Martin à modifier leur conduite. Dès lors, neuf naissances vont se succéder de 1860 à 1873.

Le 4 mars 1877, Mme Martin écrit à Pauline : « Céline et Thérèse sont inséparables. On ne peut voir deux enfants s'aimer mieux. Quand Marie vient chercher Céline pour faire sa classe, cette pauvre Thérèse est tout en larmes. [...] Marie en a pitié, elle la prend aussi et cette pauvre petite s'assied sur une chaise pendant deux ou trois heures. On lui donne des perles à enfiler ou un chiffon à coudre : elle n'ose bouger et pousse souvent de gros soupirs. Quand son aiguille se désenfile, elle essaye de la renfiler, c'est curieux de la voir, ne pouvant y parvenir et n'osant déranger Marie. »

Souvenirs de Famille

Le 13 Juillet 1858 a eu lieu le Mariage de
Monsieur Louis Martin avec Mademoiselle Azélie Marie Guérin

Noms des Enfants	Date de leur Naissance
Marie Louise	22 Février 1860
Marie Pauline	7 Septembre 1861
Marie Léonie	3 Juin 1863
Marie Hélène	13 Octobre 1864
Marie Joseph Louis	20 Septembre 1866
Marie Joseph Jean Baptiste	19 Décembre 1867
Marie Céline	28 Avril 1869
Marie Mélanie Thérèse	16 Août 1870
Marie Françoise Thérèse	2 Janvier 1873

Tableau composé par mère Agnès

Ma chère Céline, la petite compagne de mon enfance

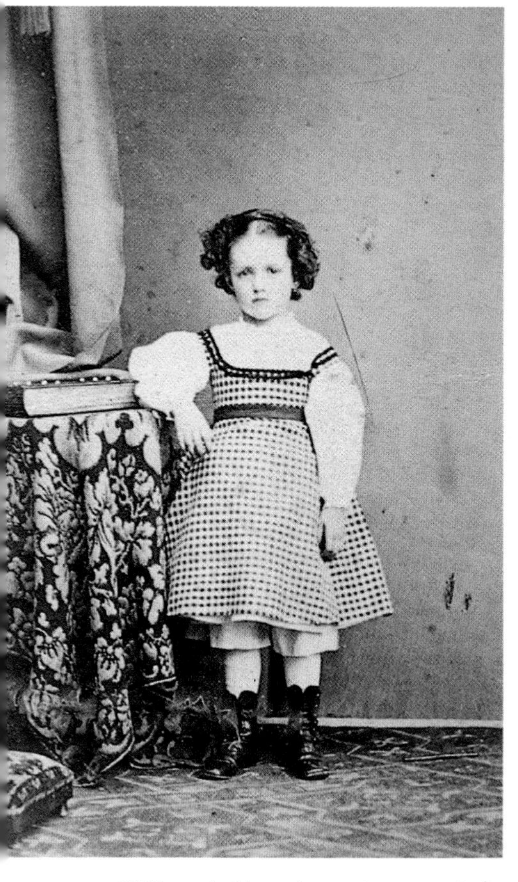

Hélène, à l'âge de quatre ans et demi

Elle meurt à l'âge de cinq ans et demi le 22 février 1870. Trois autres enfants sont morts en bas âge : Joseph-Louis, Joseph-Jean-Baptiste et Mélanie-Thérèse.
Marie et Pauline devinrent pensionnaires

Pauline pensionnaire au Mans

à la Visitation du Mans en octobre 1868. Sœur Marie-Dosithée écrit à Mme Martin dès le 22 octobre : « Pauline est un petit bijou d'enfant, gaie comme un pinson, studieuse et faisant tout de son petit mieux. » Mais la fillette savait déjà ce qu'elle voulait et, pour cette raison, sa tante l'appelait « mordicus ».

Pauline et Marie, les deux aînées, en 1865

Léonie, pensionnaire à l'Abbaye

Léonie fut une enfant difficile. Elle avait du mal à se situer en famille, n'appartenant ni au groupe des deux aînées, ni à celui des deux cadettes. Aux Buissonnets, elle fera chambre à part...
Il est vrai qu'elle-même avait tendance à se déprécier, par suite des remarques désobligeantes que lui valait souvent son menton « en galoche ».

Poupées de Thérèse

Les années ensoleillées de ma petite enfance... Quelle douce empreinte elles ont laissée en mon âme !

Rose Taillé,
la nourrice de Thérèse

Vers la fin du mois de janvier, Mme Martin prend peur. L'entérite, qui a déjà fait mourir quatre de ses enfants, risque d'emporter sa petite dernière. Début mars, l'enfant est au plus mal. Le médecin est formel : pour être sauvé, ce bébé a besoin d'être nourri au sein. Affolée, Mme Martin part au petit matin en direction de Semallé, à 8 kilomètres d'Alençon, chercher la femme qui a nourri jadis ses deux petits garçons. Rose Taillé, trente-sept ans, nourrit alors son quatrième enfant, âgé de treize mois. Toujours à pied, les deux femmes reviennent ensemble à la ville. Après avoir tété, Thérèse s'endort et se réveille en souriant. Elle est sauvée.

Bientôt, elle prend pension chez sa nourrice : elle y reste un an. Année décisive pour la formation de son « imaginaire ». Les odeurs de l'étable et des foins coupés, les bruits de la volaille qui caquette, du coq qui chante et de la vache qui meugle, tout cela va s'incruster dans la mémoire de l'enfant. Avec quelle joie se laisse-t-elle brouetter par sa nourrice, montée sur des faix d'herbes ! Chaque jeudi, la Petite Rose se rend au marché d'Alençon vendre beurre, œufs, légumes et le lait de la Roussette, son unique vache. Ce jour-là, Mme Martin est tout heureuse de revoir son bébé et d'admirer ses progrès, mais la petite Thérèse n'apprécie guère les toilettes et les chapeaux des clientes de sa mère. Elle préfère manifestement la tenue campagnarde de sa nourrice.

Le jeudi saint 2 avril 1874, l'enfant revient définitivement rue Saint-Blaise.

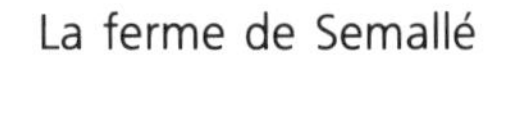

La ferme de Semallé

Pommiers de Normandie

Enfant, Thérèse avait des difficultés avec la grammaire. Elle ne pouvait comprendre par exemple que la pomme fût un nom féminin. A la différence de la poire, gracieuse, tendre et sucrée, la pomme, estimait-elle, représente le sexe masculin : sa forme est moins affinée et sa chair acide et plus ferme. Elle disait en conséquence : « le » pomme.

Mme Martin écrit à Pauline le 21 novembre 1875 : « J'entends le bébé qui m'appelle "Maman !" en descendant l'escalier. A chaque marche, elle dit "Maman !" et, si je ne réponds pas toutes les fois, elle reste là sans avancer ni reculer. »

Thérèse à trois ans et demi
(juillet 1876)

Habituellement souriante, elle a fait la moue ce jour-là, car elle a été impressionnée par le grand voile noir sous lequel s'était caché le photographe.

Escalier de la rue Saint-Blaise

Plus tard, elle se rappellera que les enfants aiment aussi monter l'escalier dans les bras de leurs parents. Et elle utilisera ce souvenir pour dire ce qu'elle pense des rapports entre la liberté de l'homme et la grâce de Dieu. Dans la vie spirituelle, il faut faire tout son possible pour atteindre la première marche. Mais il faut surtout demander à Jésus de nous rejoindre là où nous sommes pour qu'Il nous emporte dans ses bras jusqu'en haut de l'escalier.

Tous les détails de la maladie de notre mère chérie sont encore présents à mon cœur

Zélie Martin, la mère de Thérèse

Fin décembre 1876, Mme Martin apprend que la « tumeur fibreuse » qu'on lui découvre au sein est inopérable. Le Dr Notta, chirurgien réputé de Lisieux, confirme le diagnostic du médecin alençonnais. La malade continue à travailler et reste gaie. Mais elle est douloureusement frappée par la mort de sa sœur visitandine qui, rongée par la tuberculose, s'éteint au Mans le 24 février 1877. C'est après ce décès que la maladie de Mme Martin s'aggrave sérieusement.

Toute la famille se ligue pour obtenir du Ciel sa guérison. Cédant aux instances de son entourage, Mme Martin accepte de se rendre à Lourdes avec ses trois aînées. Elle est heureuse d'y rencontrer la servante de Mgr Peyramale qui, en l'absence du célèbre curé de Bernadette, lui parle de la petite voyante. Plongée à plusieurs reprises dans l'eau glacée de la piscine, la malade ne guérit pas, mais revient pleine de courage à Alençon.

Thérèse regarde intensément tout ce qui se passe. La cérémonie de l'extrême-onction, que sa mère reçoit le dimanche 26 août, s'incruste profondément dans son esprit : « Je vois encore la place où j'étais à côté de Céline, toutes les cinq, nous étions par rang d'âge et ce pauvre petit père était là aussi qui sanglotait. » Le surlendemain, à minuit trente, c'est la fin. Mme Martin allait avoir quarante-six ans. Le père prend dans ses bras sa fille de quatre ans et demi : « Viens embrasser une dernière fois ta pauvre petite mère. » « Et moi, sans rien dire, j'approchai mes lèvres du front de ma mère chérie. »

Au retour de l'inhumation, Louise Marais, la bonne, considère tristement les deux plus jeunes orphelines. « Pauvres petites, vous n'avez plus de mère ! » Céline se précipite dans les bras de Marie. « Eh bien ! c'est toi qui seras maman ! » Alors Thérèse court vers Pauline : « Eh bien ! moi, c'est Pauline qui sera maman ! »

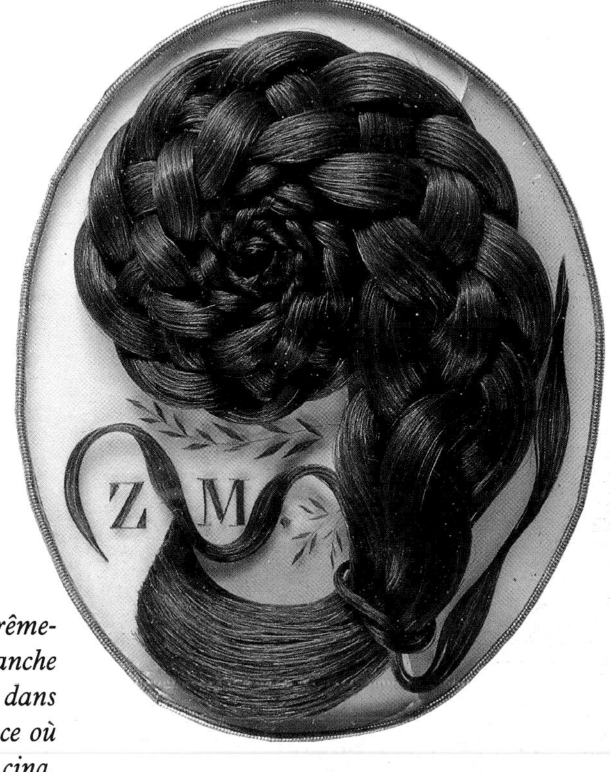

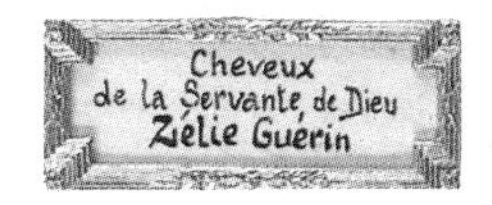

Il était courant, à la fin du siècle dernier, de conserver comme relique d'une défunte une ou plusieurs mèches de sa chevelure, soigneusement collées sur une plaque de verre. On utilisait de la poudre de cheveux pour confectionner les initiales.

A droite, la pharmacie-droguerie tenue par M. Guérin de 1866 à 1888. Après la mort de Mme Martin, c'est lui qui suggéra à M. Martin de quitter Alençon pour venir habiter Lisieux. Les jeudis et les dimanches, Thérèse rencontrait ici ses deux cousines, Jeanne et Marie, et leurs parents. L'oncle Isidore l'intimidait un peu, mais elle écoutait attentivement ce qu'il disait. Il rencontrait tant de monde dans son officine !

Isidore Guérin (1841-1909)

Après avoir vécu toute sa jeunesse à Alençon, Isidore Guérin part pour Paris en 1862 faire ses études de pharmacie. D'un caractère entier et batailleur, il est loin de suivre à la lettre toutes les recommandations prodiguées par sa sœur visitandine, écoutant plus volontiers les conseils discrets de Zélie qui l'encourage notamment à visiter chaque jour le sanctuaire de Notre-Dame-des-Victoires.
Muni de son diplôme de pharmacien de première classe le 1er avril 1864, il cherche à s'installer en province. Il jette son dévolu sur Lisieux. L'officine de M. Fournet est en vente et il se trouve que sa dernière fille, Céline, ne lui déplaît pas. Par bonheur, le sentiment est réciproque. Leur mariage est célébré le 11 septembre 1866 à la cathédrale Saint-Pierre, à deux pas de la pharmacie.
En mai 1870, il monte une droguerie contiguë à la pharmacie. Le 15 février 1873, il s'associe avec M. Maudelonde, son beau-frère, pour gérer la droguerie, mais celle-ci est incendiée le 27 mars.

Ce fut avec plaisir

Ancien jardin du palais épiscopal de Léonor II de Matignon († 1714) dessiné par Le Nôtre

Mme Guérin, née Céline Fournet (1847-1900)

Afin de souligner l'amour de la famille Fournet pour l'argent, les mauvaises langues de Lisieux se plaisaient à remarquer qu'en transposant les lettres de son nom on obtenait le mot « fortune ». Il est vrai que la famille n'était pas particulièrement pieuse. Elle ne fréquentait l'église que pour les mariages et les enterrements. Céline n'avait donc reçu qu'une éducation religieuse superficielle, mais elle possédait des qualités exceptionnelles de douceur et de jugement qui contribuèrent beaucoup au bonheur de son foyer. D'ailleurs, sous l'influence de sœur Marie-Dosithée et de M. et Mme Martin, le foyer Guérin accéda peu à peu à une foi chrétienne authentique. Isidore s'engagea résolument dans les œuvres paroissiales (conférences Saint-Vincent-de-Paul, Cercle catholique). En 1885, il fonda l'œuvre de l'Adoration nocturne, ayant toujours à cœur de « monter la garde » durant les heures les plus difficiles de la nuit.

que je vins à Lisieux

La façade des Buissonnets

Au rez-de-chaussée, de gauche à droite : un cabinet de travail où les aînées travaillaient pendant la journée et où se faisait la veillée du soir, la cuisine, les deux fenêtres de la salle à manger. Au premier étage, un cabinet de toilette, la « chambre du sourire » (voir p. 52) et les trois fenêtres de la chambre à coucher du père. Au grenier, les quatre fenêtres du belvédère, ainsi appelé à cause de la vue que l'on y avait alors sur la ville. M. Martin en avait fait son bureau. Avant son entrée à l'école, Thérèse s'y rendait en fin de matinée pour montrer à son père les devoirs que Pauline lui avait fait faire. Thérèse a vécu ici du 16 novembre 1877 au 9 avril 1888, date de son entrée au carmel. La maison était centenaire. Le bail de location cessa le 31 décembre 1889, durant le séjour de M. Martin au Bon-Sauveur de Caen.

Les vieilles maisons de la place de la Halle-au-beurre

Le manoir de la Salamandre

Le manoir se trouvait dans la rue aux Fèvres, c'est-à-dire aux Artisans *(fabri)*, la plus célèbre des artères de Lisieux. Avant l'incendie provoqué dans la nuit du 7 au 8 juin 1944 par le bombardement de l'aviation alliée, Lisieux était la « capitale du bois sculpté ». Quatre-vingts maisons de bois offraient au cœur de la cité les spécimens les plus variés de l'habitat normand du XIVe au XVIe siècle. Ces maisons étaient souvent la proie des flammes. Le tambour et le clairon retentissaient alors dans les rues de la ville pour appeler à l'aide des pompiers bénévoles.

Vue sur l'usine Mommers

Avec ses dix-huit mille six cents habitants, Lisieux était à la fin du siècle dernier la première cité industrielle du Calvados : tanneries, cidreries, distilleries transformaient la production agricole de la région. Quant aux entreprises textiles, elles employaient aux alentours de 1875 quelque trois mille ouvriers. Les vastes prairies du pays d'Auge permettaient de faire blanchir le chanvre et le lin sans utiliser de produits chimiques. Les cretonnes de Lisieux étaient très réputées.

Le marché ancien

Les lavoirs sur l'Orbiquet

La foire aux picots

Située au cœur d'une riche région agricole, la ville de Lisieux a toujours connu des marchés prospères. Au siècle dernier, sur la Grand-Place, on vendait régulièrement toutes les richesses du pays d'Auge : œufs, volailles, fruits et légumes, et aussi chevaux, bovins et porcs. De nos jours, c'est le 1er août qu'a lieu chaque année un grand marché de volailles. On y vend notamment les dindons — les « picots » — que l'on engraisse chez soi jusqu'aux fêtes de Noël.

L'œuvre du Refuge

Fondée en 1873 par l'abbé Rolau, cette maison était destinée à recevoir d'anciennes prostituées. Animé par les sœurs de Notre-Dame de la Miséricorde, le Refuge accueillit bientôt deux cents pensionnaires. Certaines d'entre elles demandaient d'ailleurs à entrer dans la congrégation.

M. Martin se rendait souvent au Refuge pour y porter le produit de sa pêche et Thérèse l'y accompagnait volontiers. Plus tard, elle confia à sœur Marie de la Trinité que, si elle avait été refusée au Carmel, elle aurait essayé de s'engager dans cette œuvre. « J'aurais tant aimé parler à mes compagnes de la miséricorde du bon Dieu. — Et comment auriez-vous fait pour cacher votre "innocence"? — J'aurais dit que j'avais fait une confession générale après ma conversion et qu'il m'était interdit de revenir sur mon passé ! Mon bonheur aurait été de passer moi aussi pour une "fille repentie". »

La caserne Delaunay avait été construite en 1875 ; une autre le fut quelque temps plus tard. Cette présence permanente de la troupe avait été décidée à la suite de troubles sociaux qui avaient éclaté en ville en juillet 1873.
Thérèse a noté elle-même l'influence exercée sur son âme par la musique militaire dont elle entendait résonner les accents aux Buissonnets : « Le murmure du vent et même la musique indécise des soldats dont le son arrivait jusqu'à moi mélancolisaient doucement mon cœur. »

Le « chemin des Bissonnets » partait de la route nationale menant à Pont-l'Évêque, longeait le jardin de l'Étoile et, après avoir fait — comme aujourd'hui — un léger coude, passait devant la maison habitée par les Martin.
Le quartier s'appelait alors Village du Nouveau Monde, c'est dire qu'il se situait à la périphérie de la ville. Ce sont les filles Martin qui donnèrent à leur habitation le nom de Buissonnets. Ce faisant, elles retrouvaient, sans le savoir, le nom que portait le chemin à la fin du XVIIIe siècle.

Victoire Pasquer,
une « bonne » des Buissonnets

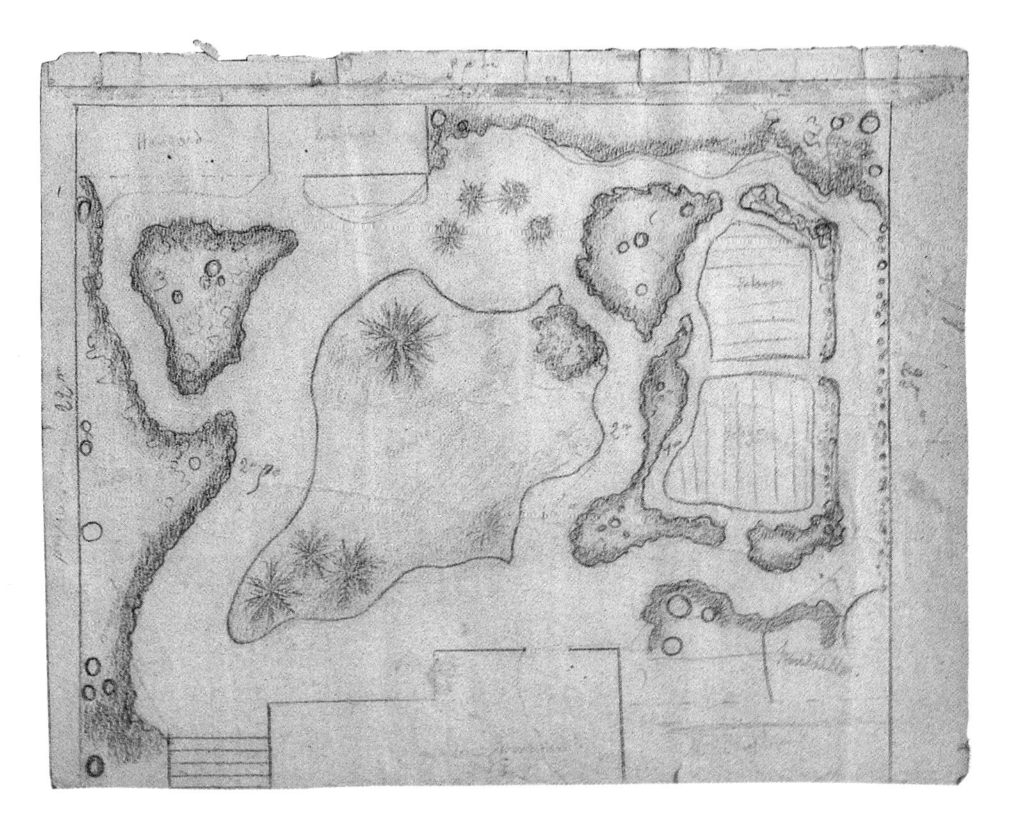

Le jardin des Buissonnets

A chacun des angles de la pelouse, des massifs de yuccas : leurs pointes ont crevé bien souvent les ballons de Thérèse.
A droite, près des toilettes, une courette pour les poules et deux clapiers.

Mon « roi chéri » m'emmenait à la pêche

avec lui

Une carpe de 2 kg 170,
pêchée par M. Martin
dans la Touques,
à Saint-Martin-la-Lieue,
le 8 septembre 1879

M. Martin portait souvent le produit de sa pêche au carmel de la rue de Livarot. Il arrivait à Pauline de faire le dessin du poisson « grandeur nature ». Celui-ci mesurait 59 cm.

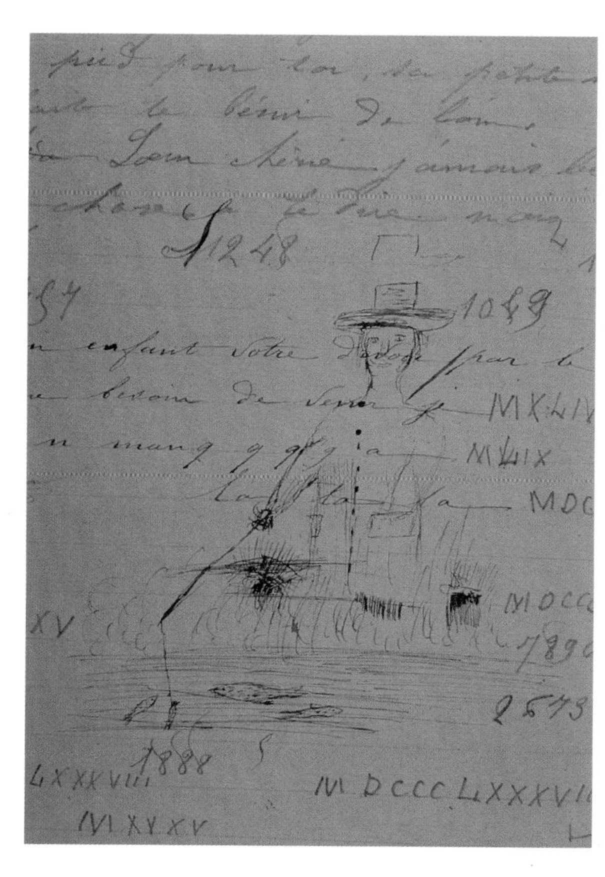

1248
1089
MXLIV
MLIX
MDC
MDCC
XV
1890
2573
1888
LXXXVIII
MDCCCLXXXVII
MXXXV

M. Martin taquine le goujon !
Esquisse dessinée par Thérèse

Thérèse a utilisé par la suite le papier pour s'exercer à écrire des nombres en chiffres romains et pour écrire un brouillon de lettre à Léonie (octobre 1887).

Toute sa vie, Thérèse utilisera le symbolisme des fleurs pour exprimer sa pensée. Dès le début de son premier manuscrit, elle écrit : « Jésus a mis devant mes yeux le livre de la nature et j'ai compris que toutes les fleurs qu'Il a créées sont belles, que l'éclat de la rose et la blancheur du Lys n'enlèvent pas le parfum de la petite violette ou la simplicité ravissante de la pâquerette... J'ai compris que si toutes les petites fleurs voulaient être des roses, la nature perdrait sa parure printanière, les champs ne seraient plus émaillés de fleurettes... Ainsi en est-il dans le monde des âmes qui est le jardin de Jésus. [...]
« De même que le soleil éclaire en même temps les cèdres et chaque petite fleur comme si elle était seule sur la terre, de même Notre-Seigneur s'occupe aussi particulièrement de chaque âme que si elle n'avait pas de semblables. Et comme dans la nature toutes les saisons sont arrangées de manière à faire éclore au jour marqué la plus humble pâquerette, de même tout correspond au bien de chaque âme. »

J'aimais tant la campagne, les fleurs

Céline, Thérèse et Léonie
à Pont-l'Évêque
Dessin de l'abbé Lepelletier

Vicaire à la cathédrale Saint-Pierre de 1878 à 1888, l'abbé Lepelletier était le confesseur habituel de M. Martin, puis de Thérèse à sa sortie de l'Abbaye (1886-1888). Le 16 juin 1887, il participe à une partie de pêche avec les Martin. Ce jour-là, Thérèse lui prête son cahier de dessin et il esquisse la silhouette de l'adolescente tout occupée à cueillir des fleurs.

L'église d'Ouilly-le-Vicomte, sur les bords de la Touques

M. Martin aimait pêcher sur les bords de la Touques.
« Quelquefois j'essayais de pêcher avec ma petite ligne, mais je préférais aller m'asseoir seule sur l'herbe fleurie : alors, mes pensées étaient bien profondes et, sans savoir ce que c'était de méditer, mon âme se plongeait dans une réelle oraison. [...] La terre me semblait un lieu d'exil et je rêvais le Ciel. »

Le jardin de l'Étoile

Il longeait la route de Pont-l'Évêque à l'endroit occupé aujourd'hui par l'immeuble et le parking qu'on laisse sur sa gauche en montant aux Buissonnets. L'entrée donnait sur le chemin des Buissonnets.
Planté de magnifiques arbres exotiques qui se dressaient au milieu de pelouses parfaitement entretenues, ce parc avait été créé en 1778 par M. Caumont, jadis médecin de Louis XV. Racheté en 1824 par une société de quarante actionnaires qui en louaient l'accès à un certain nombre d'abonnés — les familles Martin, Guérin et Maudelonde en étaient —, il reçut souvent la visite de Thérèse. L'abonnement annuel de 30 francs donnait le droit d'y cueillir quelques fleurs !

Dessin de Pauline
Céline, que M. Martin aimait surnommer « l'intrépide », perchée sur la branche d'un arbre, dans le jardin de Semallé

L'église d'Ouilly-le-Vicomte
Dessin réalisé par Thérèse
le 12 avril 1887

« Toutes les après-midi, j'allais faire une petite promenade avec papa ; nous faisions ensemble notre visite au Saint-Sacrement, visitant chaque jour une nouvelle église. »

L'une des poupées de Thérèse

Thérèse se servit un jour de l'une d'entre elles pour confier son désir de devenir carmélite. Au cours d'une récréation, elle avait embrassé le voile de sœur Henriette en lui disant : « Pôline a un voile comme cela ! — Et vous ? Vous voudriez en avoir un aussi ? Être carmélite comme elle ? » Thérèse n'osa pas lui répondre, mais, le lendemain, elle lui montrait la poupée que Pauline avait habillée en carmélite.

Thérèse à huit ans
avec sa sœur Céline (1881)

C'est l'âge auquel elle entre à l'Abbaye. La corde à sauter — que Thérèse tient ici en mains — était, avec la balançoire, son jeu préféré, car elle aimait beaucoup le mouvement. « Plus haut, disait-elle à son père ou à sa sœur quand ils poussaient sa balançoire, que je voie le bonnet de la mère Godet ! » C'était la voisine des Buissonnets qui faisait son jardin, un bonnet de coton sur la tête. On peut encore voir sur une poutre du hangar les deux crochets auxquels était suspendue la balançoire.

Je m'amusais à dresser de petits autels

Même lorsque Thérèse aura quatorze ans, on trouvera de tout dans sa chambre : « C'était un vrai bazar, un assemblage de piété et de curiosités, un jardin et une volière. »

La maison des Buissonnets est située sur la paroisse Saint-Jacques. En arrivant à Lisieux, M. Martin était allé rendre visite à son curé, le célèbre abbé Delatroëtte, qui régentait la paroisse depuis 1867. Il lui exprima le désir de louer à l'année, comme c'était alors l'usage, des chaises bien placées pour que ses cinq filles, la bonne et lui-même puissent suivre les offices. Mais il n'y avait aucune place disponible dans la nef de Saint-Jacques. A la cathédrale Saint-Pierre, au contraire, M. Martin avait trouvé des chaises disponibles dans une petite chapelle de l'abside, dédiée à saint Joseph de Cupertino, à droite du maître-autel. A travers la grille du chœur, les enfants Martin pouvaient suivre de près la liturgie de la messe et des vêpres du dimanche. Après la lecture de l'Évangile, toute la famille venait prendre place dans la nef pour écouter la prédication. Le premier sermon compris par Thérèse fut un sermon sur la Passion donné par M. l'abbé Ducellier, le vicaire qui entendit plus tard sa première confession et devint par la suite archiprêtre de la cathédrale. Une fois la prédication terminée, la famille regagnait sa place.

La cathédrale Saint-Pierre

Succédant à une église romane qui était déjà placée sous le patronage de saint Pierre, elle fut édifiée à partir de 1149 par l'évêque Arnould, au retour de la seconde croisade où il avait accompagné le roi Louis VII. Achevée en 1250, elle présente une lanterne centrale, caractéristique de l'art gothique normand.

La chapelle absidiale — de style flamboyant — a été édifiée, de 1432 à 1442, par Pierre Cauchon, alors évêque de Lisieux. On pensait à la fin du siècle dernier que l'évêque avait fait construire cette chapelle mariale « en expiation du jugement inique rendu contre Jeanne d'Arc ». Ainsi s'exprimait le manuel de géographie que Thérèse avait à sa disposition et qui est exposé dans la vitrine des Buissonnets.

Le confessionnal

La première fois que Thérèse s'y agenouille, à l'âge de sept ans, sa tête se retrouve sous l'accoudoir. L'abbé Ducellier lui demande de se tenir debout ! « En sortant du confessionnal, j'étais si contente et si légère que jamais je n'avais senti autant de joie dans mon âme. Depuis je retournai me confesser à toutes les grandes fêtes et c'était une vraie fête pour moi à chaque fois que j'y allais. »
Quand, plus tard, elle doit faire face, pendant dix-huit mois, à une terrible crise de scrupules, elle n'accuse à confesse que les péchés que sa marraine l'autorise à dire : aussi son confesseur ignore-t-il que sa pénitente est scrupuleuse !
On sait comment prend fin cette épreuve en octobre 1886, au moment de l'entrée de Marie au carmel. Thérèse a recours à l'intercession de ses quatre frères et sœurs morts en bas âge. Aussitôt, elle est délivrée de ses scrupules.

Le premier sermon que je compris fut un sermon sur la Passion

Crosse épiscopale
de Pierre Cauchon,
évêque de Lisieux (1432-1442)
(Musée du vieux Lisieux)

En 1931, en entreprenant des fouilles dans la chapelle absidiale, on retrouva, posée sur son cercueil de plomb, la crosse en ivoire du prélat. Décédé à Rouen, il avait été ramené dans sa ville épiscopale et l'on avait déposé sur son cercueil, au moment de l'inhumation, l'insigne de son ancien pouvoir.
L'évêché de Lisieux disparut en 1790, de par la loi qui stipula qu'il devait n'y avoir qu'un évêché par département.

Le dortoir du pensionnat

Thérèse ne dormit dans ce dortoir que durant sa retraite de première communion.

Les cinq années les plus tristes

Le 3 octobre 1881, Thérèse, huit ans et demi, prend le chemin du pensionnat tenu par les bénédictines de Lisieux. Elle entre en quatrième, classe verte (couleur de la ceinture de l'uniforme). Le trajet — 1,5 km environ — se fait à pied avec Céline et les cousines Jeanne et Marie accompagnées de Marcelline, la bonne des Guérin. On arrive pour 8 heures et on repart vers 18 heures. Quelle joie pour Thérèse, quand son père vient lui-même, le soir, chercher la petite troupe !

Elle écrira plus tard que ces années furent les plus tristes de sa vie. Jalousée par ses compagnes à cause de ses succès scolaires, elle n'aime guère les jeux bruyants des récréations, préférant raconter des histoires.

de ma vie

Après-midi au mont Cassin

Les bénédictines avaient ainsi baptisé la partie vallonnée de leur propriété où les élèves avaient le droit de se rendre les jours de congé. Parce qu'elle n'aimait guère les jeux collectifs, Thérèse allait cueillir, le jeudi après-midi, des fleurs au jardin de l'Étoile ou restait aux Buissonnets pour y jouer aux « solitaires » avec sa cousine Marie Guérin.

L'abbaye Notre-Dame-du-Pré est l'un des plus anciens monastères de la basse Normandie. C'est Guillaume le Conquérant qui, en 1046, donna à des moniales bénédictines la possession d'une modeste terre, nommée Saint-Désir. Après la tourmente révolutionnaire, Napoléon leur permit de revenir dans leur abbaye, à condition qu'elles ouvrent un établissement scolaire.
Le pensionnat accueillait environ quatre-vingts élèves réparties en six classes (rouge, verte, violette, orange, bleue, blanche). Chaque classe, elle-même dédoublée en deux divisions, ne comptait donc qu'une douzaine d'élèves.

Les soixante-quatorze élèves de l'Abbaye en 1880

A partir du bas, de gauche à droite : au deuxième rang, la cinquième est Marie Guérin, la septième est Céline Martin, la dernière, Jeanne Guérin ; au cinquième rang, la cinquième est Léonie Martin.

Les vacances d'été duraient deux mois. En 1884, du lundi 4 août, jour de la distribution des prix, au lundi 3 octobre, date de la rentrée scolaire

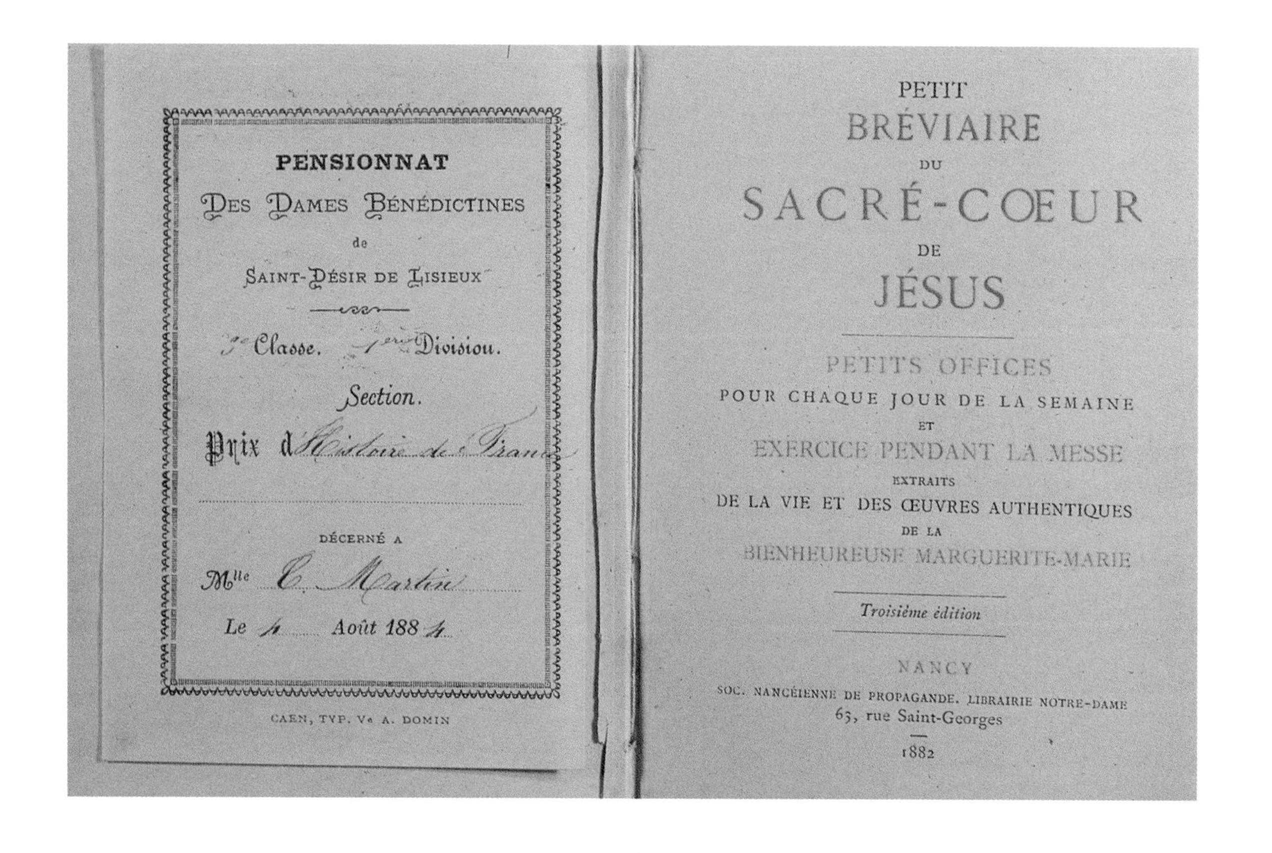

PENSIONNAT
DES DAMES BÉNÉDICTINES
de
SAINT-DÉSIR DE LISIEUX

3e Classe. 1ère Division.

Section.

Prix d'Histoire de France

DÉCERNÉ A

Mlle C. Martin

Le 4 Août 1884

CAEN, TYP. Ve A. DOMIN

PETIT
BRÉVIAIRE
DU
SACRÉ-CŒUR
DE
JÉSUS

PETITS OFFICES
POUR CHAQUE JOUR DE LA SEMAINE
ET
EXERCICE PENDANT LA MESSE
EXTRAITS
DE LA VIE ET DES ŒUVRES AUTHENTIQUES
DE LA
BIENHEUREUSE MARGUERITE-MARIE

Troisième édition

NANCY
SOC. NANCÉIENNE DE PROPAGANDE, LIBRAIRIE NOTRE-DAME
65, rue Saint-Georges
1882

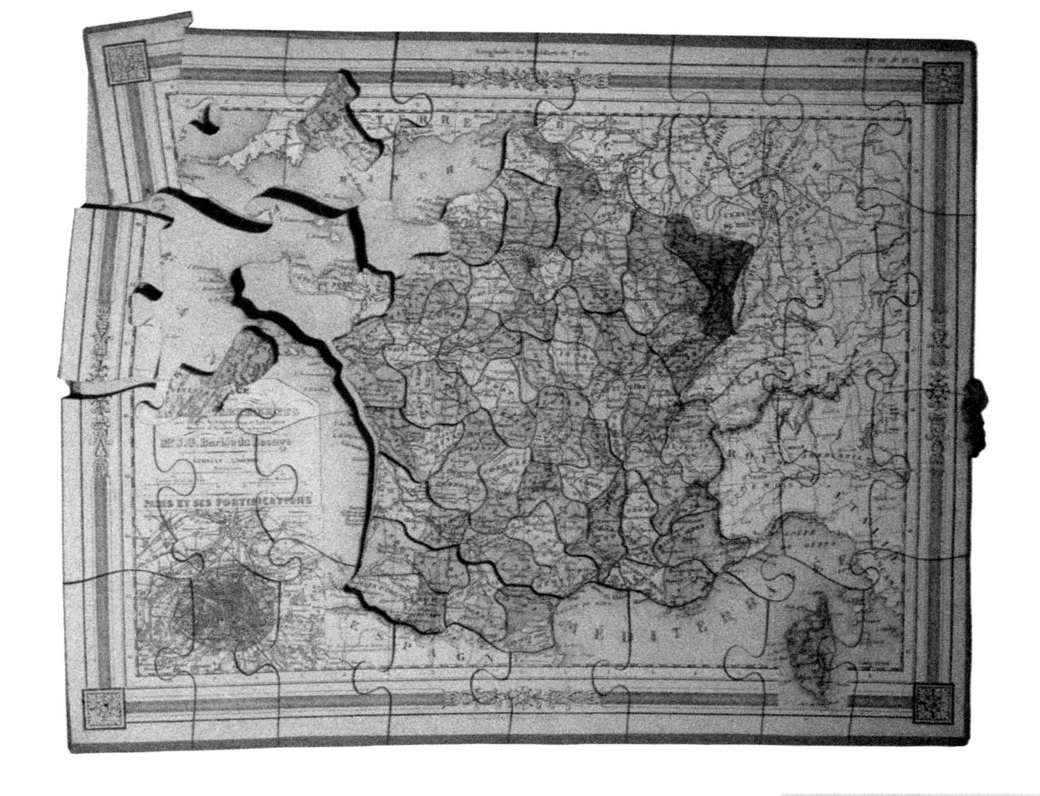

Thérèse aimait beaucoup l'histoire, la géographie... et le catéchisme. Elle réussissait plus difficilement en calcul et en orthographe, ce qui faisait parfois baisser fortement sa moyenne hebdomadaire. Aussi n'obtenait-elle pas régulièrement à la fin du mois la palme de vermeil décernée aux élèves qui avaient mérité quatre semaines de suite la palme d'argent. Elle était alors inconsolable. Même émoi quand elle ne savait pas répondre à une question. Elle pleurait pour un rien et pleurait ensuite d'avoir pleuré.

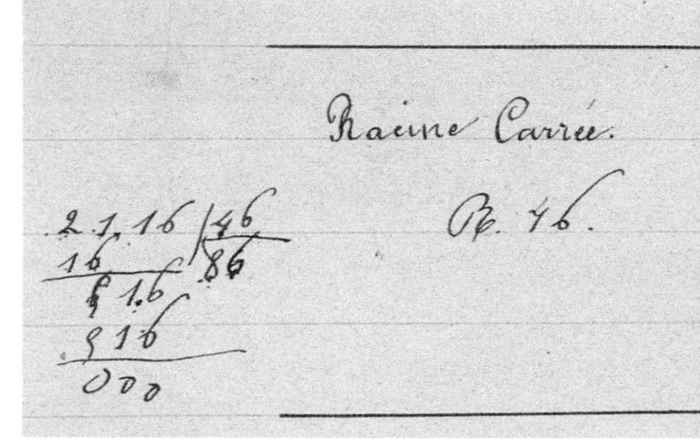

Racine Carrée.

21.16 | 46
16 | 86
5 16
5 16
000

R. 46.

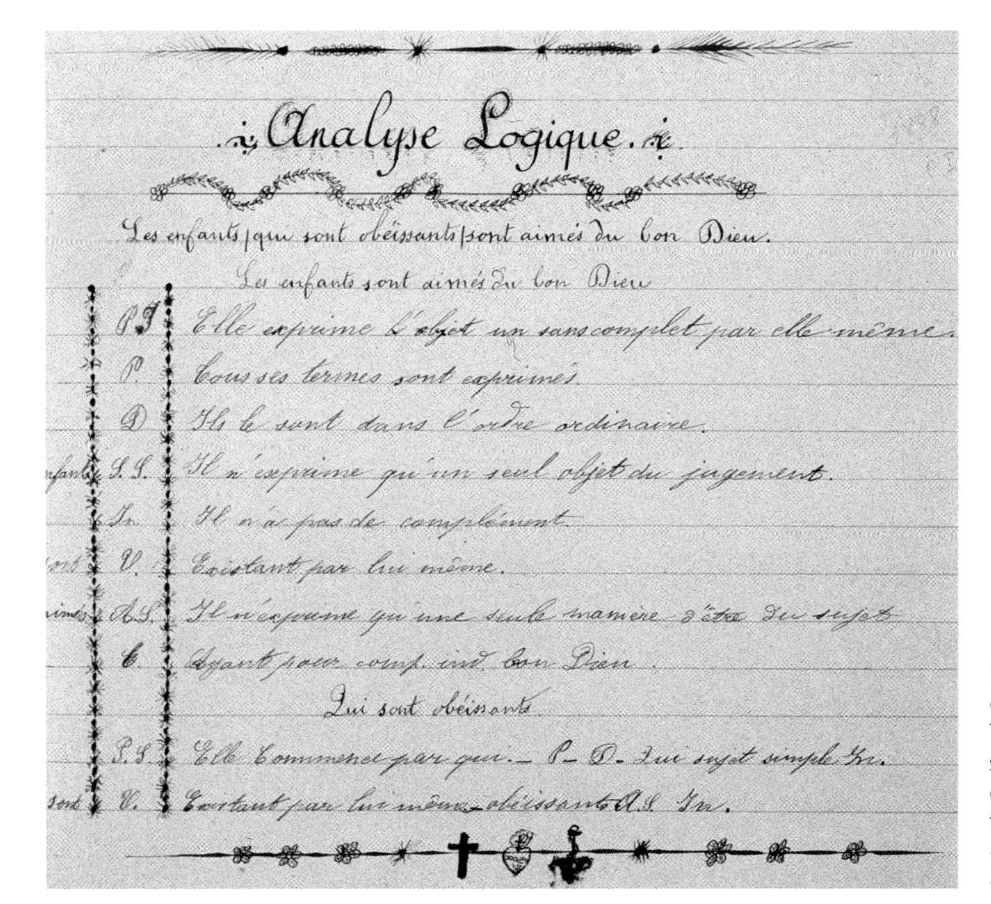

Analyse Logique.

Les enfants qui sont obéissants sont aimés du bon Dieu.

Les enfants sont aimés du bon Dieu

P.P. Elle exprime l'objet un sans complet par elle même.
P. Tous ses termes sont exprimés.
D. Ils le sont dans l'ordre ordinaire.
S.S. Il n'exprime qu'un seul objet du jugement.
In. Il n'a pas de complément.
V. Existant par lui même.
A.S. Il n'exprime qu'une seule manière d'être du sujet
C. Ayant pour comp. ind. bon Dieu.

Qui sont obéissants

S.S. Elle commence par qui. – P. – D. – Qui sujet simple In.
V. Existant par lui même – obéissants A.S. In.

Devoir rédigé au début de 1888. Thérèse émaille alors ses devoirs de guirlandes : elle est tellement heureuse d'entrer bientôt au carmel !

Chapelle de l'Abbaye

On aperçoit, au premier plan, dans le prolongement des bancs réservés aux élèves, les stalles des religieuses.

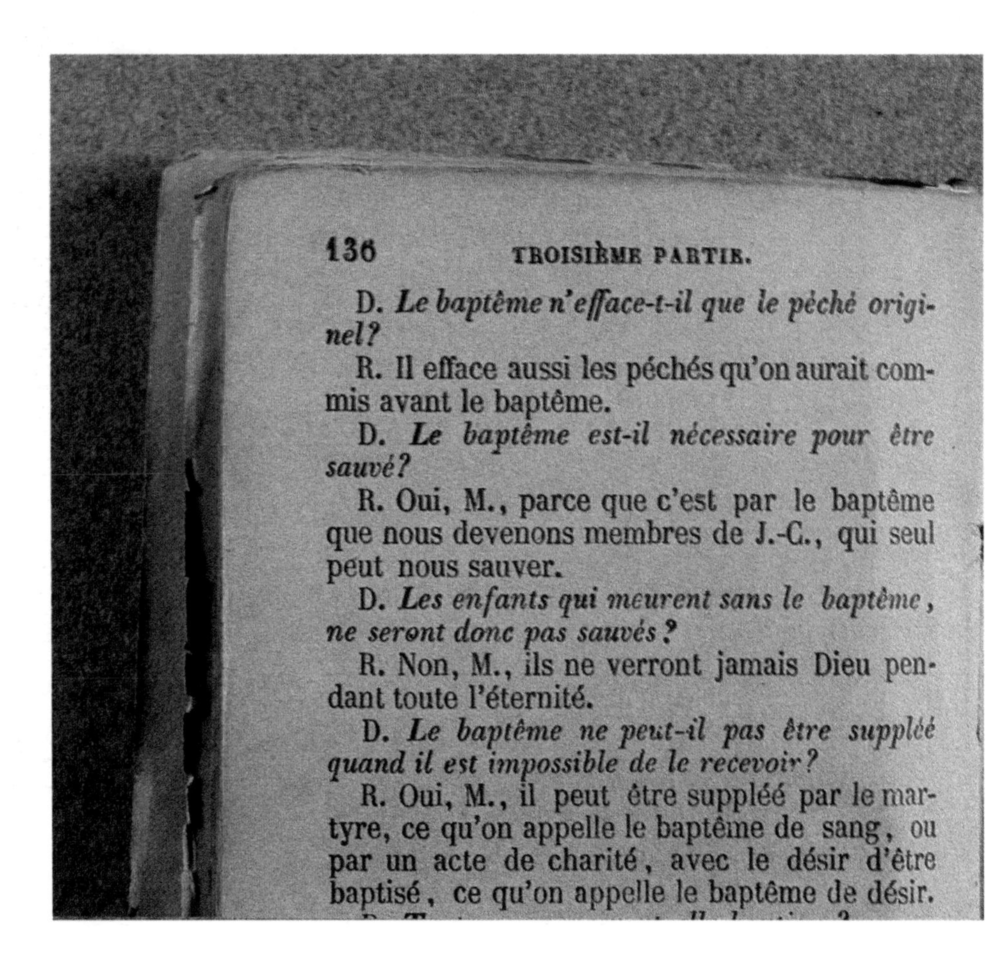

136 TROISIÈME PARTIE.

D. *Le baptême n'efface-t-il que le péché originel?*

R. Il efface aussi les péchés qu'on aurait commis avant le baptême.

D. *Le baptême est-il nécessaire pour être sauvé?*

R. Oui, M., parce que c'est par le baptême que nous devenons membres de J.-C., qui seul peut nous sauver.

D. *Les enfants qui meurent sans le baptême, ne seront donc pas sauvés?*

R. Non, M., ils ne verront jamais Dieu pendant toute l'éternité.

D. *Le baptême ne peut-il pas être suppléé quand il est impossible de le recevoir?*

R. Oui, M., il peut être suppléé par le martyre, ce qu'on appelle le baptême de sang, ou par un acte de charité, avec le désir d'être baptisé, ce qu'on appelle le baptême de désir.

Le catéchisme de Thérèse

On enseignait couramment à l'époque que les enfants morts sans avoir été baptisés ne pouvaient pas jouir du bonheur du Ciel. Ils allaient aux « limbes ». Thérèse contestait fortement cette « opinion théologique »... qui, d'ailleurs, n'a jamais été un dogme de l'Église.

Mère Saint-François de Sales, qui enseigna le catéchisme à Thérèse, témoigne : « Un jour [sans doute en 1884], où j'expliquais la leçon du baptême, je fus arrêtée par Thérèse : "Mais alors, les petits enfants morts sans baptême ne verront jamais le bon Dieu ? Jamais ? Jamais ? Mais ils n'ont pas péché ?" Je repris la réponse du catéchisme qui est formelle. Cela ne calmait pas l'esprit de ma chère petite qui dit aussitôt avec tristesse : "Mais, ne pas voir le bon Dieu, c'est malheureux ; puisque le plus grand bonheur est de voir le bon Dieu, ils ne seront pas heureux !"... Puis, après quelques paroles de regret, cette exclamation : "Eh bien ! puisque le bon Dieu peut tout, à sa place, moi, je me montrerais." »

L'abbé Louis-Victor Domin
(1843-1918)

Il fut aumônier de l'Abbaye durant quarante-quatre ans. Étant donné l'intérêt que prenait Thérèse à ses leçons de catéchisme et la justesse de ses réponses, il avait surnommé Thérèse son « petit docteur ». Ce fut lui qui prêcha la retraite préparatoire à sa première communion et celle de l'année suivante.

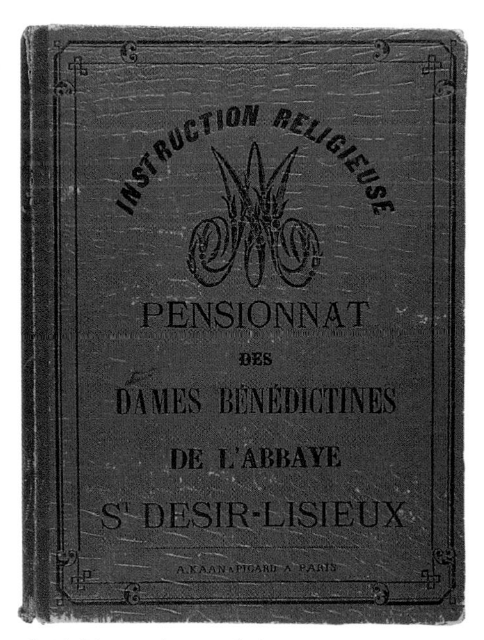

Catéchisme de persévérance
de Céline Martin (25,5 × 19 cm)

Les élèves copiaient sur un beau cahier fourni par le pensionnat le cours que leur dictait l'aumônier. Thérèse n'eut pas à faire ce travail. Elle utilisa le cahier composé par Céline.

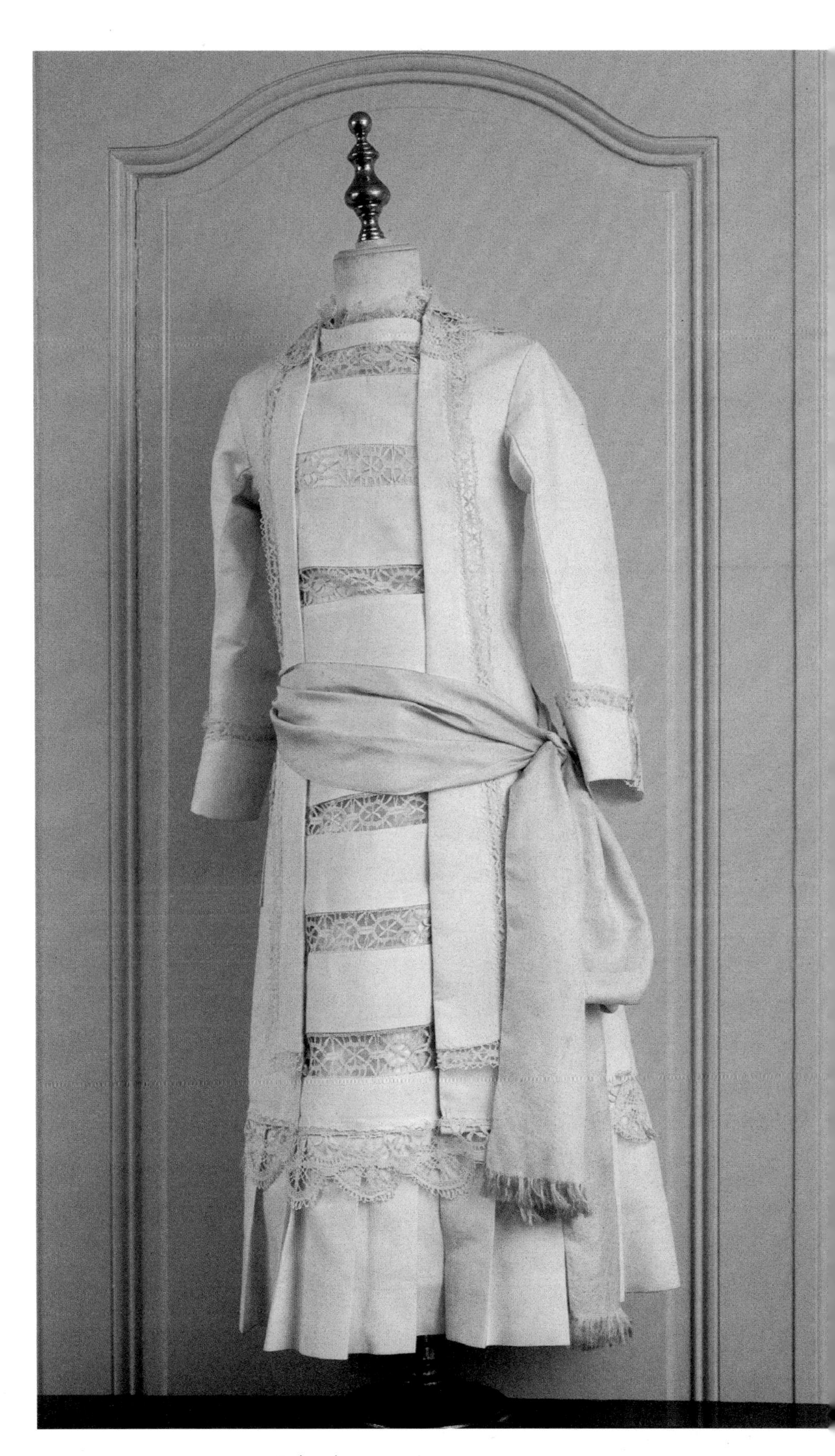

Robe de procession

Thérèse la revêtait pour participer aux processions de la Fête-Dieu.

Pauline
avant son entrée au carmel

L'église Saint-Jacques, restaurée
après les bombardements de 1944

L'église date de 1540. Commencée en 1496, elle fut édifiée avec l'appui des Le Vallois, riches seigneurs de Mesnil-Guillaume, et par les soins du maître d'œuvre Guillot de Samaison, qui se faisait payer à la journée, comme un simple ouvrier.

J'allais perdre ma seconde mère

Au hasard d'une conversation familiale, Thérèse apprend, au cours de l'été 1882, que Pauline, sa « seconde maman », se prépare à entrer au carmel en octobre. Naïvement, elle s'était imaginé que sa Pauline l'attendrait pour aller au cloître. C'est la consternation. Elle va devenir orpheline une seconde fois.

Thérèse comprend alors qu'elle est appelée elle aussi à se cacher un jour dans l'ombre du Carmel. Non pas pour y rejoindre Pauline, mais pour Jésus seul. Jour de larmes que ce lundi 2 octobre 1882. Thérèse embrasse une dernière fois Pauline avant son départ pour le carmel de la rue de Livarot, tandis qu'elle-même se dirige vers l'Abbaye pour une nouvelle année scolaire.

Statue de Notre-Dame
du Mont-Carmel
(cathédrale Saint-Pierre)

C'est en priant devant cette statue, le 16 février 1882, que Pauline découvrit sa vocation : elle ne devait pas devenir visitandine comme sa tante maternelle, mais entrer au carmel. Elle songea d'abord à celui de Caen, mais bientôt elle apprit que celui de Lisieux avait des places disponibles. Cette statue se trouvait alors à l'église Saint-Jacques où le curé, le chanoine Delatroëtte avait célébré, au mois d'octobre 1881, un triduum — trois jours de prière — pour lancer une année Thérèse d'Avila, à l'occasion du tricentenaire de sa mort.

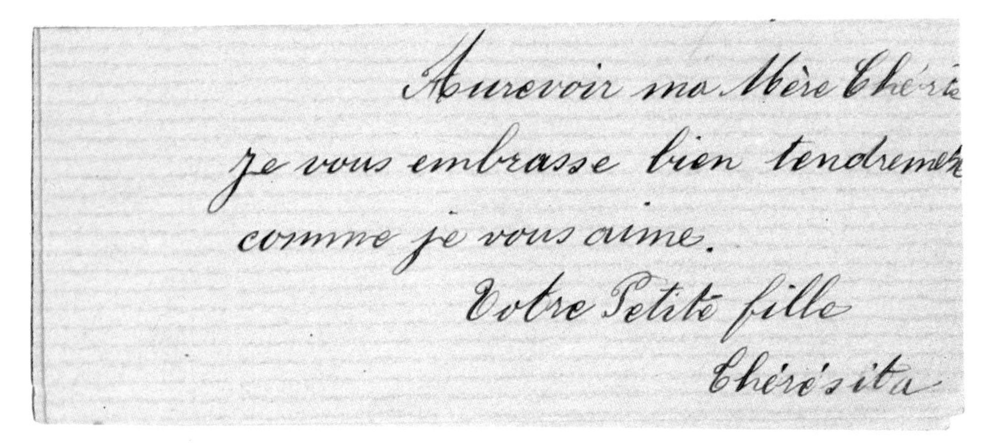

Aurevoir ma Mère Thérè
je vous embrasse bien tendrem
comme je vous aime.
Votre Petite fille
Thérésita

Finale
d'une lettre adressée par Thérèse
à mère Marie de Gonzague
en novembre-décembre 1882

Durant l'été 1882, Thérèse s'arrange pour se trouver seule au parloir du carmel avec la prieure et lui confie son désir secret : devenir carmélite comme sa sœur. Mère Marie de Gonzague ne dit pas non.

Quelques semaines plus tard, elle propose même à l'enfant de porter le nom de sœur Thérèse de l'Enfant-Jésus, en souvenir de Teresita de Jesus, nièce de Thérèse d'Avila, entrée au cloître à neuf ans. Thérèse est radieuse : c'est le nom dont elle rêvait.
Elle est fière de signer de ce nom la lettre qu'elle envoie à mère Marie de Gonzague dans les semaines qui suivent.

Teresita,
la nièce de Thérèse d'Avila,
entrée comme pensionnaire
au carmel à l'âge de neuf ans

Thérèse à huit ans
(voir p. 38)

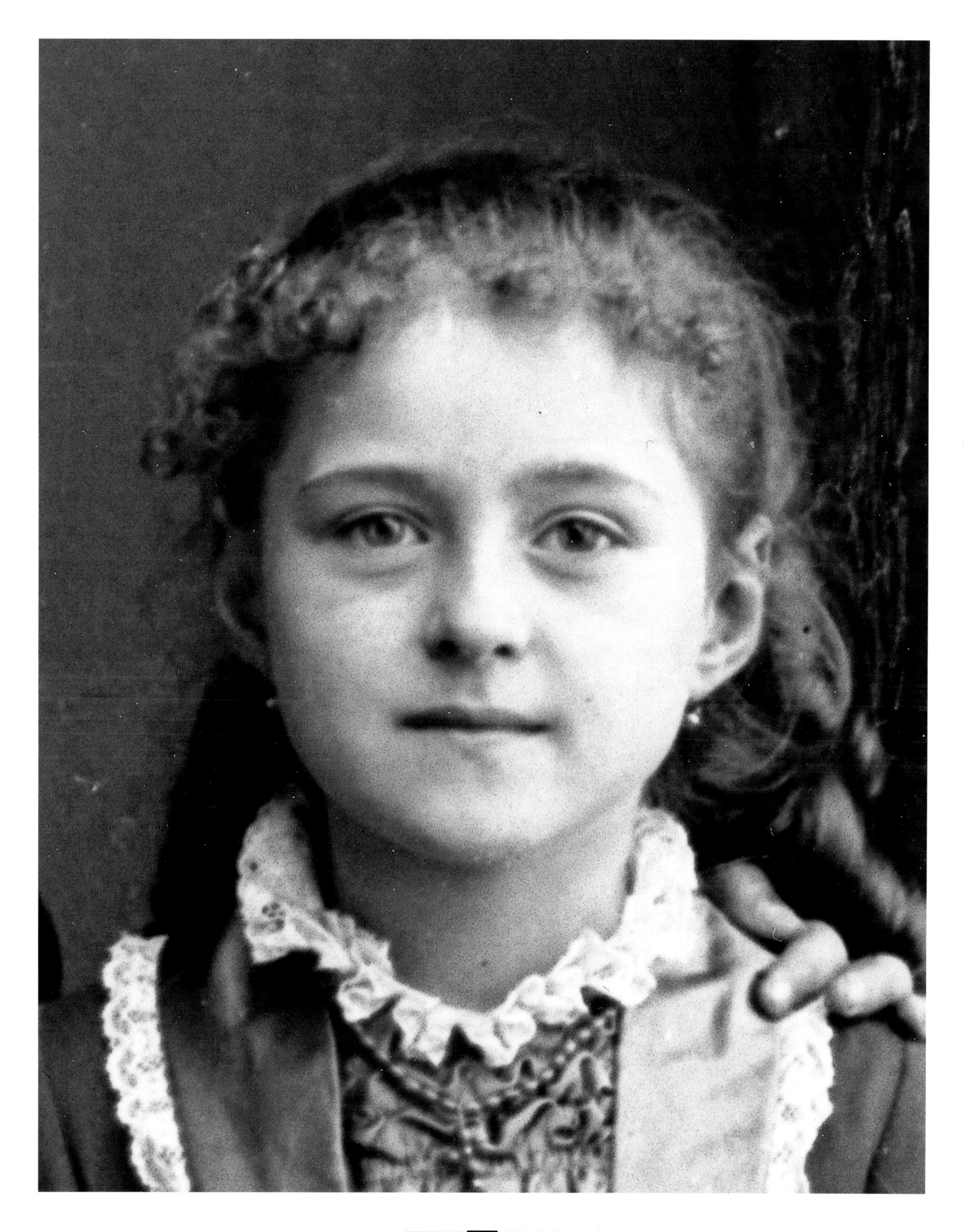

Le ravissant sourire de la Sainte Vierge

La chambre où Thérèse fut guérie le 13 mai 1883

Ayant sauté une division, Thérèse se trouve à la rentrée scolaire de 1882 en classe violette, celle qui prépare à la première communion. Cette perspective aide l'enfant à mieux supporter le départ pour le carmel de sa seconde mère. Mais un règlement récent de l'évêché stipule que les communiantes doivent avoir onze ans dans l'année. Thérèse est née deux jours trop tard pour la faire en 1883. Crise de larmes. Au carmel, le jeudi après-midi, les grandes personnes parlent avec Pauline à travers les grilles du parloir. La benjamine n'a droit qu'à deux ou trois petites minutes à la fin. Nouvelles crises de larmes !

Dès le mois de décembre, l'enfant tombe souvent malade et, le soir de Pâques, elle est prise de tremblements nerveux qui vont durer six semaines. L'enfant, écrit le Dr Gayral, « réagit par une crise névrotique à la frustration affective » dont elle est victime depuis le départ de Pauline pour le carmel. Vivant depuis six mois dans l'angoisse d'être abandonnée par sa seconde mère, elle tombe dans un comportement régressif, demandant à « se faire dorloter comme un bébé ». Toute la famille se mobilise pour obtenir du Ciel la guérison de l'enfant. On fait célébrer une neuvaine de messes au sanctuaire parisien de Notre-Dame-des-Victoires. Le 13 mai 1883, en la fête de la Pentecôte, Thérèse se tourne vers la statue qui se trouve près de son lit. « Tout à coup la Sainte Vierge me parut belle, si belle que jamais je n'avais rien vu de si beau, son visage respirait une bonté et une tendresse ineffables, mais ce qui me pénétra jusqu'au fond de l'âme, ce fut le ravissant sourire de la Sainte Vierge. »

Thérèse est guérie. Mais elle devra se convaincre par la suite que le sourire de la Vierge n'est pas une illusion due à la maladie et à son état délirant. Son scrupule à ce sujet ne disparaîtra qu'en novembre 1887, à Notre-Dame-des-Victoires, avant son pèlerinage à Rome. D'autre part, écrit-elle, « longtemps après ma guérison, j'ai cru que j'avais fait exprès d'être malade et ce fut un vrai martyre pour mon âme ». Autrement dit, elle se sent coupable d'être tombée dans un comportement infantile durant sa maladie. C'est en se confessant au père Pichon le 28 mai 1888 qu'elle sera définitivement délivrée de ce sentiment de culpabilité.

La Vierge du sourire

Couverture du carnet composé par Pauline pour aider Thérèse à se préparer à sa première communion

Première page du carnet

L'époque
de ma première Communion
est restée gravée dans mon cœur
comme un souvenir
sans nuages

Le crucifix que Thérèse avait reçu de Léonie et qu'elle porta à la ceinture « à la façon des missionnaires » durant toute sa retraite à l'Abbaye. C'est la première fois que l'enfant est pensionnaire

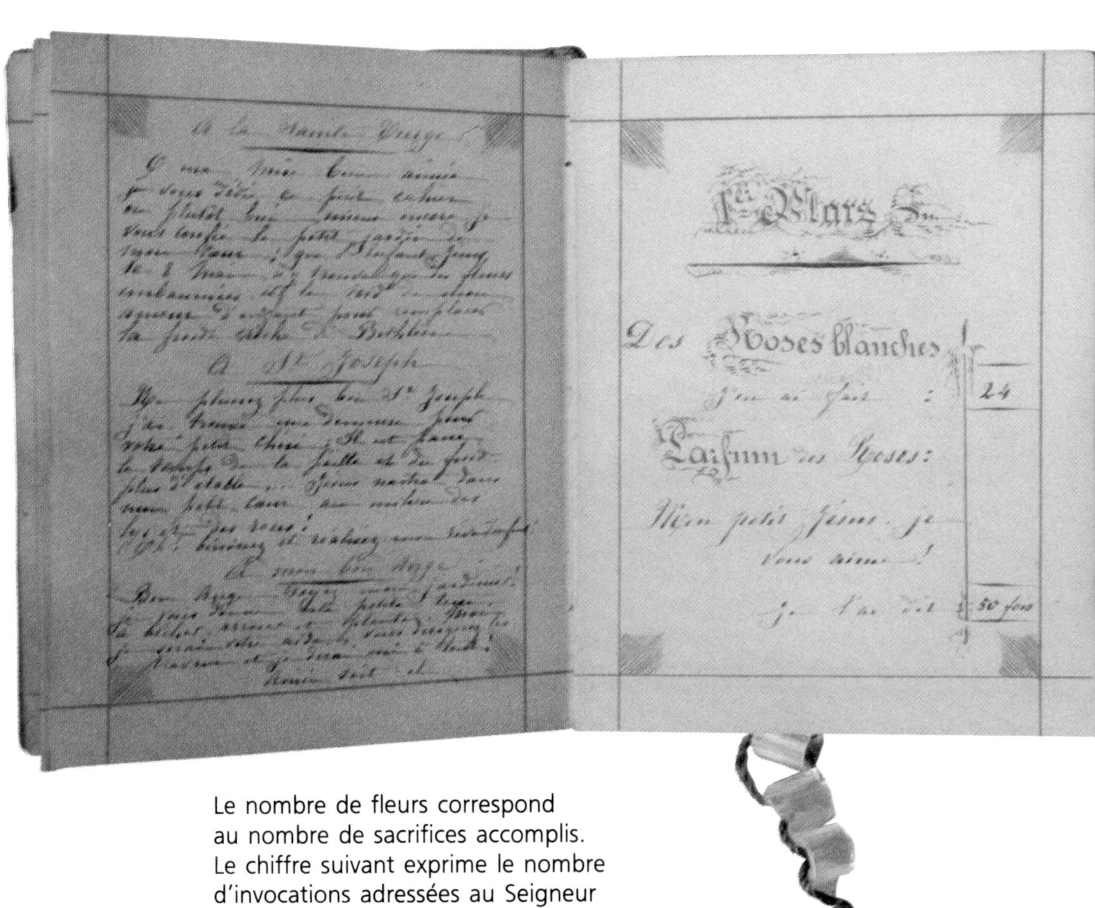
1er Mars

Des Roses blanches

J'en ai fait : 24

Parfum des Roses :

Mon petit Jésus, je vous aime !

je l'ai dit 50 fois

Le nombre de fleurs correspond au nombre de sacrifices accomplis. Le chiffre suivant exprime le nombre d'invocations adressées au Seigneur

Avec six autres élèves de sa classe, Thérèse s'apprête à faire sa première communion le jeudi 8 mai 1884, dans la chapelle des bénédictines.
Pour s'y préparer, Thérèse a utilisé un petit carnet composé par Pauline. Chaque jour, elle est invitée à offrir à Jésus les fleurs de ses sacrifices et à tourner souvent son cœur vers Lui. Marie, à la maison, l'encourage aussi beaucoup à se renoncer. Thérèse n'y manque pas : du 1er mars au 7 mai, elle totalise mille neuf cent quarante-neuf sacrifices, soit une moyenne de vingt-huit par jour. Elle répète deux mille sept cent soixante-treize fois les invocations suggérées sur le carnet, soit quarante quotidiennement.
A la fin de la retraite prêchée par l'abbé Domin, elle prend trois résolutions : « Je ne me découragerai pas ; je dirai tous les jours un "souvenez-vous" à la Sainte Vierge ; je tâcherai d'humilié mon orguel [sic]. »

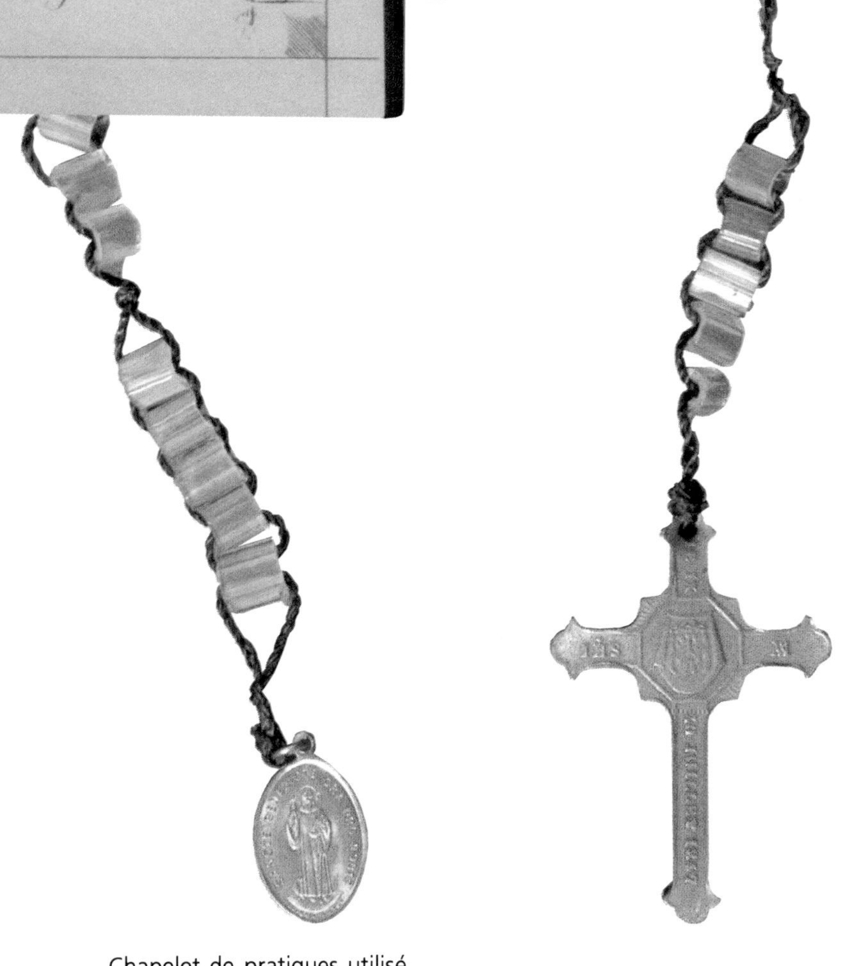
Chapelet de pratiques utilisé par Thérèse

Il lui servait à compter les sacrifices accomplis au cours de la journée. Le soir, elle « remontait » les grains qu'elle avait « descendus » chaque fois qu'elle avait accompli quelque effort pour plaire à Jésus. Les grains étaient au nombre de trente.

Dernière page du carnet
composé par Pauline.
Celle-ci appelle sa sœur du nom
qu'elle portera au carmel : Thérésita (voir p. 50)

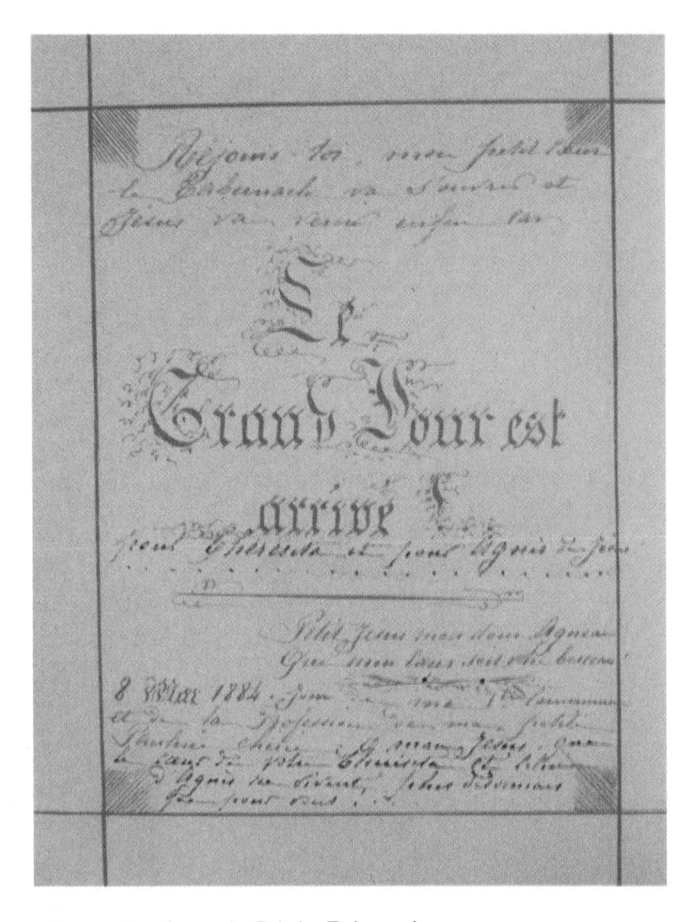

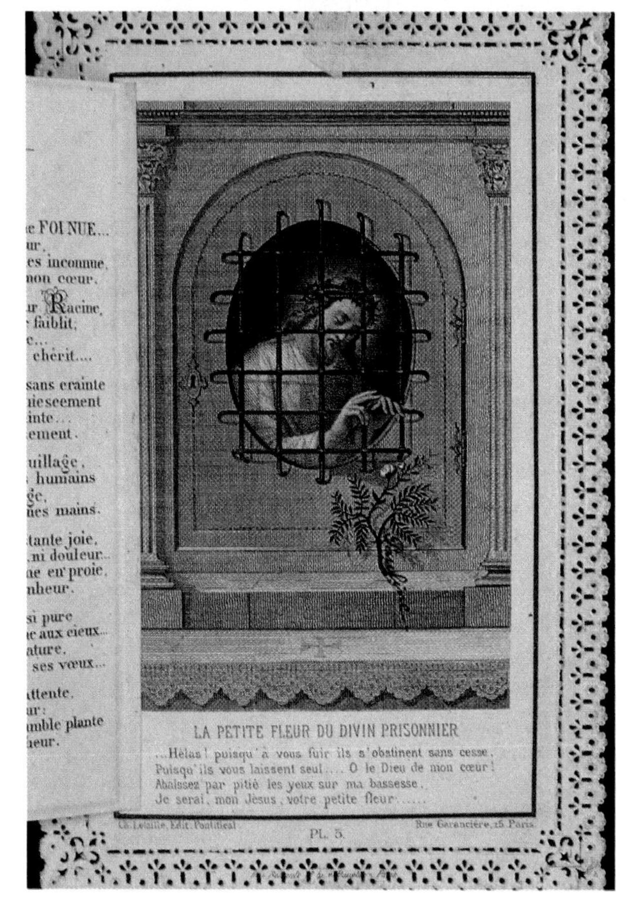

Image que Pauline avait envoyée
à sa petite sœur pour son ultime
préparation
Thérèse y fait allusion
dans son manuscrit

« La petite fleur du Divin Prisonnier me disait tant de choses que j'en étais plongée *[sic]*. Voyant que le nom de Pauline était écrit au bas de la petite fleur, j'aurais voulu que celui de Thérèse y fût aussi et je m'offrais à Jésus pour être sa petite fleur. »

On peut effectivement voir le nom de Pauline écrit au crayon sur la tige.

Les images de l'époque soulignent souvent l'indifférence des chrétiens par rapport à la présence du Christ au tabernacle. Jésus reste seul derrière la porte, comme un prisonnier dans sa cellule : personne ne vient le visiter. Les barreaux de l'image évoquent irrésistiblement à l'esprit de l'enfant la grille du carmel derrière laquelle Pauline va se constituer prisonnière et se cacher définitivement. Le 8 mai, en effet, en la salle du chapitre du monastère de la rue de Livarot, sœur Agnès fera sa profession religieuse. Thérèse espère l'y rejoindre au plus tôt pour offrir elle aussi la fleur de son amour au « Divin Prisonnier du Tabernacle ».

Le missel que Thérèse reçut
comme cadeau
le jour de sa communion

La robe de la communiante

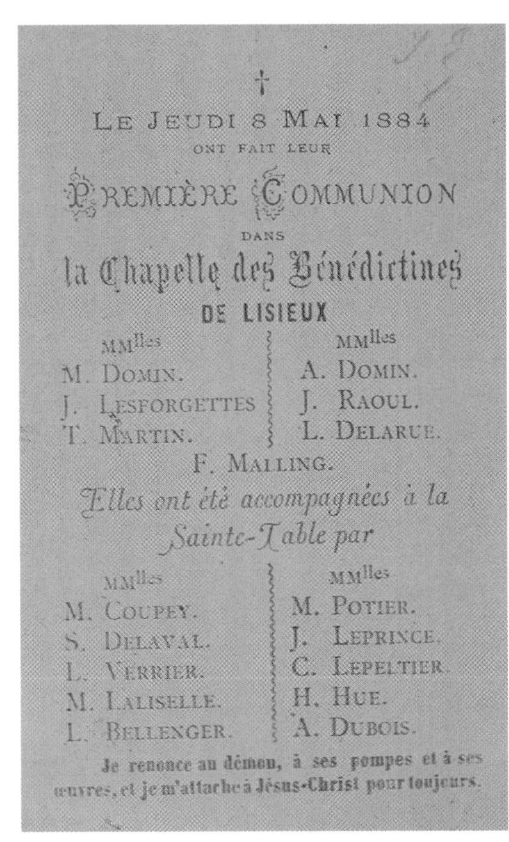

†

LE JEUDI 8 MAI 1884

ONT FAIT LEUR

PREMIÈRE COMMUNION

DANS

la Chapelle des Bénédictines

DE LISIEUX

MMlles	MMlles
M. DOMIN.	A. DOMIN.
J. LESFORGETTES	J. RAOUL.
T. MARTIN.	L. DELARUE.

F. MALLING.

Elles ont été accompagnées à la Sainte-Table par

MMlles	MMlles
M. COUPEY.	M. POTIER.
S. DELAVAL.	J. LEPRINCE.
L. VERRIER.	C. LEPELTIER.
M. LALISELLE.	H. HUE.
L. BELLENGER.	A. DUBOIS.

Je renonce au démon, à ses pompes et à ses œuvres, et je m'attache à Jésus-Christ pour toujours.

Image-souvenir offerte
par les religieuses du pensionnat

Parmi les sept premières communiantes : Marie et Alexandrine Domin, les nièces de l'aumônier ; Jeanne Raoul et Félicie Malling, les deux camarades préférées de Thérèse.
Les dix autres élèves renouvelaient ce jour-là les promesses de leur première communion faite un ou deux ans plus tôt.

L'absence de Maman ne me faisait pas de peine

Image peinte par sœur Agnès

« Pauline m'avait envoyé une belle image... je ne me lassais pas de l'admirer et de la faire admirer par tout le monde. »

Image offerte par Léonie

Dédicace au verso : « Ta petite sœur qui t'aime bien tendrement. Léonie, enfant de Marie. »
Le texte de l'image a peut-être inspiré Thérèse dans la rédaction de la pièce qu'elle écrira pour la fête de Noël 1894 : *Les Anges à la crèche.*

Durant son action de grâces, Thérèse sentit des larmes couler sur son visage. Les pleurs de l'orpheline ne furent pas compris. Plusieurs compagnes s'imaginèrent qu'elle pleurait l'absence de sa mère. « Oh ! non, l'absence de Maman ne me faisait pas de peine le jour de ma première communion : le Ciel n'était-il pas dans mon âme, et Maman n'y avait-elle pas pris place depuis longtemps ? Ainsi, en recevant la visite de Jésus, je recevais aussi celle de ma Mère chérie. »

Image envoyée de Paris
par le père Pichon

Thérèse avait fait la connaissance du père Pichon au mois d'août 1883. A l'approche de sa communion, elle l'associe à sa joie : « Je serai bientôt carmélite, lui écrit-elle, et vous serez mon directeur. » Le religieux avait une dévotion marquée envers le Sacré-Cœur.
Évoquant sa première communion, Thérèse confie : « Ce fut un baiser d'amour, je me sentais aimée, et je disais aussi : "Je vous aime, je me donne à vous pour toujours." » Un acte d'amour qui ressemble étonnamment à la prière écrite sur l'image. En la lui envoyant, le religieux jésuite avait écrit à l'enfant : « Demandez la grâce de l'aimer autant qu'il veut être aimé de votre cœur. »
Thérèse connaît déjà sa fragilité. Pour être fidèle aux résolutions qu'elle a prises, elle a remis sa liberté entre les mains de Jésus, elle Lui a donné son cœur.

Le sanctuaire du carmel

« Je ne fus pas insensible à la fête de famille qui eut lieu le soir de la première communion : la belle montre que me donna mon Roi me fit un grand plaisir. »

Le cadeau de M. Martin

En fin d'après-midi, toute la famille se rend au carmel et rencontre au parloir sœur Agnès qui, le matin même, a fait profession entre les mains de la prieure, dans la salle du chapitre. « Je vis ma Pauline devenue l'épouse de Jésus, je la vis avec son voile blanc comme le mien et sa couronne de roses. » Le 16 juillet, sœur Agnès échangera le voile blanc de novice contre le voile noir de professe.

Les élèves se préparaient par un jour de retraite à leur confirmation. Mais, à la suite d'un empêchement de dernière minute, Mgr Hugonin ne put venir que le lendemain du jour prévu. Thérèse fut très heureuse de bénéficier de ce jour supplémentaire de solitude pour mieux recevoir ce « sacrement d'amour ». « Ah ! Que mon âme était joyeuse ! Comme les apôtres, j'attendais avec bonheur la visite de l'Esprit-Saint ! »

Image à volets offerte à Thérèse par Léonie, sa marraine de confirmation

Sur le volet de droite, Léonie a inscrit la date de la confirmation de sa filleule : samedi 14 juin 1884.

Le 8 mai, c'est Thérèse qui avait prononcé au nom de ses compagnes l'acte de consécration à la Sainte Vierge. Les deux nièces de l'abbé Domin en avaient été chargées ; mais on fit valoir auprès de l'aumônier que Thérèse était orpheline pour qu'on lui laissât cet honneur.

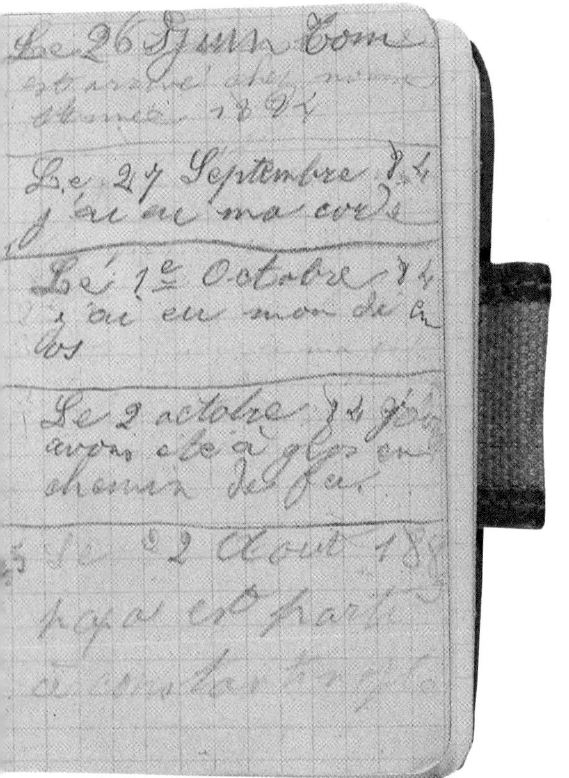
Le 26 Juin Tom est arrivé chez nous année 1884

Le 27 Septembre 84 j'ai eu ma corde

Le 1er Octobre 84

Le 2 octobre 84 nous avons été à [illegible] en chemin de fer

Le 22 Aout 188[illegible] papa est parti à Constantinople

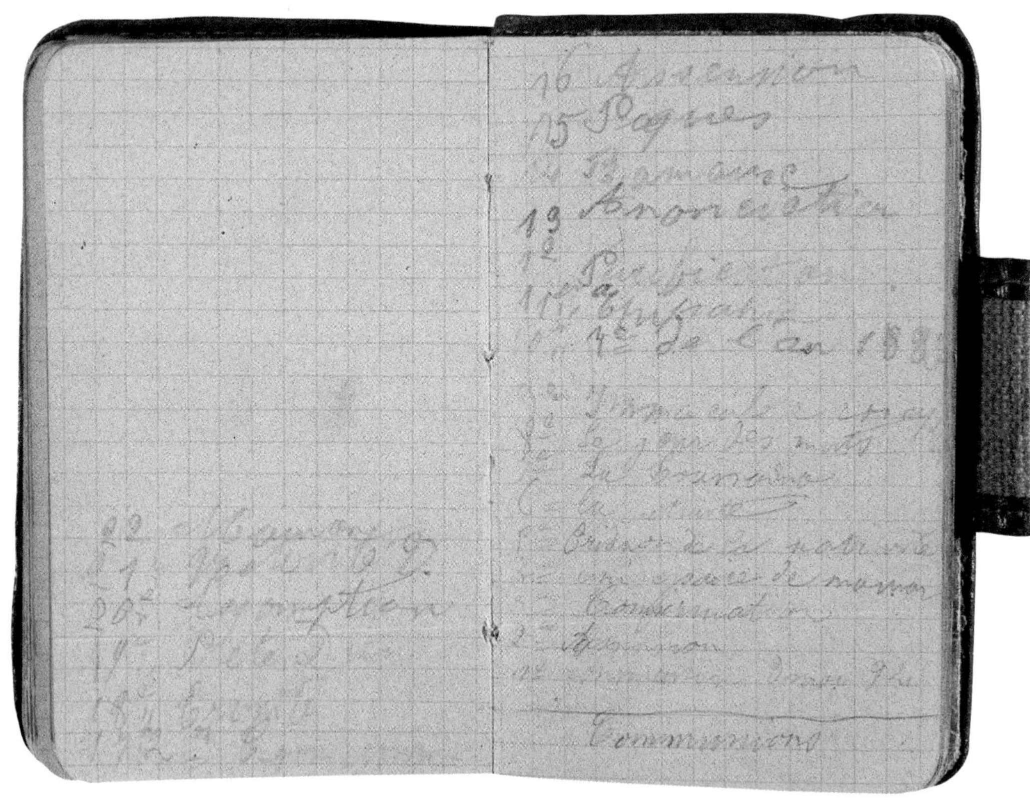
16 Ascension

15 Pâques

13 Annonciation

Communions

Au début d'un petit carnet, Thérèse se plaît à noter la date des événements qui l'ont le plus marquée. L'arrivée de l'épagneul aux Buissonnets, le 26 juin 1884, inaugure la série

A la fin du carnet, Thérèse a noté toutes les dates auxquelles elle a été autorisée à communier : du 8 mai 1884 au 28 août 1885, vingt-deux au total. La faim de l'Eucharistie se creuse de plus en plus en son cœur

Tom est arrivé chez nous

Tom, le fidèle compagnon de promenade de Thérèse

Fait exceptionnel à l'époque, l'abbé Domin ose permettre à Thérèse de s'approcher de nouveau de la Sainte Table moins de quinze jours après sa première communion. Au cours de cette seconde rencontre eucharistique le jour de l'Ascension (22 mai 1884), une phrase de saint Paul s'impose à son esprit : « Ce n'est plus moi qui vis, c'est Jésus qui vit en moi. »

*Après une autre communion, c'est une prière de l'*Imitation *qui lui vient spontanément sur les lèvres : « O Jésus ! Douceur ineffable, changez pour moi en amertume toutes les consolations de la terre ! » Elle comprendra par la suite que Jésus lui faisait déjà désirer la grâce qu'Il lui donnerait quelque temps plus tard, celle de ne pas se laisser asservir par des amitiés trop sensibles avec des camarades de classe, afin de pouvoir toujours L'aimer par-dessus tout.*

Cela n'empêche pas Thérèse de goûter les joies toutes simples de vacances à la campagne ou de promenades avec son chien.

Dessin de la ferme de Saint-Ouen
par Thérèse

En août 1884, Thérèse a dessiné le bâtiment central de la ferme.

« Ce jour-là, écrit Mme Guérin, la chaleur était telle qu'on ne pouvait songer à aller bien loin. » Mais, tous les soirs, les enfants assistent à la traite des vaches et chacune boit son verre de lait tout chaud. « Je crois que c'est un bon remède contre la coqueluche. »

Trois années de suite, Thérèse est venue avec ses sœurs et ses cousines à Saint-Ouen-le-Pin, à 10 kilomètres de Lisieux, dans la propriété de Mme Fournet, mère de Mme Guérin. La première fois en juillet-août 1884, pour guérir une coqueluche ; la seconde en juillet-août 1885. Ces vacances à la campagne, si conformes à l'atavisme terrien de Thérèse, ont sans doute été les plus agréables de son enfance.

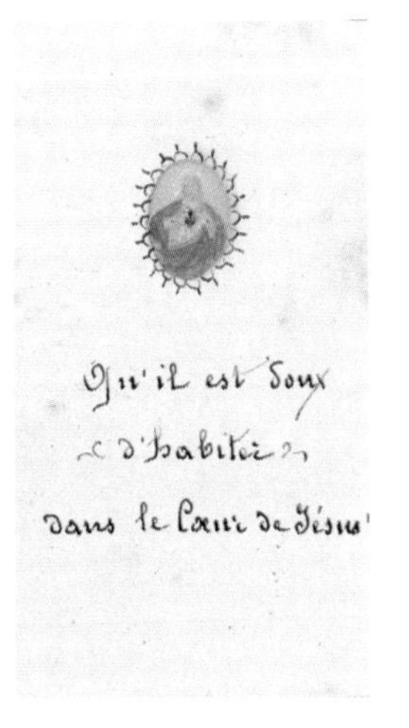

Souffrir avec Jésus et pour Jésus

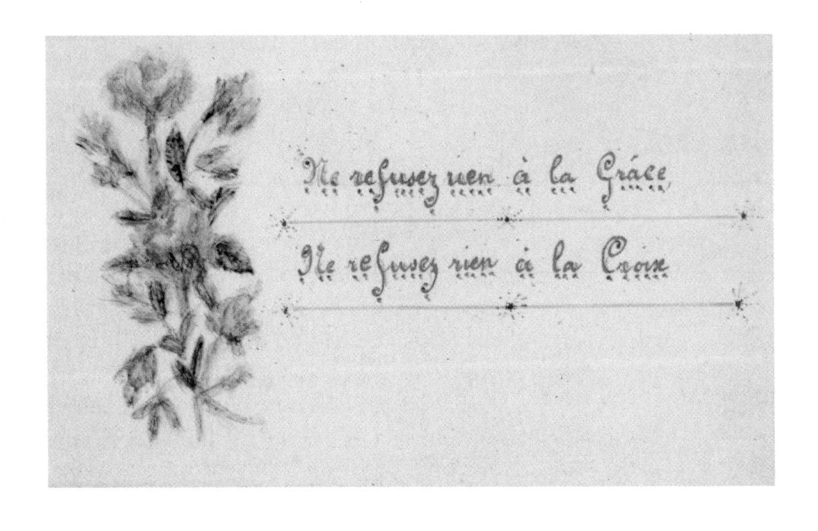

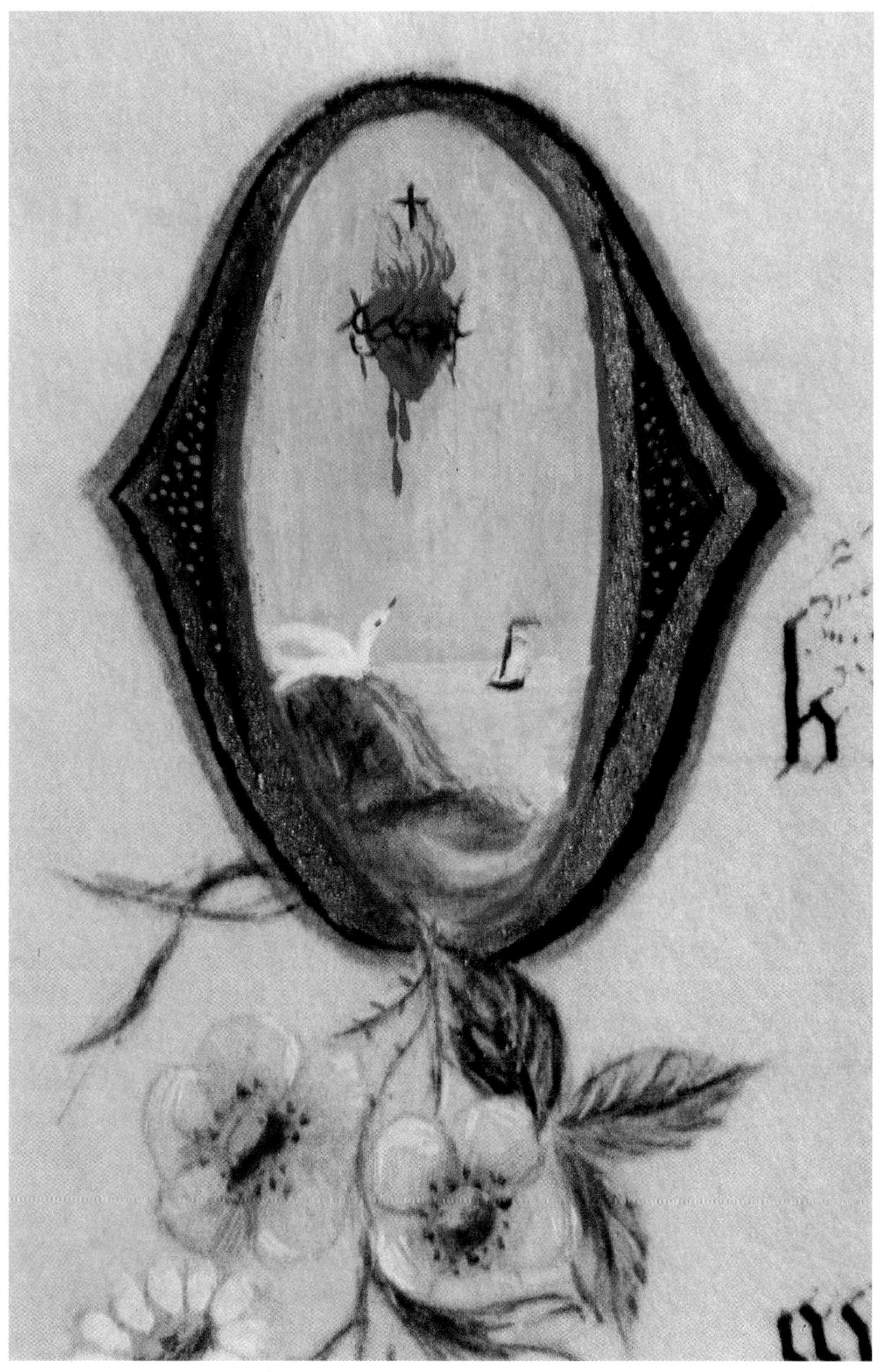

Image que Thérèse a composée quelques mois après son entrée au carmel et qu'elle a offerte à Mme Guérin à l'occasion de sa fête (19 novembre 1888)

On y retrouve le thème du sacrifice qu'il ne faut pas refuser d'offrir à Jésus. Sur sa toute première image (1884), Thérèse avait calligraphié cette sentence : « Souffrir passe ; avoir bien souffert demeure éternellement. »

M. Martin avait un bon coup de crayon et l'on comprend que, dans une telle ambiance, ses filles aient eu envie de dessiner à leur tour. A partir de la rentrée scolaire 1882, Céline bénéficia de leçons de dessin données par Mlle Godard. M. Martin, devinant les désirs de sa benjamine, alors âgée de neuf ans, lui proposa la même faveur : « Et toi, ma petite Reine, cela te ferait-il plaisir d'apprendre le dessin ? » Thérèse s'apprêtait à répondre par l'affirmative quand Marie, sa marraine, intervint un peu sèchement en faisant remarquer que la maison était déjà remplie de « croûtes » qu'il fallait encadrer... Son avis l'emporta. Thérèse ne dit mot, mais quelques semaines avant sa mort, rappelant ce fait à Céline, elle lui avoua que le sacrifice avait été grand.

En 1884, Thérèse se mit néanmoins à peindre des petites images. Elles sont reproduites ici à leur taille originale. On notera le goût précoce de Thérèse pour les fleurs.

Au début du mois de mai 1885, pendant la semaine de vacances de la Pentecôte, Thérèse est de nouveau invitée par sa tante Guérin, non plus à la campagne, mais au bord de la mer. Les Guérin vont en effet dans une maison prêtée par des amis, à Deauville, quai de la Touques, afin de permettre à leur dernière fille, Marie, de respirer à pleins poumons l'air iodé qui vient du large. Thérèse est enchantée. Elle connaît déjà Trouville pour y être allée plusieurs fois avec son père dans la journée, mais elle ne se lasse pas d'y retourner : elle aime les longues promenades le long de la grève, l'animation du petit port de pêche, mais aussi, bien sûr, la messe à laquelle elle assiste chaque matin en ce séjour plus long, à l'église Notre-Dame-des-Victoires de Trouville, de l'autre côté du quai de la Touques, séparant Deauville de Trouville.

Ma tante nous invitait tous les ans à Trouville

Sur la plage de Trouville, avec ses rubans bleu ciel dans les cheveux, Thérèse ne passe pas inaperçue. Surtout lors de son dernier séjour, à la fin de juin 1887. Là-bas, on ne l'appelle pas la « petite Thérèse », mais la « grande Anglaise ». Avec ses longs cheveux blonds, elle a belle allure. Elle était la plus grande de la famille (1,62 m) ; Pauline, la plus petite des cinq filles, ne dépassait pas 1,54 m.

Trois pages
du carnet de dessin de Thérèse
(14,8 × 24 cm)

Thérèse a séjourné quatre fois à Deauville ou Trouville.
Elle a dessiné la Villa Rose (quai de la Touques, à Deauville) qu'elle a habitée lors de son premier séjour, au mois de mai 1885.

Vivre sans cesse sous le regard de Jésus, c'est la résolution prise par Thérèse le soir du 8 août 1878, quand elle a longuement contemplé, près de Pauline, un voilier tout auréolé par les derniers feux du soleil couchant. Elle comprit alors que, pour réussir sa vie, il fallait rester dans ce « sillon d'or », se laisser illuminer par le visage de Jésus. Ce thème revient plusieurs fois dans ses compositions picturales.

Tableau réalisé par Thérèse

Dans l'un et l'autre dessin, Thérèse illustre l'un de ses thèmes préférés : l'astre qui permet au navire de voguer en toute sécurité, c'est le cœur de Jésus.

Coquille d'huître peinte par Thérèse

La chapelle Notre-Dame de Grâce

Thérèse a visité Honfleur en juin 1887, en compagnie de M. Martin, de Céline et de Léonie. Auparavant, ils étaient allés en pèlerinage à la chapelle, près de Honfleur.

Pendant ma retraite de seconde Communion, je me vis assaillie par la terrible maladie des scrupules

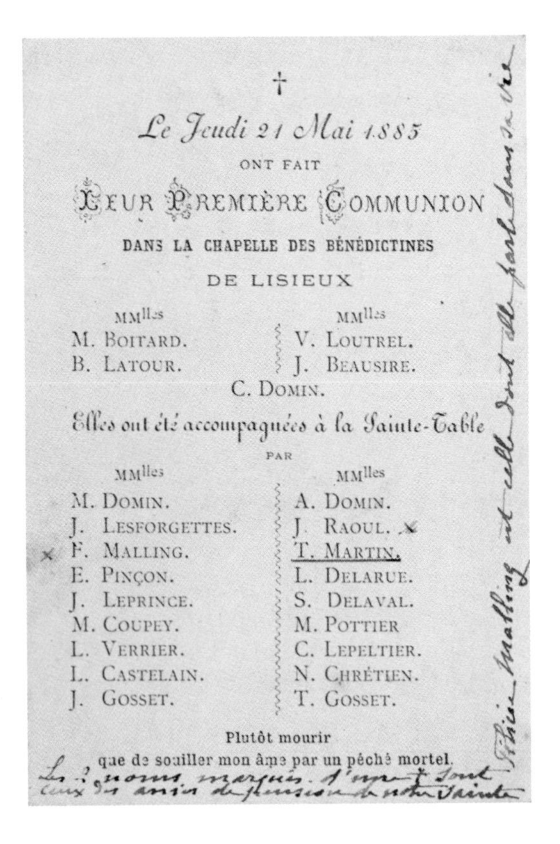

†

Le Jeudi 21 Mai 1885

ONT FAIT

LEUR PREMIÈRE COMMUNION

DANS LA CHAPELLE DES BÉNÉDICTINES

DE LISIEUX

MMlles	MMlles
M. BOITARD.	V. LOUTREL.
B. LATOUR.	J. BEAUSIRE.

C. DOMIN.

Elles ont été accompagnées à la Sainte-Table

PAR

MMlles	MMlles
M. DOMIN.	A. DOMIN.
J. LESFORGETTES.	J. RAOUL. ×
× F. MALLING.	T. MARTIN.
E. PINÇON.	L. DELARUE.
J. LEPRINCE.	S. DELAVAL.
M. COUPEY.	M. POTTIER
L. VERRIER.	C. LEPELTIER.
L. CASTELAIN.	N. CHRÉTIEN.
J. GOSSET.	T. GOSSET.

Plutôt mourir

que de souiller mon âme par un péché mortel.

Image-souvenir du renouvellement
de la première communion
de Thérèse et de ses compagnes

Au retour de Trouville, Thérèse prépare le renouvellement de sa première communion. Les instructions de l'abbé Domin ressemblent beaucoup à celles de l'année précédente, mais, cette fois, Thérèse est traumatisée. « Ce que nous a dit M. l'Abbé était très effrayant, note-t-elle après la seconde instruction; il nous a parlé du péché mortel. » L'adolescente sombre dans une crise de scrupules qui va durer dix-huit mois. Selon toute vraisemblance, ses inquiétudes de conscience portaient essentiellement sur la chasteté — ce qui lui permettra de bien comprendre sa cousine quelques années plus tard (voir p. 192). Docile, Thérèse n'accuse à confesse que les péchés que sa marraine lui laisse dire, si bien que ses confesseurs ne s'aperçurent jamais de sa « vilaine maladie ». Thérèse continue pourtant à goûter les joies humaines. Cette année-là, elle s'est encore bien amusée à Saint-Ouen-le-Pin, puis à Trouville: quinze jours au bord de la mer avec Céline!

On remarquera l'insistance de l'époque sur le danger du péché mortel.
Thérèse a marqué d'une croix le nom de ses deux camarades de prédilection.
« Quand Thérèse avait parlé de "sa" Jeanne, elle avait tout dit », dira plus tard Céline. Celle-ci avait été la marraine de confirmation de Jeanne Raoul. Mais, quelques mois plus tard, ces « deux camarades » ne s'intéresseront plus à elle. Déçue, Thérèse ne cherchera pas à récupérer à tout prix leur affection. Plus tard, elle remerciera Dieu d'avoir échappé ainsi au danger d'amitiés adolescentes trop exclusives.

Image offerte à Thérèse
par la mère Saint-Placide
à l'occasion de sa réception
dans l'association
des Enfants de Marie (31 mai 1887)

Avec saint Louis-Marie Grignion de Montfort, Thérèse pensera que la vraie dévotion envers la Très Sainte Vierge consiste à vivre « en Marie », mais c'est plutôt sous le voile virginal de Marie (voir p. 152) qu'elle aimera se réfugier.

Image peinte par Thérèse et offerte
à sa marraine le 21 mai 1885

Thérèse ne termine pas l'année scolaire 1885-1886. Céline ayant achevé ses études, elle doit retourner seule à l'Abbaye. Une fois encore, Thérèse se rend compte que Jésus seul peut satisfaire son besoin d'affection. Quand d'autres camarades y parviennent, elle ne réussit pas à attirer l'attention d'une maîtresse et à bavarder tout un après-midi avec elle. Alors, elle monte à la tribune de la chapelle et reste de longues heures devant le Saint-Sacrement. Jésus devient de plus en plus son « unique Ami ». Des maux de tête continuels l'obligeant à de fréquentes absences, M. Martin décide de retirer sa fille du pensionnat et de lui faire donner des leçons particulières chez Mme Papinau, cinquante ans, qui habite place Saint-Pierre, près des Guérin. L'adolescente s'oblige néanmoins à retourner régulièrement à l'Abbaye afin d'être admise dans l'association des Enfants de Marie (31 mai 1887).

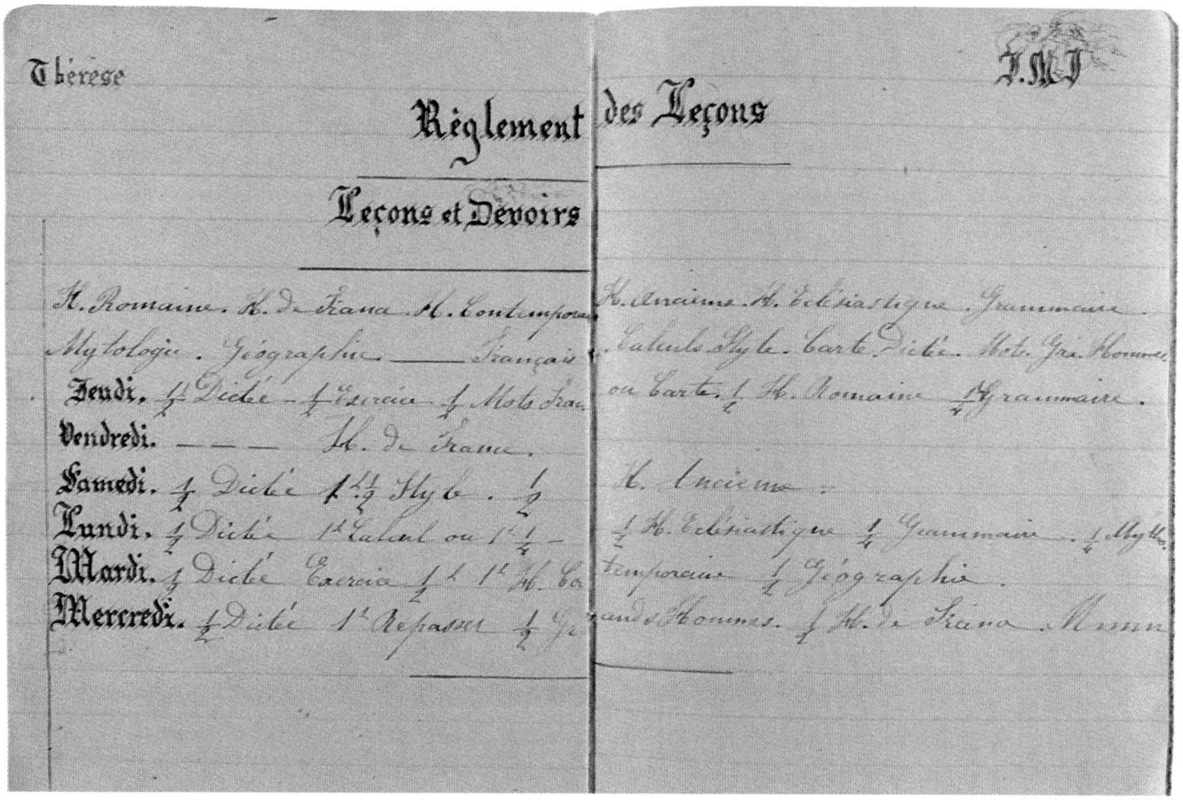

Liste des matières étudiées
chez Mme Papinau
La semaine scolaire commençait
le jeudi

Thérèse raconte avec humour qu'elle découvre surtout dans le salon de Mme Papinau un monde tout différent de celui de l'Abbaye. Bien souvent, une visite interrompt la leçon et ce sont les potins de la ville qui défilent. Parfois, c'est son éloge qu'elle surprend : « Qui est cette jeune fille si jolie ? Quels beaux cheveux ! » Thérèse reconnaît qu'elle n'était pas du tout insensible à ces compliments : « Ces paroles, d'autant plus flatteuses qu'elles n'étaient pas dites devant moi, laissaient dans mon âme une impression de plaisir qui me montrait clairement combien j'étais remplie d'amour-propre. Oh ! comme j'ai compassion des âmes qui se perdent... »

Thérèse à treize ans (février 1886)

La photographie reproduite ici provient d'un agrandissement (28,7×35,2 mm) retouché par sœur Geneviève à la gouache et au crayon, et restitué dans son intégrité première par un travail de laboratoire.

A la fin du mois d'octobre 1886, Thérèse bénéficie d'une seconde grâce de guérison. Marie, sa marraine, vient de partir pour le carmel. Il ne reste plus personne à qui confier ses scrupules et avec qui préparer ses confessions. Alors, elle se tourne résolument vers ses frères et sœurs morts avant sa naissance et les supplie de lui obtenir la grâce de guérir de ses scrupules. Elle est exaucée: la paix vient inonder son âme et elle comprend encore mieux combien elle est aimée dans le Ciel.
Mais elle reste hypersensible: elle pleure pour un rien. C'est à Noël, au retour de la messe de minuit, que va se produire ce qu'elle appellera plus tard sa « complète conversion ». Au lieu de pleurer à la suite d'une remarque un peu vive de son père, elle refoule ses larmes et défait les cadeaux déposés devant la cheminée comme si son père n'avait rien dit. Elle n'est plus la même. Jésus a changé son cœur. « En un instant, écrira-t-elle, l'ouvrage que je n'avais pu faire en dix ans, Jésus le fit, se contentant de ma bonne volonté. »
Alors commence la troisième période de sa vie, la plus belle de toutes. L'orpheline a retrouvé la force d'âme perdue au moment de la mort de sa mère. « Le Dieu fort et puissant » de la crèche auquel elle vient de communier l'a revêtue pour toujours de sa force.

Récit de la grâce de Noël 1886
dans le manuscrit de 1895

pleurer...... tous les raisonnements étaient inutiles et je ne pouvais arriver
à me corriger de ce vilain défaut. Je ne sais comment je me berçais
de la douce pensée d'entrer au Carmel étant encore dans les langes de
l'enfance!... Il fallut que le Bon Dieu fasse un petit miracle pour me
faire grandir en un moment et ce miracle il le fit au jour inoubliable
de Noël, en cette nuit lumineuse qui éclaire les délices de la Trinité Sainte, Jésus
le doux petit Enfant d'une heure, changea la nuit de mon âme en torrents de
lumière.... en cette nuit où Il se fit faible et souffrant pour mon amour, Il
me rendit forte et courageuse, Il me revêtit de ses armes et depuis cette nuit
bénie, je ne fus vaincue en aucun combat, mais au contraire je marchai
de victoires en victoires et commençai pour ainsi dire « une course de géant! »

En cette nuit de lumière commença la troisième période de ma vie

Un saint triste est un triste saint

M. Martin. Dessin de Céline

Grand amoureux de la nature, M. Martin savait imiter à la perfection les chants d'oiseaux. Admirable conteur, il contrefaisait volontiers les gestes et les intonations des personnes dont il parlait : Thérèse héritera de lui cet art du mime. M. Martin, en revanche, ne lèguera pas à sa benjamine la voix magnifique qu'il possédait.

Aussitôt après avoir évoqué sa grâce de Noël, Thérèse écrit : « Je sentis la charité entrer dans mon cœur, le besoin de m'oublier pour faire plaisir, et depuis lors je fus heureuse. » Cette joie est communicative. Thérèse apprécie de plus en plus le mot de saint François de Sales qu'elle avait recopié l'année précédente tout au long d'une page d'écriture : « Un saint triste est un triste saint. »

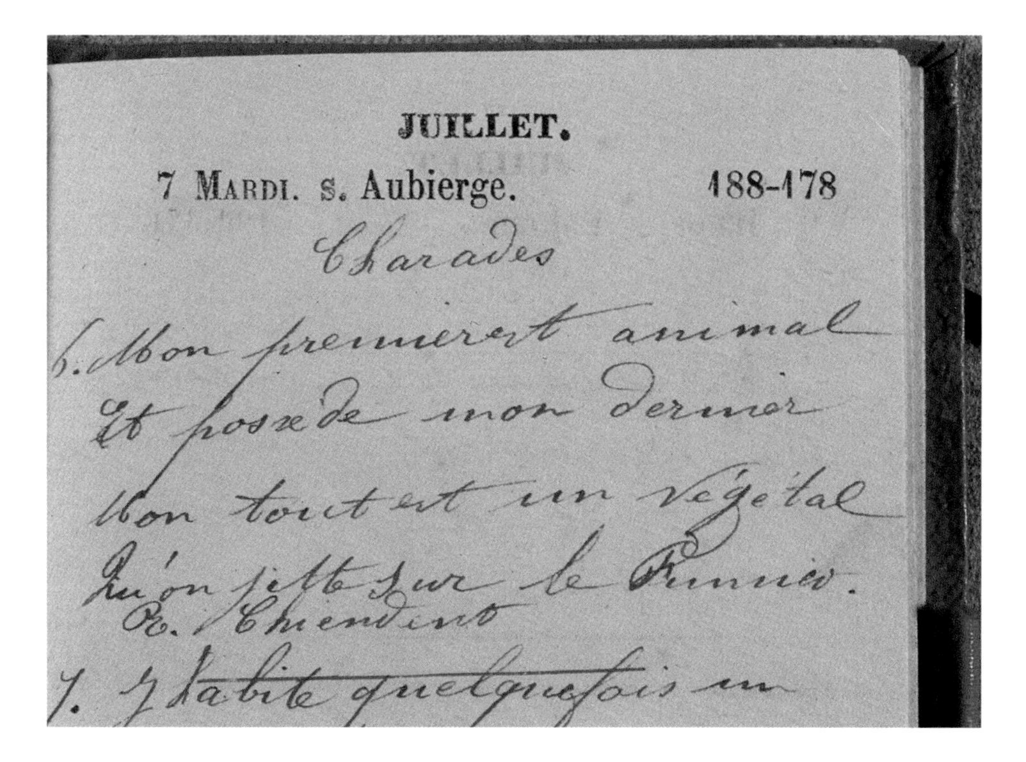

JUILLET.

7 MARDI. s. Aubierge. 188-178

Charades

6. Mon premier est animal
Et possède mon dernier
Mon tout est un végétal
Qu'on jette sur le [illegible].
R. Chiendent

7. J'habite quelquefois un

Pour retenir les charades qu'on lui posait, Thérèse les écrivait

La veille du 1er avril 1887, Thérèse offre à Céline un peigne à mettre dans les cheveux

Elle accompagne son cadeau d'un dessin où le peigne sert de diadème à un poisson d'avril

En 1887, l'année de ses quatorze ans, Thérèse s'ouvre au monde et va de découverte en découverte. Dégagé de ses scrupules et de sa sensibilité maladive, son esprit se développe. Tout l'intéresse, surtout les ouvrages de sciences et d'histoire. Céline lui apprend le dessin et le modelage. Elle lit avec enthousiasme les Conférences *de l'abbé Arminjon, son premier livre de spiritualité.*
A la Pentecôte, le 29 mai 1887, elle se décide à confier à son père son grand désir : entrer au Carmel au plus tôt. Elle voudrait s'y trouver à Noël pour le premier anniversaire de sa conversion. Admirable de générosité, M. Martin n'oppose aucune résistance à ce projet : il en devine aisément le sérieux. Cueillant une fleur de saxifrage sur le mur de clôture, il la donne à sa benjamine, tout en lui expliquant qu'elle est elle-même une petite fleur dont le bon Dieu a toujours pris un soin jaloux.

Thérèse colle cette précieuse relique sur une image de Notre-Dame-des-Victoires et la place dans son Imitation, *au chapitre intitulé « Qu'il faut aimer Jésus par-dessus toutes choses. »*

Image de Notre-Dame-des-Victoires
(8,9 × 5,7 cm)
sur laquelle Thérèse colla
la petite fleur de saxifrage
cueillie par son père aux Buissonnets

On sait que Thérèse intitulera son premier manuscrit « Histoire printanière d'une petite fleur blanche ». Et dans les pays anglophones, Thérèse est appelée *the little Flower of Jesus,* « la petite fleur de Jésus ».

Je reçus cette fleurette comme une relique

Un dimanche de juillet 1887, Thérèse reçoit une grande grâce eucharistique en la cathédrale Saint-Pierre. A la fin de la messe, une image du Crucifié dépasse de son missel. Elle est frappée à l'idée que son sang tombe à terre sans que personne ne songe à le recueillir. Alors, elle décide de rester toute sa vie au pied de la Croix pour recevoir cette précieuse rosée divine au profit des pécheurs. Dans son cœur retentit le cri de Jésus : « J'ai soif ! » Soif d'être aimé.
Quelques jours plus tard, une occasion privilégiée s'offre à Thérèse de mettre en pratique sa résolution. Le 13 juillet 1887, Henri Pranzini est condamné à mort. Elle veut le sauver à tout prix.

Image de bréviaire composée
par Thérèse à l'intention
de sœur Geneviève

Thérèse s'était fait une image semblable pour elle-même.
On n'a pas retrouvé l'image que Thérèse avait dans son missel en 1887, mais on sait qu'elle était identique à celle-ci.

Autour de l'image du Christ en Croix, Thérèse a recopié deux passages d'Évangile où Jésus nous promet de désaltérer notre soif.
A noter que Thérèse a imaginé au mois de juillet 1887 du sang coulant des pieds et des mains du Crucifié, alors que l'image qu'elle avait sous les yeux ne représentait pas les plaies sanglantes du Christ.

Bas-relief qui se trouve
dans la chapelle absidiale
de la cathédrale Saint-Pierre

Thérèse assistait chaque matin à la messe devant ce bas-relief. Il lui rappelait qu'en un tour de main le « bon larron » était devenu un modèle de repentir. Elle n'avait donc pas le droit de désespérer du salut de Pranzini. Lui aussi pouvait « en un instant » recevoir la grâce de se convertir, comme elle avait elle-même reçu dans la nuit de Noël celle de sortir « en un instant » des langes de l'enfance.

Pranzini est le premier « grand pécheur » pour lequel Thérèse se dépense sans compter. En relatant avec force détails le triple assassinat qu'il avait commis rue Montaigne, à Paris, dans la nuit du 19 au 20 mars, les journaux de l'époque insistent sur le caractère particulièrement frondeur du criminel. Malgré les charges accablantes qui pèsent sur lui, il ne manifeste aucun signe de repentir. Bien mieux, il proclame effrontément son innocence.

Il est peu probable que Thérèse ait lu beaucoup d'articles de presse à son sujet, mais elle ne s'interdisait pas de le faire. « Malgré la défense que Papa nous avait faite de lire aucun journal, raconte-t-elle, je ne croyais pas désobéir en lisant les passages qui parlaient de Pranzini. » D'ailleurs, tout le monde parlait de cette affaire criminelle. « Tout portait à croire qu'il mourrait dans l'impénitence. Je voulus à tout prix l'empêcher de tomber en enfer. » Car, pour Thérèse, le grand problème est là. Il s'agit de sauver un grand pécheur du danger mortel dans lequel il se trouve. En persévérant dans son mensonge et dans son impénitence, il risque d'être privé à jamais de la joie de vivre avec Dieu. Elle multiplie donc prières et sacrifices pour obtenir sa conversion et fait célébrer une messe à son intention. Tout en étant sûre que Jésus l'exaucera, elle Lui demande de lui donner un signe de la conversion effective de Pranzini. « Pour ma simple consolation, dit-elle au Seigneur. Parce que c'est mon premier enfant ! »

Aussi exulte-t-elle en lisant dans La Croix *du 1er septembre le récit de son exécution. Au dernier moment, il a demandé à l'aumônier son crucifix et l'a embrassé deux fois. En écrivant ses souvenirs huit ans plus tard, Thérèse dira qu'il a fait ce geste « par trois fois ». Ce signe de repentir l'impressionne d'autant plus qu'il est à l'image de la grâce qu'elle a reçue elle-même en juillet. C'est aussi devant les plaies du Crucifié que son cœur s'est mis à brûler du désir de sauver beaucoup d'âmes.*

QUE S'EST-IL PASSÉ EXACTEMENT LE 31 AOÛT 1887 AU MOMENT DE L'EXÉCUTION DE PRANZINI?

Il suffit de lire les Souvenirs de la Roquette *écrits par l'abbé Faure lui-même, le merveilleux aumônier qui exerça son ministère pendant six ans à la prison de la Roquette et accompagna jusqu'à leur exécution vingt condamnés à mort. Pranzini qui parlait correctement huit langues — il occupait ses heures de captivité à traduire en ces différents idiomes des pages d'Alexandre Dumas — recevait toujours l'aumônier avec beaucoup de courtoisie et assista plusieurs fois à sa messe. Il lui parlait avec émotion de la piété de sa mère, laquelle vivait à Alexandrie.*

La veille de l'exécution, l'aumônier resta très longtemps dans sa cellule. Toujours très discret, l'abbé Faure écrit : « Notre entrevue fut plus cordiale et plus intime *que jamais. Nous restâmes plus de deux heures en tête à tête et, quand je le quittai, il me témoigna le regret de voir si tôt finir notre entretien. »*

cliquetis de fer résonne, les larmes brillent, et sur le seuil de la prison, dont la porte s'ouvre, l'assassin paraît livide.

L'aumônier se met devant lui pour lui cacher la sinistre machine. Les aides le soutiennent: il repousse et le prêtre et les bourreaux. Le voici devant la bascule. Deibler le pousse et l'y jette. Un aide, placé de l'autre côté, lui empoigne la tête, l'amène sous la lunette, le maintient par les cheveux.

Mais avant que ce mouvement se soit produit, peut-être un éclair de repentir a-t-il traversé sa conscience. Il a demandé à l'aumônier son crucifix. Il l'a deux fois embrassé.

Et quand le couteau tomba, quand un des aides saisit par une oreille la tête détachée, nous nous disons que si la justice humaine est satisfaite, peut-être ce dernier baiser aura satisfait aussi la justice divine, qui demande surtout le repentir.

La Croix (1er septembre 1887), fin de l'article sur Pranzini en deuxième page

On comprend mieux dès lors la réponse qu'adressa le condamné à M. Beauquesne, directeur de la Roquette, quand celui-ci lui demanda, au petit matin du 31 août, s'il désirait rester quelques instants avec l'abbé Faure. « M. l'Aumônier remplit son devoir, répondit-il, moi

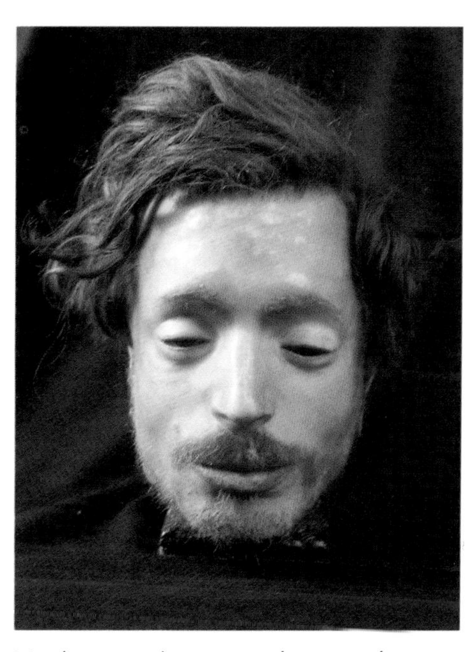

Moulage en cire conservé au musée de la Préfecture de police de Paris

je connais le mien. » Il faisait sans doute allusion, commente l'abbé Faure, « à notre longue entrevue de la veille ». Et voici comment il décrit ses derniers instants : « Au moment où, après lui avoir dit un dernier adieu, je fais un pas pour m'écarter, d'une voix étranglée par l'angoisse, dans un cri plein de repentir et de foi, il s'écrie : "Monsieur l'Aumônier, donnez-moi donc le crucifix !" Je m'approche vivement, je colle

le crucifix sur ses lèvres, il le baise avec effusion. Nous échangeons deux paroles... Il est poussé sur la bascule, un bruit sourd, le couperet s'est abattu... tout est fini. »

Dans son rapport, M. Beauquesne donne un témoignage identique : « Il a demandé à embrasser le crucifix que lui présentait l'aumônier », tandis que M. Baron, commissaire de police du quartier de la Roquette, ajoute qu'il l'a embrassé après l'avoir réclamé en ces termes : « Donnez-moi la croix ! » Quant au chef de la sûreté, M. Taylor, il écrit que le condamné a embrassé le crucifix « machinalement »; il insiste en revanche sur le fait qu'au pied de l'échafaud Pranzini « s'est arrêté ferme et a rappelé l'aumônier à deux reprises ». Il paraissait même, ajoute-t-il, « attendre une accolade de l'aumônier, ce qui n'a pas eu lieu ».

Mon premier enfant

La conversion tant désirée de Pranzini encourage Thérèse à mettre tout en œuvre pour entrer au Carmel au plus tôt. Puisque le Seigneur lui a donné Pranzini comme premier enfant, elle en aura certainement beaucoup d'autres si elle consacre sa vie à se sacrifier et à prier pour le salut des pécheurs.

Les résistances de l'oncle Guérin tombent assez vite, mais le chanoine Delatroëtte, l'ecclésiastique chargé de veiller sur l'entrée des postulantes, s'oppose formellement à la candidature de Thérèse. « Elle est beaucoup trop jeune... Qu'elle attende d'avoir vingt et un ans ! A moins évidemment que Monseigneur ne l'y autorise ! »

Thérèse saisit l'occasion. « Allons voir notre évêque !... Et s'il ne veut pas, ajoute-t-elle, j'irai demander au pape. » Son père s'est en effet inscrit avec ses deux dernières filles au pèlerinage à Rome organisé par le diocèse de Coutances, en l'honneur du jubilé de Léon XIII.

Pour se rendre à Bayeux, Thérèse revêt sa plus belle robe blanche et relève ses cheveux en chignon pour paraître plus âgée. Avant l'audience, elle entre avec son père dans la cathédrale où l'on est en train de célébrer un enterrement. Avec sa robe et son chapeau blancs, Thérèse fait sensation !

Prudent, Mgr Hugonin se garde bien de trancher. Il l'assure seulement qu'il aura bientôt un entretien à son sujet avec le chanoine Delatroëtte. Thérèse ne se fait pas d'illusion. L'évêque ne fera pas changer d'avis le supérieur du carmel. Son affaire est donc classée. Elle n'attend pas d'être sortie pour laisser couler ses larmes. Paternel, Mgr Hugonin essaie de la consoler. La prenant par le cou, il appuie la tête de Thérèse sur son épaule et lui promet de lui faire parvenir sa réponse durant le pèlerinage en Italie.

La pluie qui tombe en ce 31 octobre 1887 est bien le symbole de sa tristesse. « J'ai remarqué, écrira plus tard Thérèse, que dans toutes les circonstances graves de ma vie, la nature était l'image de mon âme. Les jours de larmes, le ciel pleurait avec moi, les jours de joie, le soleil envoyait à profusion ses gais rayons et l'azur n'était obscurci d'aucun nuage. »

Il pleuvait à verse quand nous arrivâmes à Bayeux

Mgr Flavien Hugonin (1823-1898)
Évêque de Bayeux et Lisieux (1866-1898)

L'abbé Hugonin a consacré de longues heures de sa vie à étudier Richard de Saint-Victor, le grand théologien du XIIe siècle. Il publia ses œuvres dans le tome CXCVI de la *Patrologie latine* éditée par l'abbé Migne. L'ouvrage commence par une notice biographique sur le prieur de l'abbaye Saint-Victor, à Paris.

Originaire du diocèse de Grenoble, l'abbé Hugonin est appelé à Paris par Mgr Affre dès 1847. Successivement professeur de philosophie et de littérature à l'École des carmes en 1850, chargé de cours à la Sorbonne en 1859 et supérieur du séminaire des carmes en 1861.
Nommé évêque de Lisieux en 1866, il fut le seul à être consacré par l'illustre évêque d'Orléans, Mgr Dupanloup. Comme ce dernier, il fait partie de la minorité au concile Vatican I. Mais, en 1872, pour bien montrer qu'il se soumet de plein cœur à la définition de l'infaillibilité pontificale, il fait procéder, en sa cathédrale, à l'érection d'une statue de saint Pierre. Refusant de devenir « primat des Gaules » au siège archiépiscopal de Lyon, il en donne un jour la raison en montrant sa main droite : « Je serais un ingrat si je brisais mon anneau : un évêque n'aime bien qu'une fois. » Mais les évêques de France viennent souvent à Bayeux le consulter.
Ce fut lui qui confirma Thérèse à l'abbaye Notre-Dame-du-Pré le 14 juin 1884. Il reçut sa visite à Bayeux le 31 octobre 1887 et lui accorda le 28 décembre 1887 la permission d'entrer au Carmel, présidant sa prise d'habit le 10 janvier 1889. Il fut le seul évêque que connut Thérèse, qui a certainement beaucoup prié pour lui.

Après la mort de Thérèse, à la demande du père Godefroid Madelaine, il donne, le 7 mars 1898, l'*imprimatur* de la première édition de l'*Histoire d'une âme*. Deux mois plus tard, il décède à Caen en pleine tournée de confirmation. Les vicaires capitulaires annoncèrent sa mort au diocèse en soulignant que « Monseigneur aimait le travail dans le silence, qu'il lui répugnait de se donner en spectacle et [...] qu'il se dérobait aux journaux ».

L'abbé Maurice-Joseph Révérony (1836-1891)

Vicaire général de Bayeux, il assiste à la visite de Thérèse et de son père à l'évêché, préside le pèlerinage diocésain à Rome et présente les pèlerins à Léon XIII le 20 novembre 1887. Il joue le rôle d'arbitre entre le carmel et le supérieur, M. Delatroëtte, pour l'admission de Thérèse.

L'autel de Notre-Dame-des-Victoires

Avant la Révolution française, on vénérait ici la statue de Notre-Dame de Savone. Louis XIV avait chargé Colbert du soin de construire cette chapelle pour l'y honorer. Disparue au moment de la tourmente révolutionnaire, elle fut remplacée en 1822 par cette statue en plâtre, œuvre d'un Italien anonyme.
C'est en célébrant la messe devant cet autel, le 3 décembre 1836, que le curé de l'époque, M. des Genettes, reçut l'inspiration de consacrer sa paroisse au très saint et immaculé Cœur de Marie et de fonder, en son honneur, une association de prières — une archiconfrérie — pour obtenir la grâce de la conversion des pécheurs.
Dès le dimanche suivant, plus de quatre cents personnes se pressaient devant l'autel pour prier la Vierge, le « Refuge des pécheurs ». Les conversions se multiplièrent dans la paroisse, et de partout on vint supplier la Vierge.
La statue fut couronnée au nom de Pie IX le 9 juillet 1853, en action de grâce de la délivrance de Rome réalisée en 1849 par les soldats français.

La Sainte Vierge m'a fait sentir que c'était vraiment elle qui m'avait souri

Le premier rendez-vous des cent quatre-vingt-dix-sept pèlerins en partance pour Rome est fixé au dimanche 6 novembre à 9 heures, dans la crypte de la basilique de Montmartre. Mais M. Martin est parti deux jours plus tôt avec ses deux filles pour leur faire visiter Paris. Il veut leur montrer « toutes les merveilles de la capitale » : les Champs-Élysées et leur guignol, les Tuileries, l'arc de triomphe de l'Étoile, la Bastille, le Palais-Royal, le Louvre, les magasins du Printemps et leurs ascenseurs, les Invalides, etc.

Mais, pour Thérèse, la merveille des merveilles, c'est l'église Notre-Dame-des-Victoires où elle se rend dès le matin du 4 novembre pour participer à l'Eucharistie. Elle sait que son père et son oncle y sont venus souvent prier durant leur jeunesse : le premier durant son stage d'horlogerie en 1850, le second treize ans plus tard durant ses études de pharmacie. Elle n'oublie pas non plus que sa guérison du 13 mai 1883 s'est produite au terme d'une neuvaine de messes célébrées dans ce sanctuaire.

Et voici qu'en y venant elle-même en pèlerinage, elle est définitivement libérée du scrupule qui la hante depuis sa guérison. La Sainte Vierge lui fait sentir que c'est vraiment elle *qui lui a souri et qui l'a guérie. « J'ai compris, écrit-elle encore, qu'elle veillait sur moi, que j'étais son enfant : aussi je ne pouvais plus lui donner que le nom de "Maman". »*

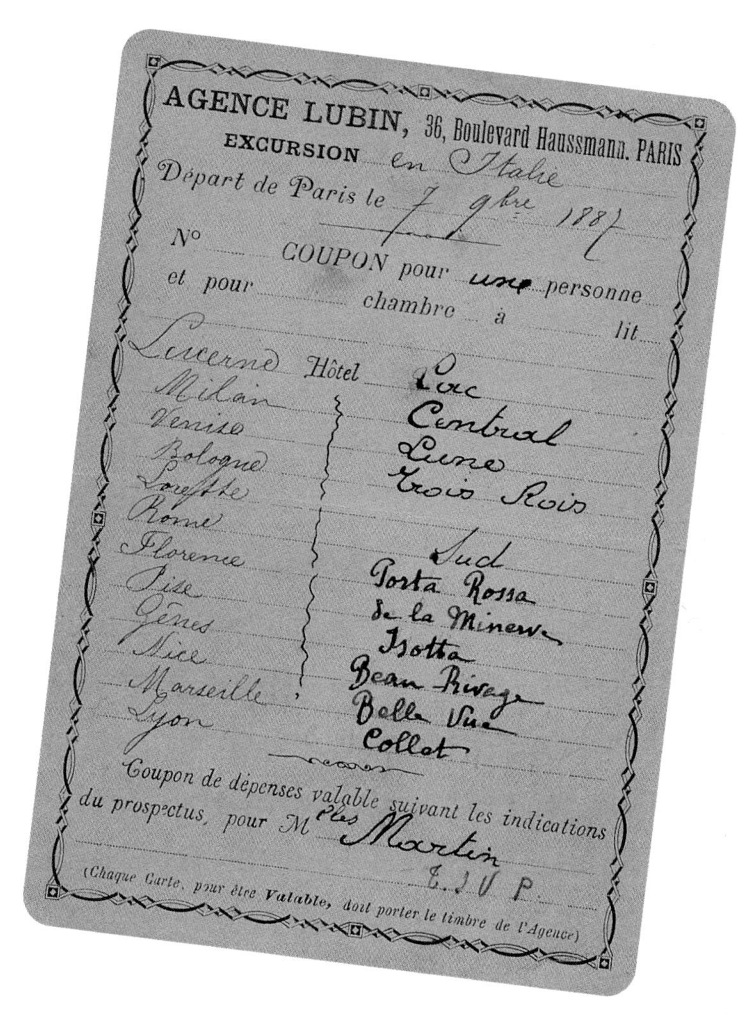

AGENCE LUBIN, 36, Boulevard Haussmann. PARIS
EXCURSION en Italie
Départ de Paris le 7 9bre 1887
N° COUPON pour une personne
et pour chambre à lit

Lucerne Hôtel Lac
Milan — Central
Venise — Lune
Bologne — Trois Rois
Lorette
Rome — Sud
Florence — Porta Rossa
Pise — de la Minerve
Gênes — Isotta
Nice — Beau Rivage
Marseille — Bella Vue
Lyon — Collot

Coupon de dépenses valable suivant les indications du prospectus, pour Mlles Martin
E. J. V. P.
(Chaque Carte, pour être Valable, doit porter le timbre de l'Agence)

Liste des hôtels où Thérèse est descendue au cours de son voyage

La crypte de la basilique de Montmartre

La veille de son départ pour Rome, Thérèse s'est associée à la démarche collective des pèlerins. Dès son retour à Lisieux, elle envoie aux chapelains de Montmartre son bracelet en or pour qu'il serve à la confection du grand ostensoir — un geste qui exprime bien le désir de Thérèse de veiller jour et nuit près de Jésus-Hostie.

Les Alpes

« Que ces beautés de la nature ont fait de bien à mon âme ! Comme elles l'ont élevée vers Celui qui s'est plu à jeter de pareils chefs-d'œuvre sur une terre d'exil qui ne doit durer qu'un jour [...] Je n'avais pas assez d'yeux pour regarder. Debout à la portière, je perdais presque la respiration. J'aurais voulu être des deux côtés du wagon », écrira Thérèse plus tard.

Venise

Assise

Léon XIII, pape de 1878 à 1903

Préconisant le ralliement des catholiques de France à la République, il charge le cardinal Lavigerie d'en être le messager (toast d'Alger, 1890), avant de préciser sa pensée dans l'encyclique *Inter innumeras sollicitudines* (1892). Il favorise les congrès des catholiques sociaux (Mgr Mermillod, La Tour du Pin) à Fribourg et reçoit plusieurs pèlerinages d'ouvriers français conduits par Léon Harmel. Il publie, le 15 mai 1891, la célèbre encyclique sociale *Rerum novarum* sur la condition des ouvriers. Il ouvre aux chercheurs les archives du Vatican et prône la redécouverte de la pensée de saint Thomas d'Aquin.

Très Saint Père, j'ai une grande grâce à vous demander

Rochet en point d'Alençon
et d'Argentan,
offert par le diocèse de Bayeux
et Lisieux au pape Léon XIII
à l'occasion de son jubilé

Le dôme de Saint-Pierre

Giacomo Della Porta réalisa sous Sixte Quint, de 1588 à 1590, la calotte de la coupole. Il se permit de modifier les dessins de Michel-Ange, de manière à donner plus d'élan aux courbes extérieures.

La Santa Casa de Lorette

Les reliques du pèlerinage

Depuis le XVIe siècle, d'innombrables pèlerins sont venus ici vénérer la maison que la Sainte Famille aurait habitée à Nazareth et que les anges auraient transportée jusqu'à Lorette, à 31 kilomètres d'Ancône. La légende a été forgée vers 1472 par Teramano, recteur de l'église de ce lieu.

Thérèse a été ravie de pouvoir communier avec Céline à l'intérieur même de la Santa Casa : un prêtre du pèlerinage — très probablement l'abbé Leconte, vicaire à la cathédrale Saint-Pierre de Lisieux — plaça deux petites hosties supplémentaires sur sa patène et autorisa les deux jeunes Lexoviennes à communier à sa messe. « C'était un bonheur tout céleste que les paroles sont impuissantes à traduire. Que sera-ce donc quand nous recevrons la communion dans l'éternelle demeure du Roi des Cieux ?... Alors nous ne verrons plus finir notre joie, il n'y aura plus la tristesse du départ et pour emporter un souvenir il ne nous sera pas nécessaire de *gratter furtivement* les murs sanctifiés par la présence divine, puisque sa *maison* sera la nôtre pour l'éternité. »

Thérèse a pris plaisir à rapporter des reliques de son pèlerinage : terre des catacombes et du Colisée qu'elle enferme précieusement dans des sachets ; reproduction d'un clou de la Passion, et aussi fragment de mosaïque qui se détacha lors de sa visite à la basilique Sainte-Agnès (il est conservé dans un reliquaire doré).

Le Colisée

Je suis bien heureuse d'avoir été à Rome

Entrepris en 72 par Vespasien, après la prise de Jérusalem, et inauguré par Titus en 80, l'amphithéâtre flavien doit sans doute son nom à la statue du colosse de Néron élevée au voisinage. L'intérieur pouvait contenir quarante-cinq mille personnes. Le Colisée reste le symbole de la passion des Romains pour les spectacles sanglants : combats de gladiateurs, chasses et égorgements de bêtes sauvages. Pour l'inauguration, on abattit neuf mille bêtes. Trajan exhiba dix mille gladiateurs lors de son triomphe sur les Daces.

Il est hors de doute que des chrétiens ont été immolés au Colisée : la coutume de jeter des condamnés aux fauves rend le fait incontestable. Ce n'est pourtant qu'au XVIIe siècle que prit naissance la dévotion aux martyrs du Colisée.

L'arène a été défoncée pour mettre au jour les installations des coulisses : monte-charge pour les bêtes, cachots, etc. Mais elle ne l'était pas à la fin du siècle dernier. Aussi Thérèse put-elle s'agenouiller avec Céline à l'endroit où combattaient les martyrs : « Mon cœur battait bien fort lorsque mes lèvres s'approchèrent de la poussière empourprée du sang des premiers chrétiens, je demandai la grâce d'être aussi martyre pour Jésus et je sentis au fond du cœur que ma prière était exaucée. »

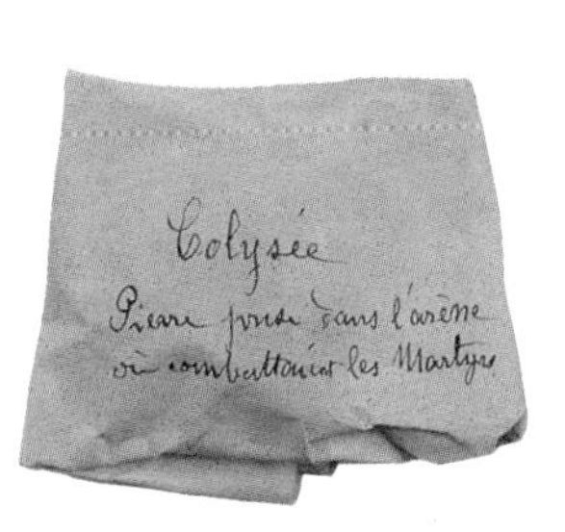

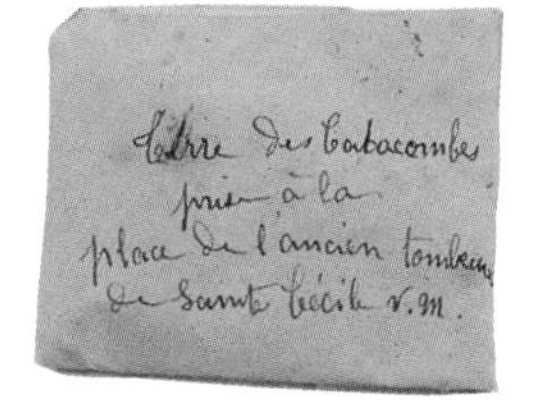

Récit de l'audience pontificale
rédigé par Thérèse
dans une lettre à sœur Agnès
datée du 20 novembre 1887

On a pu reconstituer le passage que l'on a cru bon de gratter au moment du procès de canonisation parce que Thérèse y décrivait avec beaucoup de réalisme la vieillesse du pontife : « Le bon Pape est si vieux qu'on dirait qu'il est mort, je ne me le serais jamais figuré comme cela, il ne peut dire presque rien, c'est M. Révérony qui parle. »
La pâleur de Léon XIII, alors âgé de soixante-dix-sept ans, est signalée dans toutes les relations. C'est pour épargner ses forces que M. Révérony, le vicaire général de Bayeux, l'empêche pratiquement de parler. Le vieillard diaphane ne mourra qu'en 1903, six ans après Thérèse.

En s'arrêtant à Gênes
sur le chemin du retour, M. Martin
offre à chacune de ses filles
un bijou en forme de papillon

Le désir d'entrer le plus vite possible au carmel ne supprime pas chez Thérèse la joie de se laisser gâter par son père... et de porter un bijou venu d'Italie.

Jeudi 24 Novembre 1887 — Jeudi 24 Novembre 1887

L'UNIVERS

FRANCE

PARIS, 23 NOVEMBRE 1887

... Parmi les pèlerins ... une jeune fille de 15 ans, qui a demandé au Saint-Père la permission de pouvoir entrer tout de suite au couvent pour s'y faire religieuse. Sa Sainteté l'a engagée à avoir pa-

Article paru le jeudi 24 novembre 1887 dans *L'Univers*

Un pèlerinage à Rome était alors un événement. Le journal de Louis Veuillot consacre toute une colonne de sa correspondance romaine à relater l'audience pontificale du dimanche 20 novembre. C'est en lisant cet article que le confesseur de Thérèse, l'abbé Lepelletier, vicaire à la cathédrale Saint-Pierre, apprit le désir de sa jeune pénitente de devenir carmélite. Thérèse ne lui en avait jamais soufflé mot ! « Je n'étais que peu de temps à confesse », écrit-elle dans ses souvenirs.

dis moi, maintenant il ne me reste plus qu'à prier.
Monseigneur n'était pas là, Mr Révérony le remplaçait ; pour te faire une idée de l'audience il aurait fallu que tu sois là. Le Pape était assis sur une grande chaise très haute Mr Révérony était tout auprès de lui, il regardait les pèlerins qui passaient devant le Pape après lui avoir embrassé le pied puis il disait un mot de quelques uns. Tu penses comme mon cœur battait fort en voyant mon tour arriver mais je ne voulais pas m'en retourner sans avoir parlé au Pape. J'ai parlé, mais je n'ai pas tout dit car Mr Révérony ne m'en a pas donné le temps, il a dit aussitôt : "Très Saint Père c'est une enfant qui veut entrer au Carmel à quinze ans, mais ses supérieurs s'en occupent en ce moment."

J'aurais voulu pouvoir expliquer mon affaire mais il n'y a pas eu moyen. Le saint Père m'a dit simplement : "Si le bon Dieu veut vous entrerez." Puis on m'a fait passer dans une autre salle. Ô Pauline, je ne puis te dire ce que j'ai ressenti j'étais comme anéantie, je me sentais abandonnée, et puis je suis si loin si loin. Je pleurerais bien en écrivant cette lettre j'ai le cœur bien gros. Cependant le bon Dieu ne peut pas donner

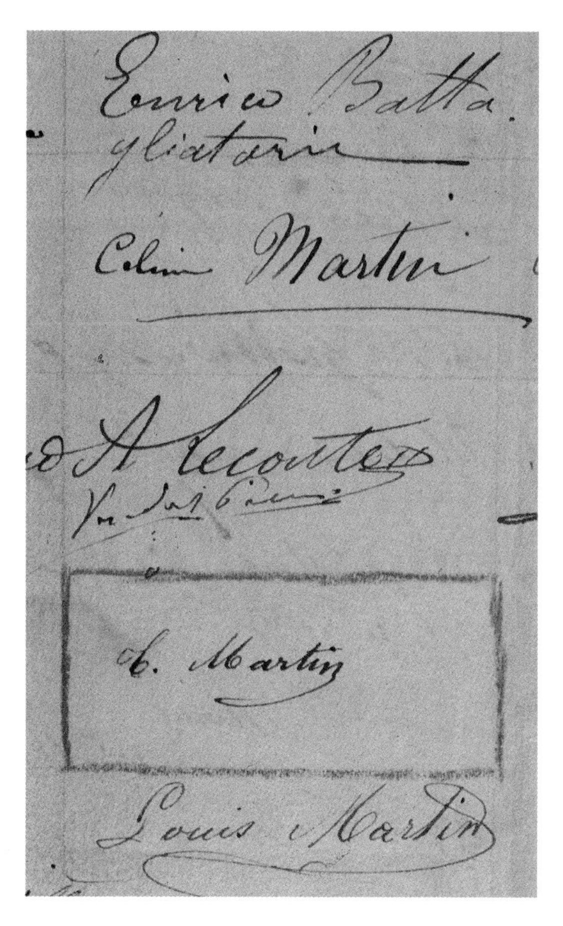

Signatures des pèlerins
sur la feuille de remerciements
adressés à Mgr Germain
évêque de Coutances,
directeur du pèlerinage

Parmi les soixante-quinze prêtres du pèlerinage se trouvait l'abbé Leconte, vingt-neuf ans, vicaire à Saint-Pierre. Il rejoint souvent les deux sœurs Martin, ses paroissiennes, au point que sa « complaisance affectueuse », selon l'expression de Céline, pour les deux plus jeunes du groupe fait quelque peu « jaser » les mauvaises langues.
Thérèse dira elle-même qu'au cours de son voyage elle s'est aperçue que les prêtres avaient eux aussi besoin de sa prière. Pendant trois semaines, elle a eu l'occasion de les voir de près, en chemin de fer ou à table. En revenant d'Italie, une nouvelle intention habite sa prière : la sainteté du clergé.

Au retour de Rome, Thérèse attend le plus patiemment, paisiblement possible la réponse de Mgr Hugonin. Pourra-t-elle entrer au carmel pour y fêter le premier anniversaire de sa conversion ? Tous les jours, après la messe à la cathédrale, elle guette une réponse à la poste. Rien ne vient ! Pour encourager sa sœur à un total « abandon » à la Providence, Céline lui offre un petit bateau sur la coque duquel elle a gravé cette devise.
Noël 1887 arrive. Toujours rien ! Elle pleure à la messe de minuit... Mais elle découvre que l'épreuve doit faire grandir sa confiance.
Enfin, le premier janvier, la veille de ses quinze ans, mère Marie de Gonzague lui transmet la réponse de l'évêque : c'est oui !
Une ultime difficulté surgit alors : Pauline estime prudent de reporter l'entrée de Thérèse au printemps. On évitera ainsi à la toute jeune postulante de commencer sa vie religieuse au milieu des austérités du carême.

Son entrée est donc fixée au lundi de Quasimodo 9 avril. On fêtera ce jour-là l'Annonciation que l'on n'aura pas pu célébrer le 25 mars à cause du carême.

Le bateau offert à Thérèse
par Céline

Le verset du Cantique (5, 2) inscrit sur la voile rappelle à Thérèse que si Jésus semble dormir et ne rien faire pour faciliter son entrée au carmel, son Cœur n'en continue pas moins à veiller sur elle avec amour.

Le dimanche 8 avril, Thérèse s'assied une dernière fois à la table des Buissonnets avec son père, ses sœurs et la famille Guérin. Et demain, elle quittera définitivement la maison de son enfance.

Cette photographie a été prise au mois d'avril 1888, quelques jours avant l'entrée de Thérèse au carmel : c'est ainsi qu'elle était coiffée lors de sa visite à l'évêque de Bayeux, le 31 octobre précédent.
Trois semaines avant son entrée au carmel, Thérèse confie à sa sœur ce qu'elle désire : « Pauline, quand Jésus m'aura déposée sur le rivage béni du Carmel je veux me donner tout entière à lui, je ne veux plus vivre que pour lui. Oh ! non, je ne craindrai pas ses coups car, même dans les souffrances les plus amères, on sent toujours que c'est sa douce main qui frappe : je l'ai bien senti à Rome au moment même où j'aurais cru que la terre aurait pu manquer sous mes pas.
« Je ne désire qu'une chose quand je serai au Carmel, c'est de toujours souffrir pour Jésus. La vie passe si vite que vraiment il vaut mieux avoir une très belle couronne et un peu de mal que d'en avoir une ordinaire sans mal. Et puis pour une souffrance supportée avec joie quand je pense que pendant toute l'éternité on aimera mieux le Bon Dieu. Puis en souffrant on peut sauver les âmes. Ah ! Pauline, si au moment de ma mort je pouvais avoir une âme à offrir à Jésus, que je serais heureuse ! Il y aurait une âme qui serait arrachée au feu de l'enfer et qui bénirait Dieu toute l'éternité. »

Le lundi 9 avril fut choisi pour mon entrée

Après la messe de 7 heures, M. Martin, Léonie, Céline et toute la famille Guérin accompagnent Thérèse jusqu'à la porte de clôture. Celle-ci s'agenouille sur le carrelage pour recevoir la bénédiction de son père. Une dernière fois, le chanoine Delatroëtte manifeste son désaccord sur l'entrée d'une si jeune postulante : « Eh bien ! mes Révérendes Mères, vous pouvez chanter un *Te Deum* ! Comme délégué de Monseigneur l'Évêque, je vous présente cette enfant de quinze ans dont vous avez voulu l'entrée. Je souhaite qu'elle ne trompe pas vos espérances, mais je vous rappelle que, s'il en est autrement, vous en porterez seules la responsabilité. »

La porte de clôture

Une famille reconnaissante à sa Protectrice
Vifs remerciements à Sainte THÉRÈSE Octobre 1923 Mars 1930
Une famille confiante et reconnaissante
Reconnaissance et demande de protection A.P. C.E.D.
Nombreux bienfaits reçus de l'ANGE de Lisieux B.J.
Une malade reconnaissante de sa guérison Paris 1921 E.L.A.
Hommage reconnaissant à Sainte THÉRÈSE J.M. A.T.
Reconnaissance et confiance Paris 1933 A.J.P.
Sincère reconnaissance
Hommage de profonde reconnaissance M.M. G. S.D.
Remerciements sincères à l'Angélique THÉRÈSE S.A. G.H.
Une heureuse privilégiée de la Petite SAINTE R.T.
Merci chère Petite Sainte THÉRÈSE 1935 A.G.
Grâces de protection et de guérison 1933 J.F. L.C.
Reconnaissant merci; confiant espoir 20 9bre 1926 Ctesse de F.
Deux lauréats reconnaissants
MERCI À Ste THÉRÈSE 1935 J.L.
Reconnaissance à Ste THÉRÈSE 1934 F.H.
Merci à Ste THÉRÈSE 1933 A.F.
MERCI M.R.
Merci, chère Petite Sœur THÉRÈSE, pour les deux guérisons accordées Octobre 1925 M.M. Novembre 1929 Y.F.
Amour et reconnaissance à Sainte THÉRÈSE de l'ENFANT-JÉSUS

Thérèse à quinze ans (avril 1888)
On a maquillé sur le cliché
l'énorme nœud, appelé « chou »,
que Thérèse portait derrière son corsage

UNE TOUTE JEUNE POSTULANTE

Thérèse entre au carmel le 9 avril 1888, en la fête liturgique de l'Annonciation, heureuse d'associer son propre oui au fiat *de la Vierge. Elle avait eu quinze ans le 2 janvier.*

Cette entrée précoce provoque souvent l'étonnement. Les uns pensent que Thérèse n'a pas connu le monde avant d'entrer au couvent ; d'autres, qu'il y avait caprice de sa part à vouloir franchir si jeune la clôture ; d'autres encore, que la vraie charité aurait consisté pour elle à rester aux Buissonnets près de son père dont la santé commençait à décliner ; d'autres, enfin, voient dans ce désir précoce de don total le signe d'une générosité admirable, mais inimitable.

On pouvait, à la fin du siècle dernier, faire profession religieuse à dix-huit ans, après quelques mois de postulat et un an de noviciat : c'est dire qu'il n'était pas rare d'y entrer vers seize ans. Thérèse ne demandait par conséquent qu'une dispense d'un an. Mère Saint-Placide, la directrice du pensionnat de l'Abbaye, était elle-même entrée en religion à quinze ans.

Il y eut d'ailleurs des époques où ces entrées, que nous considérons aujourd'hui comme précoces, étaient courantes. Thérèse d'Avila avait admis au cloître sa nièce Teresita à l'âge de neuf ans et sœur Marguerite du Saint-Sacrement était entrée au carmel de Beaune dans sa douzième année (voir p. 160).
p. 160).

Pourtant oser dire qu'en entrant toute jeune au carmel Thérèse n'a jamais pu comprendre le monde serait oublier que les contemplatifs connaissent de l'intérieur les problèmes de leur temps, avec une intensité que soupçonnent difficilement les autres. Qu'il suffise d'évoquer la façon dont Thérèse a communié au drame des incroyants !

De plus, par l'oncle Guérin Thérèse était certainement au courant des débats qui agitaient alors l'opinion. L'officine d'un pharmacien était au siècle dernier

un lieu d'échanges très variés. D'autant qu'en 1891, M. Guérin se lancera à fond dans la politique, puisqu'il rédigera régulièrement l'éditorial du journal Le Normand *(voir p. 180).*
C'est enfin commettre un parfait contresens que de considérer l'entrée précoce de Thérèse au carmel comme l'un des éléments de sa sainteté. Un contresens trop fréquent. Parce que beaucoup de chrétiens ont eu du mal à imaginer que l'on ait pu canoniser une carmélite dont la vie a été toute banale, ils cherchent à tout prix l'exceptionnel dans sa courte existence et ils montent en épingle le fait qu'elle soit entrée toute jeune en religion. Pourtant, Thérèse considérait elle-même son entrée à quinze ans comme le signe de sa faiblesse ! Elle le dit à plusieurs reprises à Céline, qui ne la rejoindra que plus tard au carmel. Dès le 23 juillet 1888, Thérèse lui explique la raison de cette différence : « L'un des lys était faible, l'autre était fort. Jésus a pris le faible. »

Le chanoine Delatroëtte (1818-1895)

Né à Saint-Martin-des-Besaces, dans le Bocage normand, il est nommé, après son ordination sacerdotale (1844), vicaire à Saint-Jean de Caen. De 1867 à 1895, il est curé de Saint-Jacques de Lisieux et supérieur du carmel.

Un abricotier planté
entre les deux fenêtres du chauffoir
par mère Geneviève

La maison de Mme veuve Le Boucher, située chaussée de Beuvillers, où vécurent quelques semaines, en 1838, les premières carmélites de Lisieux, avant de s'installer définitivement rue de Livarot

La façade du carmel. A droite, le bâtiment des sœurs tourières, construit en 1890

La construction de la chapelle (1845-1852) a été financée par des aumônes recueillies à travers la France par M. Sauvage, vicaire de la paroisse Saint-Jacques de Lisieux.

Le carmel de Lisieux doit son existence à deux jeunes filles originaires du Havre, Athalie et Désirée Gosselin. Élevées au pensionnat que les carmélites de Pont-Audemer avaient dû ouvrir après la Révolution pour obtenir l'autorisation de réintégrer leur monastère, elles désirent y devenir religieuses à leur tour. Mais elles ont trop peu de santé pour supporter les austérités imposées alors par la règle du Carmel. L'abbé Sauvage, qui les aide dans leur recherche, leur conseille de consacrer leur modeste fortune à fonder un carmel. L'évêque de Bayeux souhaite que la fondation se fasse sur la paroisse Saint-Jacques de Lisieux, où l'abbé Sauvage exerce son ministère.

Les demoiselles Gosselin se rendent avec une Lexovienne, Caroline Guéret, à Poitiers pour accomplir leur noviciat. Elles en reviennent en 1838 avec deux professes : mère Élisabeth de Saint-Louis, supérieure de la nouvelle fondation, et sœur Geneviève de Sainte-Thérèse, nommée sous-prieure et maîtresse des novices. Mère Élisabeth meurt quatre ans plus tard. Sœur Geneviève prend la charge de prieure en 1842 et l'exerce continuellement — excepté les intervalles prévus par les constitutions — jusqu'en 1886. Aussi est-elle regardée comme la véritable mère et fondatrice du carmel de Lisieux.

Le 24 août 1838, en l'anniversaire de la première fondation thérésienne à Saint-Joseph d'Avila, l'évêque de Bayeux, Mgr Robin, bénit l'oratoire du nouveau monastère sous le vocable de « Marie conçue sans péché » et, le 16 septembre, les sœurs Gosselin et Caroline Guéret y font profession. Le 19 mars 1839, en la fête de Saint-Joseph, la communauté reçoit sa première postulante.

L'abbé Sauvage n'estime pas sa tâche achevée. Il veut que les carmélites puissent prier dans une chapelle digne de ce nom. Il se met à quêter lui-même à travers toute la France pour recueillir les fonds nécessaires à sa construction. Le 6 septembre 1852, Mgr Robin bénit le nouveau sanctuaire. L'abbé meurt quelques mois plus tard, en avril 1853 ; les carmélites souhaitent qu'il soit inhumé dans la chapelle édifiée par ses soins, tout près de la grille du chœur.

Quand Thérèse entre au carmel en 1888, il y a onze ans que la construction en est achevée : il a fallu une quarantaine d'années pour l'édifier. Par une curieuse coïncidence, l'aile du cloître où se trouvent les infirmeries a été bénite le 30 septembre 1877, vingt ans très exactement avant la mort de Thérèse dans l'une d'entre elles.

Statue de saint Joseph, enclavée dans ce qui était le mur de clôture du jardin

C'est sous la protection de Joseph que la Madre plaça en 1562 sa première fondation : le carmel San José en Avila. A sa suite, les carmélites ont toujours porté une vénération particulière à saint Joseph. Le 11 juin 1897, mère Agnès voit Thérèse jeter des fleurs à cette statue. « Pourquoi le faites-vous ? lui demande-t-elle. Est-ce pour obtenir quelque grâce ? — Ah ! non ! C'est pour lui faire plaisir ! »

Afin d'offrir un cadeau à mère Marie de Gonzague le jour de sa fête (21 juin 1897), Thérèse prépare, en collaboration avec mère Agnès, un album (26,5 × 35,5 cm) qui évoque la vie du carmel

C'est pour toujours que je suis ici

La photo des fondatrices occupe la première page. En 1861, sœur Philomène a quitté Lisieux avec trois autres compagnes pour fonder à Saigon le premier carmel d'Extrême-Orient. Les liens resteront toujours très forts entre les deux carmels.

J'ai trouvé la vie religieuse telle que je me l'étais figurée

Thérèse avait souvent entendu ses deux sœurs aînées lui expliquer le déroulement de la journée d'une carmélite. En entrant au monastère en avril 1888, elle n'est donc pas surprise.
La priorité est évidemment donnée à la prière : environ six heures et demie, dont deux heures d'oraison silencieuse, et quatre heures et demie pour la messe et l'office choral. Faculté est laissée à chaque carmélite de consacrer encore à la prière, à la lecture spirituelle ou à des travaux personnels, l'heure de sieste de midi et l'heure de temps libre du soir. Une demi-heure doit être consacrée à la lecture spirituelle personnelle.

Le sablier que Thérèse, comme toute carmélite, gardait dans sa cellule.
Il y avait un sablier identique dans chaque parloir : il mesurait la demi-heure de visite autorisée

Les religieuses n'avaient pas le droit à l'époque de porter de montre... même lorsqu'elles étaient filles d'un horloger-bijoutier.

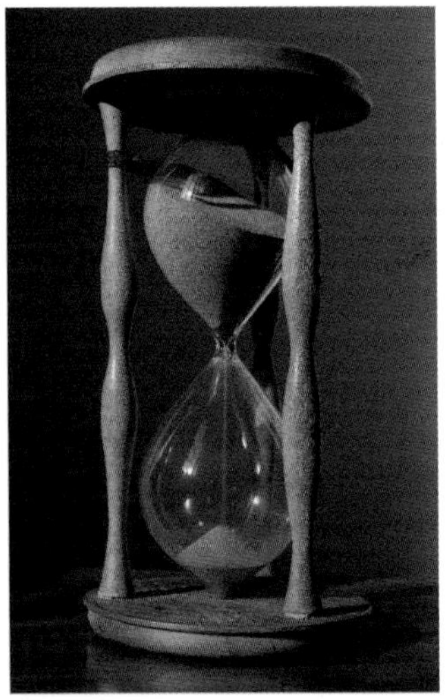

Le travail — cinq heures par jour environ — se fait dans la solitude. Soit en cellule, soit dans la pièce — « office » — réservée à ce travail (lingerie, cuisson de pains d'autel, sacristie, etc.). Il s'agit normalement d'un travail manuel, afin de laisser l'esprit libre de penser à Dieu.
La vie de solitude est équilibrée par la vie communautaire : deux heures de récréation, repas au réfectoire commun en silence, s'accompagnant d'une lecture à haute voix.
Le sommeil, de six heures en été, est complété par une sieste facultative d'une heure ; il est de sept heures continues en hiver.
Enfin, le soir avant matines, le « grand silence » : temps libre d'une heure.
L'horaire que nous indiquons ici est l'horaire qui était en vigueur l'été, de Pâques à l'Exaltation de la Sainte Croix (14 septembre).
L'hiver, le lever était retardé d'une heure, de même que tous les exercices de la matinée. La sieste étant supprimée, on retrouvait, à partir de 13 heures, le même horaire qu'en été.

L'album composé par Thérèse et mère Agnès en 1897 constitue un véritable reportage sur la vie d'une postulante de Lisieux à la fin du siècle dernier : Marie Guérin, entrée au carmel le 15 août 1895, a porté cet habit de postulante jusqu'à sa prise d'habit (17 mars 1896). Celui qu'a porté Thérèse du 9 avril 1888 au 10 janvier 1889 était semblable : une longue robe bleue, recouverte d'une pèlerine noire, un petit bonnet sombre enserrant son abondante chevelure blonde.

4 heures 45. Lever

5 heures. Oraison au chœur

6 heures. Petites heures de l'office

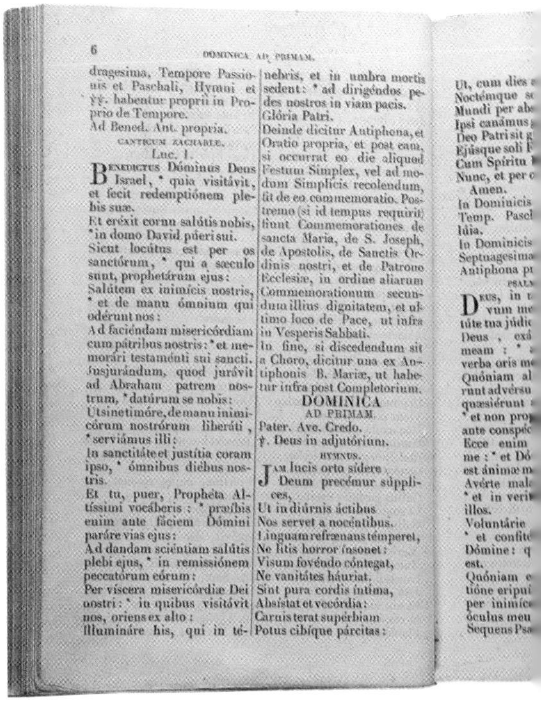

6 DOMINICA AD PRIMAM.

dragesima, Tempore Passionis et Paschali, Hymni et ℣℣. habentur proprii in Proprio de Tempore.
Ad Bened. Ant. propria.
CANTICUM ZACHARIÆ.
Luc. 1.
Benedictus Dóminus Deus Israel, * quia visitávit, et fecit redemptiónem plebis suæ.
Et eréxit cornu salútis nobis, * in domo David púeri sui.
Sicut locútus est per os sanctórum, * qui a sæculo sunt, prophetárum ejus :
Salútem ex inimícis nostris, * et de manu ómnium qui odérunt nos :
Ad faciéndam misericórdiam cum pátribus nostris : * et memorári testaménti sui sancti.
Jusjurándum, quod jurávit ad Abraham patrem nostrum, * datúrum se nobis :
Ut sine timóre, de manu inimicórum nostrórum liberáti, * serviámus illi :
In sanctitáte et justítia coram ipso, * ómnibus diébus nostris.
Et tu, puer, Prophéta Altíssimi vocáberis : * præíbis enim ante fáciem Dómini paráre vias ejus :
Ad dandam sciéntiam salútis plebi ejus, * in remissiónem peccatórum eórum :
Per víscera misericórdiæ Dei nostri : * in quibus visitávit nos, oriens ex alto :
Illumináre his, qui in tenebris, et in umbra mortis sedent : * ad dirigéndos pedes nostros in viam pacis.
Glória Patri.
Deinde dicitur Antiphona, et Oratio propria, et post eam, si occurrat eo die aliquod Festum Simplex, vel ad modum Simplicis recolendum, fit de eo commemoratio. Postremo (si id tempus requirit) fiunt Commemorationes de sancta Maria, de S. Joseph, de Apostolis, de Sanctis Ordinis nostri, et de Patrono Ecclesiæ, in ordine aliarum Commemorationum secundum illius dignitatem, et ultimo loco de Pace, ut infra in Vesperis Sabbati.
In fine, si discedendum sit a Choro, dicitur una ex Antiphonis B. Mariæ, ut habetur infra post Completorium.

DOMINICA
AD PRIMAM.

Pater. Ave. Credo.
℣. Deus in adjutórium.
HYMNUS.
Jam lucis orto sídere
Deum precémur súpplices,
Ut in diúrnis áctibus
Nos servet a nocéntibus.
Linguam refrænans témperet,
Ne litis horror ínsonet :
Visum fovéndo cóntegat,
Ne vanitátes háuriat.
Sint pura cordis íntima,
Absístat et vecórdia :
Carnis terat supérbiam
Potus cibíque párcitas :

Ouvert à l'office de prime,
l'un des quatre bréviaires de Thérèse
(24 × 15 cm). On appelle
« rubriques » (litt. : de couleur rouge)
les notes qui indiquent la manière
de célébrer un office.

Sœur Marie du Sacré-Cœur fut désignée pour être l'« ange » de sa petite sœur, c'est-à-dire pour l'initier au maniement de ces gros livres ainsi qu'aux autres usages du monastère.
Avant la réforme conciliaire, les religieuses disaient à la suite l'office du matin (prime), de 9 heures (tierce), de midi (sexte) et de 15 heures (none). Les psaumes n'étaient pas chantés, mais récités sur une seule note.

A l'Eglise ma Mère
Je pense en ce saint Lieu...
Pour le missionnaire
Là je prie le bon Dieu.

Les carmélites s'assoient souvent sur leurs talons quand elles font oraison dans le chœur de leur chapelle

A droite de la colonne, la porte du communicatoire. Ouverte, elle laisse apparaître un guichet à travers lequel les carmélites reçoivent la Sainte Hostie.

7 heures. Messe et action de grâces

Le chœur. Sur la droite, au-dessus du communicatoire, on installa, à la fin de l'année 1889, la pendule qui avait rythmé, aux Buissonnets, les heures de la jeunesse de Thérèse.
« Je ne puis pas dire que j'aie souvent reçu des consolations pendant mes actions de grâces : c'est peut-être le moment où j'en ai le moins... Je trouve cela tout naturel, puisque je me suis offerte à Jésus non comme une personne qui désire recevoir sa visite pour sa propre consolation, mais au contraire pour le plaisir de Celui qui se donne à moi. [...] Au sortir de l'action de grâces, voyant que je l'ai si mal faite, je prends la résolution d'être tout le reste de la journée en action de grâces. »

8 heures. Petit déjeuner

Soupe épaisse, que l'on mangeait debout, à sa place, à l'extérieur de la table. Les jours de jeûne : rien.

8 heures 15. Travail

Mère Agnès et Thérèse ont utilisé pour la confection de l'album des photos de Marie Guérin, prises lorsque celle-ci était postulante (15 août 1895-17 mars 1896).

9 heures 50. Examen de conscience au chœur

10 heures. Repas

Au menu : poisson ou œufs, légumes (portion copieuse), dessert (fromage ou fruits). Les portions sont préparées d'avance dans les assiettes en terre. La règle du Carmel prévoit l'abstinence perpétuelle de viande, mais elle en autorise l'usage en cas de maladie ou de faiblesse. Certaines sœurs trouvaient plus pénible que le jeûne ce très court intervalle de deux heures entre les deux premiers repas.

On lisait pendant ce repas deux points des Constitutions et, le vendredi, la Règle en son entier. On lisait ensuite une biographie. Le dimanche et certains jours de fête, on remplaçait cette biographie par *L'Année liturgique* de dom Guéranger. Pendant le carême, on lisait une vie de Jésus. Les circulaires nécrologiques des carmélites défuntes étaient lues, à la place de la biographie, chaque fois que la prieure jugeait bon de faire connaître à la communauté la vie d'une religieuse qui venait de décéder dans un autre carmel.

11 heures. Vaisselle
pour les sœurs désignées :
environ une demi-heure

11 heures. Récréation
La communauté en récréation
dans l'allée des Marronniers
(20 avril 1895)

Quand Thérèse était de vaisselle, les religieuses disaient en commençant leur récréation : « Nous n'allons pas rire aujourd'hui. » Ses mimes et ses histoires égayaient en effet bien souvent les réunions communautaires.
Elle parodiait par exemple la façon dont le guide italien de Rome faisait admirer aux pèlerins français « les belles estatues » posées sur des « beaux cornichons ». Plus tard, elle prendra plaisir à mimer la prononciation très spéciale avec laquelle l'abbé Baillon, confesseur extraordinaire du monastère depuis 1892, demandait à ses pénitentes : « Ma sœur, raigrettez-vous bien vos péchés ? » En récréation, Thérèse émaillait plus d'une fois sa conversation d'un « jai raigrette » bien appuyé.

Sœur Geneviève suit ici les conseils donnés à l'époque par C. Klary dans son *Guide de l'amateur photographe* (Paris, 1888). Faites « poser le modèle dans quelque occupation ou situation caractéristique. Un soldat, par exemple, peut s'appuyer sur son fusil, un pêcheur peut avoir sa ligne à la main ».
Chacune des sœurs de la communauté pose ici devant l'objectif en se livrant au travail manuel qui est habituellement le sien. Au centre de la photo, mère Agnès de Jésus, la prieure, assise à une table, compose une image. Elle a fait asseoir à sa droite mère Marie de Gonzague, l'ancienne prieure. A sa gauche, debout, sœur Geneviève peint le tableau placé sur

le chevalet : la Vierge Marie (voir p. 155). Thérèse, debout contre un arbre, repeint la statue de l'Enfant-Jésus du cloître (voir p. 132). A sa gauche, également debout, sœur Marie du Sacré-Cœur. Les quatre sœurs en voile blanc ne sont pas des novices, mais des « converses », c'est-à-dire des religieuses qui, du temps de Thérèse, étaient affectées en priorité au service domestique du monastère (cuisine, ménage, etc.) : sœur Marthe, à l'extrême-gauche de la photo et, sur la droite — de gauche à droite —, sœur Marie de l'Incarnation, sœur Marie-Madeleine du Saint-Sacrement et sœur Saint-Vincent-de-Paul. Elles assistaient à l'office choral, mais le bréviaire était commué pour elles en un certain nombre de *Pater*. Après leur profession, elles ne prenaient pas le voile noir, comme les sœurs « choristes » : d'où leur autre nom de sœurs « au voile blanc ».

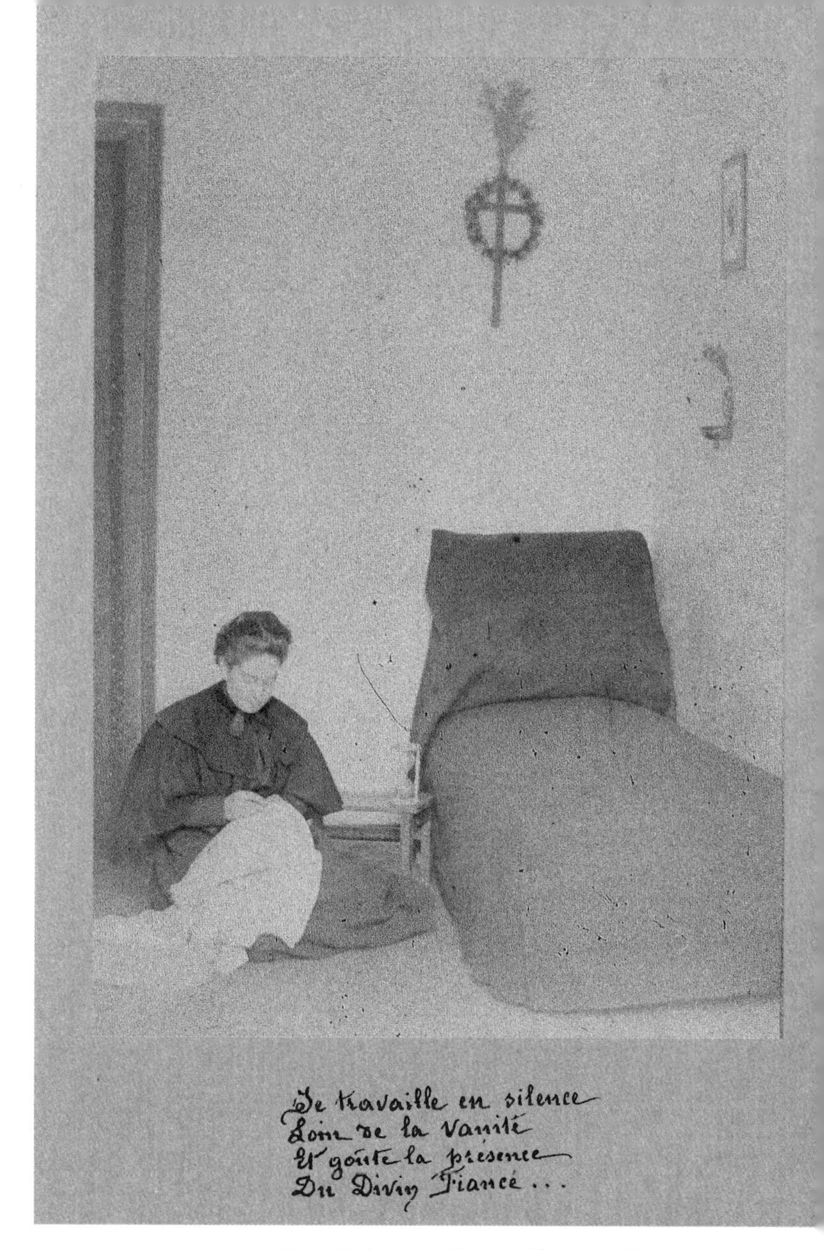

12 à 13 heures. Temps libre en silence (possibilité de faire la sieste en été)

Un jour, Céline entre dans la cellule de Thérèse, alors que celle-ci est en train de coudre : « A quoi pensez-vous ? demande Céline. — Je médite le *Pater*, répond Thérèse. C'est si bon d'appeler le bon Dieu *notre Père* ! » Des larmes brillaient dans ses yeux.
Le 5 juin 1897, elle dira : « Si vous me trouviez morte un matin, n'ayez pas de peine, c'est que Papa le bon Dieu serait venu tout simplement me chercher. Sans doute c'est une grande grâce de recevoir les Sacrements ; mais quand le bon Dieu ne le permet pas, c'est bien quand même. Tout est grâce. »

13 heures. Travail

Honneur oblige ! Quand on habite la Normandie, on boit du cidre !
Un pichet pour deux carmélites au repas de 10 heures.

Il fallait du bois pour l'alimentation des fourneaux de la cuisine et de la buanderie et pour la cuisson des pains d'autel. Le « chauffoir » — où avaient lieu les récréations communautaires — et les infirmeries étaient chauffées.

Durant ses neuf ans de séjour au carmel, Thérèse fut affectée à différents emplois. Pendant son postulat, à la lingerie, *sous les ordres de sa maîtresse des novices (voir p. 115). Après sa prise d'habit, pendant deux ans, au* réfectoire *(voir p. 152). En 1891, à la* sacristie, *sous les ordres de sœur Saint-Stanislas (voir p. 174), jusqu'au mois de juin 1893. En 1892, on lui demande de travailler à l'atelier de* peinture *(voir p. 196); en juin 1893, elle est* tierce de la dépositaire, *c'est-à-dire qu'elle est la tierce personne qui accompagne l'économe, lorsque des ouvriers entrent dans le couvent. En septembre 1893, elle est nommée à la* porterie, *sous les ordres de sœur Saint-Raphaël (voir p. 202), tout en restant chargée des* novices *(voir p. 195): dans ses temps libres, elle se rend à l'atelier de peinture. En mars 1896, elle est de nouveau nommée à la* sacristie *qu'elle quitte bientôt à cause de sa santé. Elle se propose alors pour aider sœur Marie de Saint-Joseph à la* lingerie *(voir p. 281).*

14 heures. Vêpres

« Pour moi, la *prière*, c'est un élan du cœur, c'est un simple regard jeté vers le Ciel, c'est un cri de reconnaissance et d'amour au sein de l'épreuve comme au sein de la joie. [...]
« Je ne voudrais pas cependant que vous croyiez que les prières faites en commun au chœur, je les récite sans dévotion. Au contraire, j'aime beaucoup les prières communes, car Jésus a promis de se trouver au milieu de ceux qui s'assemblent en son nom : je sens alors que la ferveur de mes sœurs supplée à la mienne. »

14 heures 30. Lecture spirituelle
ou réunion des novices auprès
de la maîtresse des novices

15 heures. La cloche sonne
pour rappeler la mort du Christ
Où qu'elle se trouve,
chaque carmélite s'agenouille,
baise le sol, puis son crucifix

L'un des crucifix de Thérèse

« Au carmel, écrira Thérèse à l'abbé Bellière, on change quelquefois les objets de piété : c'est un bon moyen pour empêcher que l'on s'y attache. »

15 heures. Travail. Lessive au lavoir

La pompe à laquelle Marie Guérin puise de l'eau potable se trouvait à l'endroit de la châsse actuelle de Thérèse

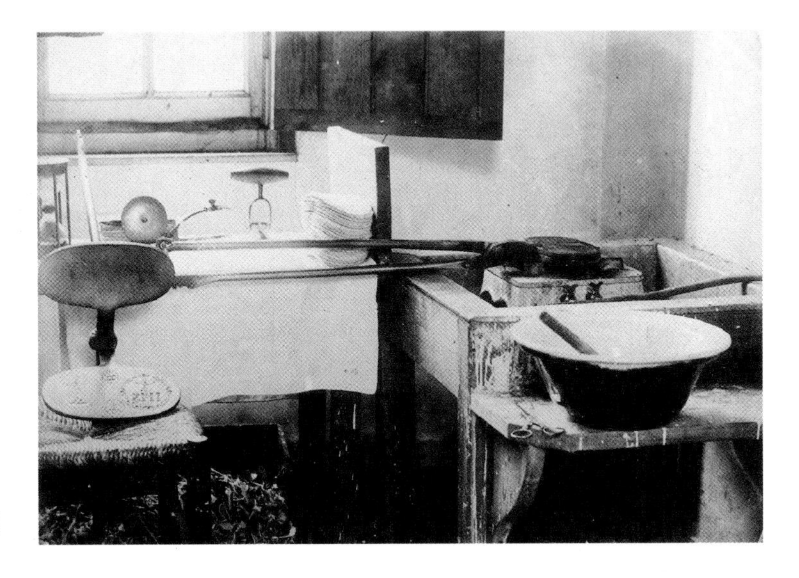

Cuisson des pains d'autel

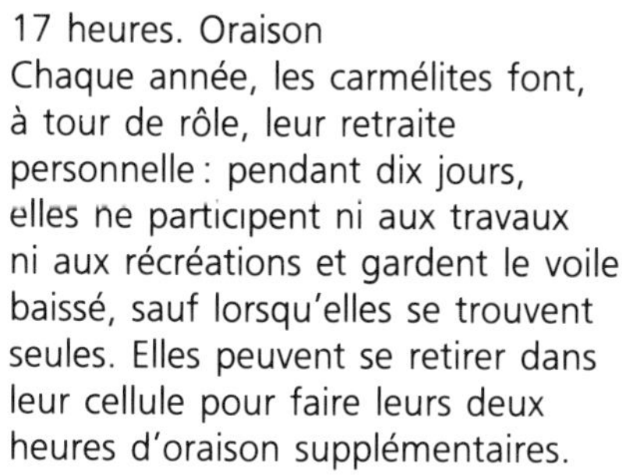

17 heures. Oraison
Chaque année, les carmélites font, à tour de rôle, leur retraite personnelle : pendant dix jours, elles ne participent ni aux travaux ni aux récréations et gardent le voile baissé, sauf lorsqu'elles se trouvent seules. Elles peuvent se retirer dans leur cellule pour faire leurs deux heures d'oraison supplémentaires.

18 heures. Souper
Au menu : soupe, légume, dessert. Les jours de jeûne, une « collation » qui offre sept « onces » de pain (soit 210 g), du beurre ou du fromage, des fruits, parfois de la confiture. Ces soirs-là, on ne prend rien de chaud, ni bouillon ni soupe.

Au repas de 18 heures, on lisait : la traduction du Martyrologe qui, le matin, avait été lu en latin à l'office de prime, la traduction des leçons de matines et, à certaines fêtes, de l'office entier, à l'exception des psaumes, le passage de *L'Année liturgique* consacré à la fête du lendemain et, pour finir, une biographie de saint.

18 heures 45. Vaisselle et récréation

19 heures 40. Complies

20 heures. Temps libre en silence
Les carmélites profitaient souvent
de ce moment pour réciter
leur chapelet

Thérèse avouera, dans son dernier manuscrit, que cette récitation solitaire du chapelet lui coûtait « plus que de mettre un instrument de pénitence. J'ai beau m'efforcer de méditer les mystères du rosaire, je n'arrive pas à fixer mon esprit ». Après s'en être longtemps désolée, elle a compris que la Sainte Vierge voyait sa bonne volonté.
Thérèse utilisait aussi ce temps libre pour la composition de ses poésies ou de ses pièces.

J.M.J.T.

Conclusions des Oraisons

Per Dominum nostrum Jesum Christum Filium tuum qui tecum vivit et regnat in unitate ejusdem Spiritus Sancti Deus per omnia sæcula sæculorum.
Per eumdem Dominum nostrum etc. comme la précédente.
Qui vivis et regnas cum Deo Patre in unitate ejusdem Spiritus Sancti Deus per omnia sæcula sæculorum
Qui tecum vivit et regnat in unitate ejusdem Spiritus Sancti Deus, per omnia sæcula sæculorum.

Petites Conclusions.
Per Christum Dominum nostrum
Per eumdem Dominum nostrum
Qui vivis et regnas Deus
Qui tecum vivit et regnat Deus

Avant et après les oraisons on dit: Domine exaudi orationem meam — après: Benedicamus Domino. — Fidelium animæ per misericordiam Dei, requiescant in pace.

21 heures. Matines et laudes
Durée : une heure et quart
(une heure quarante les jours de fête).
La récitation de cet office était suivie
d'un examen de conscience
(10 mn) et de la lecture du point
d'oraison pour le lendemain.

Thérèse confectionnait de grandes images cartonnées qui lui servaient de signets pour ses bréviaires. Au verso de l'une d'entre elles, elle avait copié les finales d'oraison qu'elle devait lire à haute voix les semaines où elle présidait l'office, quand elle était, disait-on alors, « hebdomadière ». Au recto, autour d'une image de la Sainte Famille, elle avait écrit des textes évangéliques en rapport avec l'apostolat de ses frères missionnaires (voir p. 250 et 264) : « La moisson est grande, mais le nombre des moissonneurs est petit. »

22 heures 30 - 23 heures. Coucher
Le couloir — on disait alors « dortoir » — sur lequel donnaient les deux cellules que Thérèse occupa successivement jusqu'en août 1894. Au fond, l'escalier qui jouxte le bureau de la prieure. Aussi appelait-on ce corridor le « dortoir de notre Mère ».

L'entrée de la première cellule de Thérèse

Thérèse avait pour voisine sœur Marie-Philomène, sa compagne de noviciat (voir p. 116). Celle-ci se souviendra toute sa vie du geste que faisait Thérèse chaque soir, après matines, avant de fermer la porte de sa cellule. Elle l'attendait au passage et lui adressait son plus gracieux sourire.

L'escalier qui jouxte le bureau de la prieure

Malgré les humiliations qu'elle en reçoit, Thérèse éprouvera toujours une vive sympathie envers mère Marie de Gonzague. N'est-ce pas grâce à elle qu'elle a pu entrer toute jeune au carmel ? C'est elle qui, voilà déjà six ans, lui a proposé de s'appeler sœur Thérèse de l'Enfant-Jésus. Aussi la jeune postulante est-elle souvent tentée d'aller demander une permission à la prieure pour la rencontrer quelques instants. Mais elle sent que ce serait échapper à la solitude dans laquelle elle doit s'enfoncer pour y rencontrer Dieu. Plus d'une fois, Thérèse se cramponnera à la rampe d'escalier, lorsqu'elle passe devant la cellule de sa prieure, pour ne pas céder à la tentation de frapper.

Mère Marie de Gonzague (1834-1904)

Marie Davy de Virville appartenait à une famille de sept enfants. Son père était magistrat. Élevée à la Visitation de Caen, elle y développe une solide dévotion au Sacré-Cœur.
Accueillie au carmel de Lisieux en 1860 par la fondatrice mère Geneviève, elle y côtoie les futures fondatrices des carmels de Saigon et de Jérusalem.
Élue pour la première fois prieure en 1874, à quarante ans, elle le sera, avec les intervalles prévus par la Règle, vingt-sept ans durant (les prieures étaient élues pour trois ans et elles devaient obligatoirement passer la main à une autre religieuse après six ans de gouvernement).
Après l'inondation du 7 juillet 1875 qui avait envahi le rez-de-chaussée d'un flot de boue atteignant 1,80 m, elle entreprend avec audace la réparation et l'agrandissement du monastère. Elle sollicite avec succès l'aide financière de ses anciennes relations de jeunesse, ce qui permet d'achever en dix-huit mois les deux ailes du cloître qui restaient à construire : celle qui donne sur le jardin et celle qui inclut l'infirmerie.
Les postulantes ne manquent pas. Quand Thérèse arrive le 9 avril 1888, le petit carmel lexovien vient de fêter ses cinquante ans d'existence. L'année précédente, la prieure a décidé d'en finir une bonne fois avec l'humidité qui persistait au réfectoire et dans les cloîtres depuis l'inondation. Béton et crasse de forge assainissent le terrain et l'on remplace les pavés rouges (réutilisés dans les greniers) par un carrelage de pavés noirs, gris et blancs, qui dessinent une sorte de damier. En face des allées qui conduisent au calvaire, on reconstruit les quatre perrons du préau. L'un d'entre eux deviendra célèbre : celui sur lequel Thérèse s'assiéra le lundi de Pâques 1895, le temps d'une photo (voir p. 242-243).
Mère Marie de Gonzague était très jalouse de son autorité et supportait difficilement de voir le pouvoir passer en d'autres mains, lorsqu'elle n'était plus prieure. Elle apportait aussi, dans la conduite du monastère, une instabilité dommageable, réglant par caprice des situations qui eussent demandé fermeté et esprit de suite.
De santé fragile, elle s'adonnait pourtant à des mortifications surérogatoires : dans les débuts de sa vie religieuse, elle s'était régulièrement flagellée avec des orties.
Tout cela ne l'empêchait pas de souhaiter qu'une ambiance joyeuse règne dans sa communauté, notamment parmi les novices. Elle eut aussi le mérite d'accepter Thérèse au carmel, malgré son jeune âge et le fait qu'elle était la troisième sœur Martin à y entrer.

LES DÉBUTS DE THÉRÈSE

Dès son entrée au carmel, Thérèse est prise en charge par sœur Marie des Anges, la maîtresse des novices en exercice. Elle travaille avec elle à la lingerie. Durant plus de quatre ans, elle assiste, en début d'après-midi, à ses exposés sur l'histoire et les usages du Carmel. Le balayage d'un couloir et d'un escalier, un peu de jardinage l'après-midi complètent ses occupations.

Sœur Marie du Sacré-Cœur, désignée pour être son « ange », l'initie aux mille et un détails de la vie conventuelle. Comment s'y retrouver, par exemple, dans les bréviaires utilisés pour l'office choral ? Mais, pour être sûre de ne pas rechercher auprès d'elle la chaude atmosphère des Buissonnets, Thérèse fait rapidement comprendre à sa marraine qu'elle peut se débrouiller seule.

Les difficultés de la vie communautaire, Thérèse les découvre assez vite. Sœur Saint-Vincent-de-Paul — la grande « brodeuse » de la communauté — lui fait sentir qu'elle n'est pas assez dégourdie dans les travaux manuels (voir p. 189). Elle lui donne même un surnom : « la grande biquette ». Ces piqûres d'épingle font mal, mais Thérèse ne manque pas de les offrir à Jésus pour la conversion des pécheurs.

Mes premiers pas ont rencontré plus d'épines que de roses

Le comte Amédée de Chaumontel, lieutenant au 1er régiment de la Garde royale, et son épouse, Élisabeth Gaultier de Saint-Basile, demeurent au château de Meauty à Montpinçon, dans le Calvados, quand naît leur quatrième fille, Jeanne-Julia. Deux garçons la suivront.
Enfant vive et enjouée, ses colères sont si violentes que ses frères la surnomment « Lady Tempête ». A douze ans, elle devient scrupuleuse : le soir de sa première communion, elle se demande si elle est en état de grâce...
En 1866, elle décide d'entrer au carmel de Lisieux malgré la peine qu'elle éprouve à l'idée de quitter sa famille. Elle part au couvent avec Marie, son aînée, sous prétexte d'y faire une retraite... et n'en revient pas. On comprend la colère des parents : ils s'abstiennent l'année suivante d'assister à la prise d'habit de leur fille.
Elle est sous-prieure à deux reprises, de 1883 à 1886 et de 1893 à 1899, et chargée du noviciat d'octobre 1886 à février 1893 et de 1897 à 1909.
L'aristocrate s'astreint aux tâches les plus humbles. Courageuse, elle éteint de ses mains un début d'incendie en se brûlant cruellement et, lors de la grande inondation de 1875, elle multiplie les initiatives pour sauver ce qui peut l'être. Thérèse écrira en 1895 qu'elle était « une vraie sainte, le type achevé des premières carmélites ».
Son étourderie fait souvent sourire la communauté. A la fin de sa vie, on la verra, un jour de procession, brandir sa canne avec dignité et dévotion au lieu de son cierge.
Ayant vite deviné la valeur de sa toute jeune recrue, sœur Marie des Anges se fait un devoir de lui tenir d'interminables propos spirituels quand elles travaillent ensemble à la lingerie. Thérèse préférerait le silence, mais elle supporte de son mieux les pieux bavardages et les multiples questions de sa maîtresse des novices. Un jour, ne sachant plus que répondre, la postulante se jette à son cou et l'embrasse. Peu à peu, Thérèse arrive à s'ouvrir. Elle lui confie même au moment de la maladie de son père : « Je souffre beaucoup, mais je sens que je puis souffrir encore davantage. »
C'est seulement après la mort de Thérèse que sœur Marie des Anges apprend l'existence des manuscrits qu'elle a rédigés. En écoutant au réfectoire la lecture de l'*Histoire d'une âme*, elle est émerveillée. La Petite Voie la séduit. Elle y entre résolument. A la fin de sa vie elle écrit : « Je voudrais être encore plus pauvre et miséreuse pour que Jésus puisse se montrer encore plus miséricordieux ! » Elle meurt quelques mois avant la canonisation de son ancienne novice.

Sœur Marie des Anges (1845-1924)

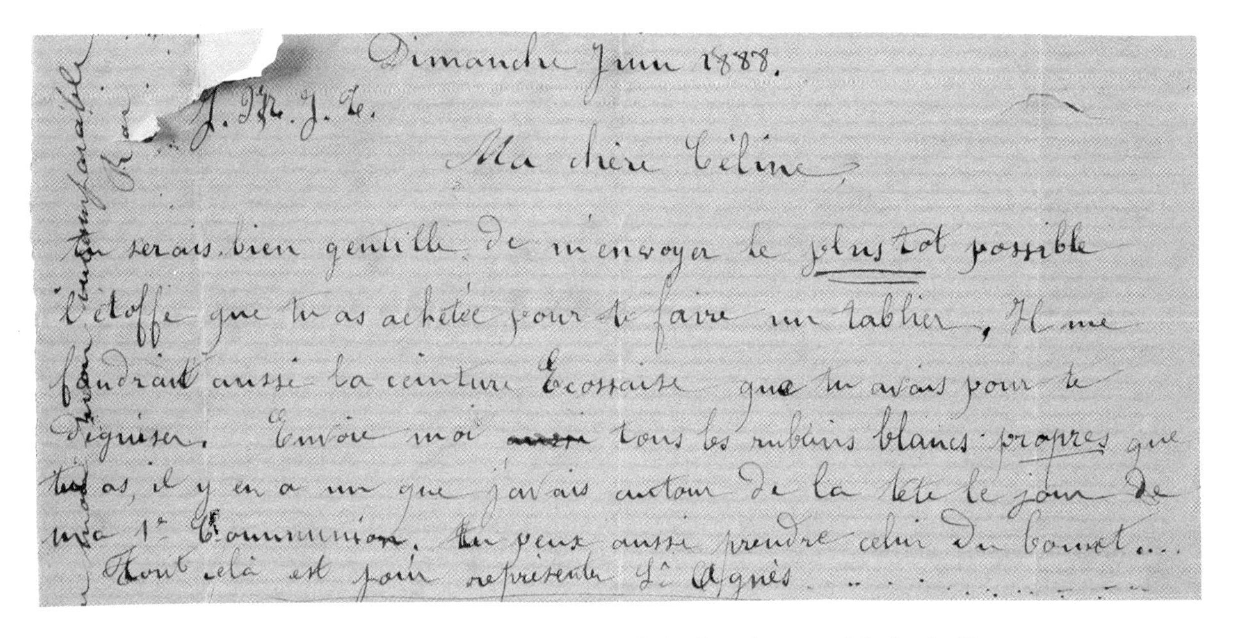

Dimanche Juin 1888.
J.M.J.T.
Ma chère Céline,
Tu serais bien gentille de m'envoyer le plus tôt possible l'étoffe que tu as achetée pour te faire un tablier, il me faudrait aussi la ceinture Ecossaise que tu avais pour te déguiser. Envoie moi tous les rubans blancs propres que tu as, il y en a un que j'avais autour de la tête le jour de ma 1re Communion, tu peux aussi prendre celui du bonnet...
Tout cela est pour représenter Ste Agnès...

Billet de Thérèse à Céline (17 juin 1888)

Thérèse demande à sa sœur de lui envoyer de quoi jouer le rôle de sainte Agnès dans une saynète, composée par sœur Agnès, qui sera donnée à l'occasion de la fête de mère Marie de Gonzague, le 21 juin. En tunique blanche, la somptueuse chevelure d'or déployée sur les épaules, la postulante incarne dans la fraîcheur de ses quinze ans une Agnès rayonnante d'amour pour le Christ, son Fiancé : « C'est Jésus-Christ que j'aime. »

Sœur Marie-Philomène de Jésus (1839-1924)

Née à Langrune-sur-Mer (Calvados) Noémie-Colombe-Alexandrine Jacquemin est la troisième d'une famille de six enfants. Son père est entrepreneur en menuiserie et l'un de ses frères cadets sera prêtre.
Entrée au carmel de Lisieux en 1876, elle en ressort l'année suivante pour soigner sa mère très gravement malade. Elle y rentre définitivement en 1884 : elle a quarante-cinq ans.
Trois ans et demi plus tard, Thérèse l'y rejoint. Malgré leur grande différence d'âge, elles éprouvent beaucoup de sympathie l'une pour l'autre : « Que pensez-vous de nos vocations si différentes ? » demande un jour sœur Philomène. « Je pense, répond Thérèse, que le bon Dieu choisit des fruits de toute saison. N'est-ce pas l'agrément d'un jardin que la diversité des fleurs et des fruits ? »
Mais assez vite Thérèse reproche à son aînée sa crainte excessive du purgatoire : « Vous n'êtes pas assez confiante, vous avez trop peur du bon Dieu ; je vous assure qu'il en est affligé. Ne craignez point le Purgatoire à cause de la peine qu'on y souffre, mais désirez ne pas y aller pour faire plaisir au bon Dieu [...]. Il vous purifie à chaque instant dans son amour. » De son côté, sœur Marie-Philomène reproche à Thérèse son espérance de mourir jeune. « On ne demande pas à se reposer avant d'avoir achevé son ouvrage ! » lui disait-elle. Thérèse lui rétorque qu'au ciel elle ne se reposera pas. « Regardez saint Louis de Gonzague. Il n'y avait pas deux ans qu'il était mort qu'il avait déjà fait des merveilles pour la gloire du bon Dieu et le bien des âmes. »
Grande et forte, sœur Marie-Philomène ne ménage pas sa peine. Avec sœur Marguerite-Marie et sœur Marie de Jésus, elle fait partie du trio mis régulièrement à contribution pour les travaux pénibles de la communauté. Longtemps, elle s'occupe de la confection des pains d'autel. Thérèse l'encourage à donner une signification plus spirituelle à ce travail harassant de panetière en écrivant à son intention « Les Sacristines du carmel » (novembre 1896).
Après la mort de Thérèse, sœur Marie-Philomène s'engage délibérément dans la Petite Voie. A la fin de sa vie, elle ne craint plus le purgatoire. Elle a compris que Dieu n'est que Père. « Il est même bon comme un grand-père », ose-t-elle proclamer.

Très jeune, Thérèse avait aimé fêter sainte Agnès. Depuis que Pauline était devenue sœur Agnès, elle était la patronne de sa seconde maman. C'est avec joie qu'elle avait recueilli une relique de sa basilique lors de son pèlerinage à Rome (voir p. 88). Quand Pauline est élue prieure en 1893, le 21 janvier devient le jour de la grande fête communautaire. En 1894, elle y joue sa première pièce sur Jeanne d'Arc ; en 1895, la seconde et le 20 janvier 1896, Thérèse remet son premier manuscrit à mère Agnès comme cadeau de fête.

Image conservée par Thérèse

Lazariste comme son oncle, Jean-Gabriel Perboyre mourut martyr en Chine à l'âge de trente-huit ans. Après avoir reçu cent dix coups de bambou pour n'avoir pas voulu fouler aux pieds le crucifix, il fut condamné à la strangulation. Léon XIII le béatifia le 30 mai 1889, quatre semaines après la prise d'habit de sœur Marthe.

Image conservée par Thérèse

Sœur Marthe de Jésus
et du Bienheureux-Perboyre
(1865-1916)

Ayant perdu son père et sa mère à l'âge de huit ans, Florence-Marthe Cauvin grandit en différents orphelinats tenus par les sœurs de Saint-Vincent-de-Paul. Toute sa vie, elle cherchera le giron maternel dont elle a été privée durant son enfance. Certains de ses comportements ultérieurs trouvent là leur explication, notamment son attachement excessif à la prieure et son agressivité.
Elle entre au carmel en 1887, à vingt-deux ans. Trois mois plus tard, Thérèse l'y rejoint et devient sa compagne de noviciat. Tout en admirant sa cadette, intelligente et généreuse, sœur Marthe en est terriblement jalouse. Elle cède souvent à la tentation de la blesser par ses sarcasmes mordants. Elle supporte difficilement de voir Thérèse admise à faire profession quinze jours avant elle.
Elle désire pourtant bénéficier le plus longtemps possible de sa présence et de ses conseils. Aussi demande-t-elle à rester comme elle au noviciat après sa profession (25 septembre 1890). Elle va jusqu'à souhaiter faire sa retraite annuelle en même temps que Thérèse. Celle-ci accepte. Trois ans de suite, en 1891, 1892 et 1893, Thérèse renonce au grand silence de sa retraite personnelle pour causer chaque jour avec sa compagne, écouter ses difficultés et lui donner quelques conseils. Sœur Marthe ne se rend même pas compte du sacrifice qu'elle impose à Thérèse.
En 1893, quand Thérèse est chargée de veiller sur le noviciat, sœur Marthe continue à bénéficier de sa compréhension, tout en la faisant encore souffrir par ses indélicatesses. C'est seulement après 1897 que sœur Marthe prendra conscience de la patience dont Thérèse a fait preuve à son égard. « Elle avait toujours la même égalité d'âme », témoignera-t-elle au procès.

Rejoindre Jésus au cœur de notre être

Notre petite cellule surtout me charmait

Sœur Marie des Anges ne manquait pas de faire remarquer à ses novices la place essentielle que les Constitutions de l'Ordre accordaient à la vie en cellule : « Tout le temps qu'elles ne seront point en la Communauté, ou aux offices d'icelle, chacune demeurera à part soi en sa Cellule ou en l'ermitage que la Prieure lui aura permis » (p. 150-151).

Quand la Bible parle du cœur de l'homme, elle parle de ce qu'il y a de plus intime en chacun de nous, de cette cellule intérieure où Dieu habite et où Il nous invite à Le rejoindre. Les Pères du désert aimaient présenter la conversion comme un retour du pécheur au cœur de lui-même. Avant de se mettre en route vers son Père, le prodigue « rentre en lui-même » (Lc 15, 17).
A leur suite, tous les auteurs spirituels insistent sur l'importance de ce « retour au cœur ». Dans ses *Confessions*, saint Augustin regrette d'avoir trop tardé à rejoindre Dieu là où Il était :

> « Tard je T'ai aimée, ô Beauté
> si ancienne et si nouvelle,
> tard je T'ai aimée !
> Mais quoi, Tu étais au-dedans de moi,
> et j'étais, moi, en dehors de moi-même !
> Et c'est au-dehors que je Te cherchais :
> je me ruais, dans ma laideur,
> sur la grâce de tes créatures.
> Tu étais avec moi et je n'étais pas
> avec Toi, retenu loin de Toi
> par les choses qui ne seraient point,
> si elles n'étaient en Toi.
> Tu m'as appelé et ton cri a forcé
> ma surdité ! »

Et Thérèse d'Avila décrit l'itinéraire spirituel comme une marche progressive de l'âme vers la demeure la plus secrète du Château intérieur.
Il est difficile de représenter cette descente de l'âme dans les profondeurs de son cœur. L'image ci-contre s'y essaie : Jésus attend paisiblement le retour de la colombe au lieu de son repos. Thérèse pensait peut-être à cette image lorsqu'elle écrivait à Céline, le 7 juillet 1894 : « Il faut qu'une âme soit grande pour contenir un Dieu ! Et pourtant l'âme d'un enfant d'un jour lui est un Paradis de délices. »

Pour se rappeler que rien ne leur appartenait, les carmélites du temps de Thérèse avaient coutume de dire : « notre bréviaire », « notre cellule ».

« Voici que je frappe à la porte... »
Image accrochée au mur
de la cellule de Thérèse

Le Divin Prisonnier du tabernacle attend la visite et la reconnaissance de ses créatures, et combien le délaissent ! Il frappe à la porte de notre cœur pour en faire un tabernacle où Il puisse se reposer.
En regardant cette image, Thérèse pensait au passage du Cantique dans lequel le Créateur réclame l'hospitalité de sa créature : « Ouvrez-moi, ma sœur, mon épouse, car mon chef est plein de rosée et mes cheveux des gouttes de la nuit » (Ct 5, 2). Une phrase que sœur Agnès avait peinte en 1887 sur le mur du dortoir Saint-Élie, entre la cellule Sainte-Agnès et la cellule Saint-Pierre, tout près de la cellule de Thérèse (voir p. 121).
Elle reprendra ce thème dans le tableau qu'elle composera en 1892 et qu'elle offrira à Céline (voir p. 197).

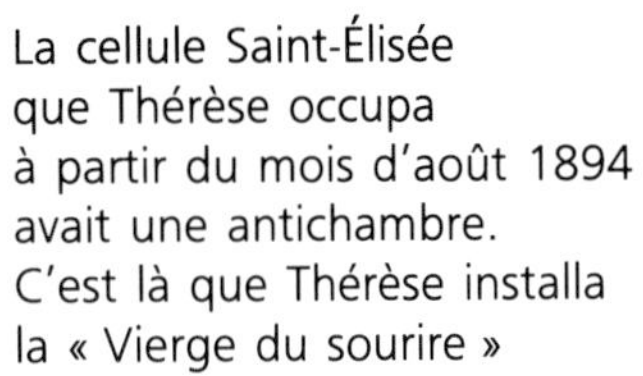

La cellule Saint-Élisée
que Thérèse occupa
à partir du mois d'août 1894
avait une antichambre.
C'est là que Thérèse installa
la « Vierge du sourire »

Fanion du Sacré-Cœur
qui se trouvait sur la porte
de la cellule de Thérèse

Image qui se trouvait
dans l'antichambre de la cellule
de Thérèse

Peut-être avait-elle appartenu à sœur Marie-Philomène qui avait occupé les lieux avant Thérèse. D'ailleurs, c'est sans doute à l'intention de cette sœur — son ancienne compagne de noviciat durant un an (1888-1889) — que Thérèse composa en janvier 1897 la poésie : « A mon ange gardien » :

> « Connaissant ma grande faiblesse
> Tu me diriges par la main
> Et je te vois avec tendresse
> Oter la pierre du chemin. »

La dernière cellule de Thérèse.
Un mobilier tout simple, absolument semblable à celui qu'avait connu sainte Thérèse d'Avila au XVIe siècle

Cellule de Thérèse de Jésus au carmel de l'Incarnation en Avila

Le dortoir Saint-Élie.
La porte surmontée d'un fronton est l'entrée de la salle du chapitre. A sa gauche, la dernière cellule de Thérèse

Le confessionnal

Je fis une confession générale comme jamais je n'en avais fait

Thérèse reçut bien des grâces en ce lieu. Fin mai 1888, le père Pichon prêche une récollection au monastère à l'occasion de la profession de Marie, la marraine de Thérèse. Celle-ci en profite pour faire une confession générale à son père spirituel. Cette rencontre est décisive. Le père la délivre de l'inquiétude de conscience qui la tourmente depuis mai 1883. A Notre-Dame-des-Victoires, la Vierge lui a fait sentir qu'elle avait été bel et bien guérie par son sourire. Mais elle se demande encore si elle n'a pas simulé sa maladie. Le père lui affirme qu'elle n'a pas joué la comédie : elle a vraiment été malade.

Il la rassure aussi sur un autre point : « Vous n'avez jamais commis de péché mortel. Mais remerciez bien le bon Dieu, car s'Il vous abandonnait, au lieu d'être un petit ange, vous deviendriez un petit démon. »

Situé tout près de la sacristie, le confessionnal servait également de parloir pour la rencontre des carmélites avec les prédicateurs de retraite.

Notre-Dame du Bon-Conseil

Peinture réalisée par Céline en 1888 et destinée au carmel.

Le cadre fut longtemps placé au-dessus de la porte du confessionnal, près de la porte conventuelle. Thérèse aimait cette peinture. La joue de l'Enfant Jésus, remarquait-elle, est « pointue », comme celle des tout-petits, et « pleine de lait ».

MATER BONI CONSILII

Jésus a souffert avec tristesse !... Tristis est anima mea !..
tristesse, est-ce que l'âme souffrirait ?.....
Les martyrs ont souffert avec joie.... et le Roi des mart
a souffert avec tristesse !... Et la première parole de son

Retraite du père Pichon
au carmel de Lisieux (octobre 1887)

Sœur Marie de Saint-Joseph recopiait le canevas des causeries données aux carmélites par les prédicateurs de retraites.
A son entrée au carmel, Thérèse fut heureuse de prendre connaissance de la retraite donnée quelques mois plus tôt par son père spirituel. Elle découvrit alors pour la première fois une idée qui prendra beaucoup d'importance dans sa conception de la souffrance : Jésus a souffert avec tristesse ! Sans tristesse, est-ce que l'âme souffrirait ? Acceptons de souffrir « petitement », sans enthousiasme.
Dans sa toute première instruction, le prédicateur insistait sur l'esprit de pauvreté avec lequel il fallait entrer en retraite. Un thème sur lequel Thérèse reviendra sans cesse plus tard : « Pour bien prier, il faut être désespéré, c'est-à-dire reconnaître qu'on n'a rien et qu'on attend tout de Dieu !... Une jeune fille s'adressant à son directeur lui écrivait cette pensée profonde : Oh ! mon Père, que c'est lourd des mains vides devant Dieu. » C'est l'expression que Thérèse emploiera, le 9 juin 1895, dans son acte d'offrande à l'Amour miséricordieux (voir p. 227 et 238).

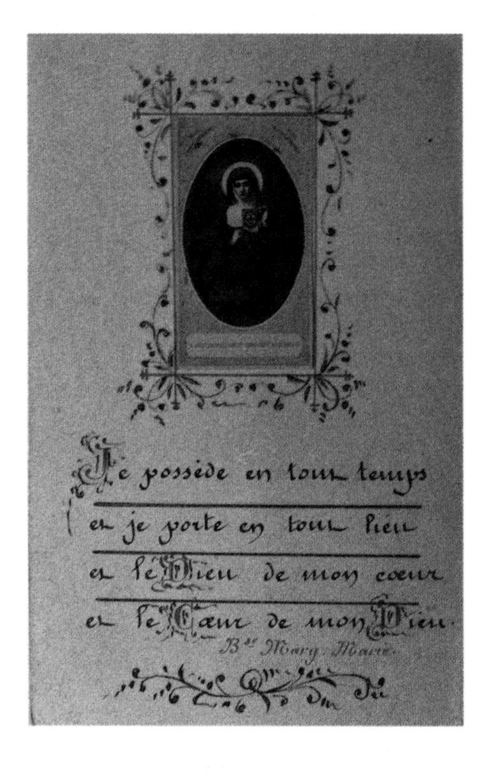

Image offerte par le père Pichon
à Thérèse pour sa fête
(15 octobre 1889)

C'est au mois d'août 1883 que Thérèse rencontre pour la première fois le père Pichon lors d'une visite de celui-ci aux Buissonnets. Marie lui avait demandé d'être son père spirituel et le jésuite venait de temps en temps à Lisieux s'entretenir avec la marraine de Thérèse. La relation épistolaire qui s'ensuivit s'étend progressivement à d'autres membres de la famille. Thérèse reçoit ainsi, au moment où elle se prépare à sa première communion, un feuillet du père sur le renoncement. En échange, elle lui confie son désir d'entrer au Carmel.

Le 4 octobre 1884, le père Pichon s'embarque pour le Canada. Par lettres, puis de vive voix lorsqu'il revient en Europe (septembre 1886), il aide Marie à discerner sa vocation. C'est lui qui prêche à sa prise d'habit, le 19 mars 1887.

Au début d'octobre, il prêche la retraite annuelle de la communauté : ses propos seront relatés dans des notes prises par sœur Marie de Saint-Joseph. Le père Pichon triomphe dans l'anecdote, le trait piquant ou l'évocation d'une scène d'Évangile. Il aime les mots à l'emporte-pièce, les antithèses, voire les paradoxes. La réputation de grand orateur qu'il eut outre-Atlantique n'était pas surfaite. L'ensemble est d'un bel équilibre et contraste fort avec les sermonnaires de l'époque, si prompts à conduire au Ciel en parlant surtout de l'enfer.

Ayant été lui-même scrupuleux dans sa jeunesse — « à en devenir fou », dira-t-il plus tard —, il s'ingénie à apaiser les âmes : « Il y a des âmes qui étouffent toute leur vie dans la voie de la crainte. Prenez donc votre place sur le Cœur de l'Époux. Allez à Lui par l'amour ! »

A la suite de sa marraine, Thérèse demande au père Pichon de « diriger » son âme. Il devient vraiment son père spirituel le 28 mai 1888, le jour où elle lui fait une confession générale de sa vie passée. Elle en sort libérée de ses scrupules. A la fin de l'entretien, le confesseur conclut : « Mon enfant, que Notre-Seigneur soit toujours votre Supérieur et votre Maître des novices ! » Effectivement, Thérèse ne rencontre plus guère son père spirituel, puisqu'il séjourne habituellement au Canada. Elle lui écrit une fois par mois, mais il ne répond à ses lettres qu'une fois par an.

Les quinze missives que le père Pichon envoie à Thérèse de 1888 à 1897 ne sont pas à proprement parler des « lettres de direction ». Il approuve, bénit, dit sa joie de constater les progrès qui s'accomplissent dans l'âme de sa « fille », mais il ne lui donne guère de « directives ». Deux fois seulement, il tranche avec autorité pour balayer les scrupules qui font à nouveau surface dans son âme : « Je vous défends au nom de Dieu de mettre en question votre état de grâce » (4 octobre 1889).

Malheureusement, le père Pichon jetait au feu toutes les lettres qu'il recevait de Thérèse. Celle-ci, en revanche, conservait précieusement les réponses qu'il lui adressait. En les regardant de près, on peut se faire quelque idée de ce que Thérèse lui avait écrit dans sa lettre précédente : « Vous avez raison, vos Merci doivent se multiplier au soir des journées de sécheresse et d'amertume » (27 mars 1890).

Thérèse gardera jusqu'au bout une profonde gratitude envers lui. On trouve sous sa plume seize passages au moins où elle le cite. Elle fait notamment appel à sa pensée quand elle s'adresse à Céline ou à Marie, pour lesquelles il demeure la grande autorité.

Le 4 juillet 1897, elle confie à mère Agnès : « Le père Pichon me traitait trop comme une enfant ; cependant il m'a fait du bien aussi en disant que je n'ai pas commis de péché mortel. »

Le père Pichon (1843-1919)

Le Carmel était le désert où le Bon Dieu voulait que j'aille me cacher

Le calvaire avait été offert par M. et Mme Leroyer, les parents de sœur Thérèse de Saint-Augustin. Thérèse, qui éprouvait une très forte antipathie à l'égard de cette sœur, demandait certainement au Seigneur, en passant dans le cloître, la grâce de lui sourire quand même (voir p. 247).
Elle croyait de tout son cœur que ces actes bien cachés de charité fraternelle réjouissaient le cœur de Jésus et contribuaient au salut de ses frères.

O CRUX
AVE
SPES CARMELI

Image que Thérèse avait reçue de Léonie le jour où celle-ci était devenue Enfant de Marie (13 octobre 1882)

Thérèse veut aimer Jésus autant que sa patronne. Comment ? Autrement, dira-t-elle bientôt. Par une Petite Voie toute nouvelle. On ne trouve pas sous la plume de Thérèse d'Avila la relation d'une apparition de l'Enfant-Jésus dont elle aurait bénéficié. Cette légende relève des *fioretti* qu'on lui a attribués.

Je veux aimer le Bon Dieu autant que Sainte Thérèse

LES DEUX THÉRÈSE

Thérèse découvre au carmel un environnement profondément marqué par la présence de la réformatrice espagnole : statues, tableaux, images rappellent ses extases et sa pensée. Sur l'image accrochée au mur de sa cellule, Thérèse peut lire deux de ses sentences : « Aut pati aut mori *(Ou souffrir ou mourir)* ; Misericordias Domini in aeternum cantabo *(Je chanterai pour toujours les Miséricordes du Seigneur).* » *(Voir p. 131.)*

Elle ne semble pas avoir lu intégralement les œuvres de Thérèse d'Avila ; elle en connaissait pourtant de larges extraits par deux volumes qui se trouvaient à la bibliothèque du monastère et qu'elle a consultés, surtout à partir du moment où elle a été chargée de la formation des novices : Le Banquet sacré ; La Fille de sainte Thérèse à l'école de sa mère, *morceaux choisis de textes thérésiens rassemblés par Thérèse de Saint-Joseph, du carmel de Tours (Reims, 1888).*

En étudiant comme novice, puis, comme responsable du noviciat, la Règle et les Constitutions du Carmel, Thérèse s'est imprégnée des grandes intuitions de la réformatrice. A son école, elle a perçu de mieux en mieux la dimension missionnaire de sa vocation contemplative. Elle retrouve chez elle ce qu'elle avait déjà entrevu en novembre 1887, en côtoyant de près les soixante-quinze prêtres du pèlerinage à Rome : une carmélite ne doit pas seulement prier pour la conversion des grands pécheurs, mais pour la sainteté du clergé. « Qu'elle est belle, la vocation ayant pour but de conserver le sel destiné aux âmes ! Cette vocation est celle du Carmel, *puisque l'unique fin de nos sacrifices est d'être l'apôtre des apôtres, priant pour eux pendant qu'ils évangélisent les âmes. »* (Chemin de la perfection, chap. III, fin.)

En juillet 1896, elle posera devant l'appareil photographique de Céline, tenant en main un rouleau sur lequel elle a copié une phrase de Thérèse d'Avila : « Je donnerais mille vies pour sauver une âme » (Chemin de la perfection, chap. I). *Une phrase qu'elle cite souvent (voir p. 267).*

Il y a néanmoins un point sur lequel Thérèse se sent très différente de sa patronne. A la fin du XIXe *siècle, on insistait beaucoup sur les grâces exceptionnelles d'oraison dont avait été gratifiée la mystique espagnole. Les images pieuses de l'époque représentaient à l'envi sa transverbération ou la célèbre scène (légendaire) où l'Enfant-Jésus caresse Thérèse de Jésus en lui disant : « Je suis le Jésus de Thérèse. » De ce point de vue, Thérèse se sent bien petite par rapport à sa « séraphique » mère, comme on disait alors. Elle ne s'estime pas digne de telles faveurs. Quand, en 1894, elle peint l'Enfant-Jésus, elle se contente de le représenter dormant à ses côtés. « Puisqu'Il ne me caresse pas, je tâche, moi, de lui faire plaisir. »*

Écusson du carmel
peint par mère Agnès en collaboration avec Thérèse. Celle-ci en a peint et dessiné les fleurs

ÉVITEZ la crainte et la gêne intérieure, l'âme qui s'y abandonne éprouve de très grandes difficultés pour toute espèce de biens.
Chemin de la perf., *ch.* xlij.

S'IL est bon que l'âme connaisse que d'elle-même elle ne peut rien, il est très bon aussi qu'elle sache qu'elle peut tout en Dieu. — *Chap.* xiij *de sa Vie.*

coucher 4 h. 11.

22

Ste CÉCILE, V. M.

LES visions, les visites et les faveurs du ciel ne sont que pour les humbles.
Ch. ix, *Demeure 6.*

NOVEMBRE.

Vendredi

Signet de Ste Thérèse.

Que rien ne te trouble.

Que rien ne t'épouvante

Tout passe.

Dieu ne change point.

La patience tout obtient.

Qui possède Dieu

Rien ne lui manque

Dieu seul suffit.

L. EUDES. Edit. Tours. 20. Série G Déposé

CE n'est pas présomption que de concevoir un grand désir d'acquérir des vertus héroïques à l'imitation des saints, ni même de souhaiter le martyre.
Ch. xiij *de sa Vie.*

S. ISIDORE, Évêque, Docteur.

L'AME que Dieu attire à Lui par un degré sublime d'oraison, ne se trouble pas pour les injures qu'on lui fait, et ne se soucie pas plus d'être estimée que méprisée.
Chem. de la perf., *ch.* xxxvj.

AVRIL.

Sur des feuilles de calendrier, Thérèse découvrait parfois des citations d'auteurs spirituels qui la marquaient particulièrement. Elle les découpait soigneusement et glissait ces billets dans ses livres. C'était souvent des réflexions de Thérèse d'Avila

LA pensée que nous devons être jugés par Celui que nous aurons aimé par-dessus toutes choses en notre vie, sera pour nous un grand sujet de consolation à l'heure de la mort.
Chem. de la perf., ch. xj.

BIENHEUREUX celui qui aime Dieu véritablement et sincèrement, et qui tâche de L'avoir toujours auprès de soi et de converser avec Lui. *Ch.* xxij *de sa Vie.*

S. MARC, Évangéliste.

LOIN de vous rendre plus saint, la crainte et les scrupules mettent obstacle au bien que vous auriez pu faire à vous et aux autres avec plus de liberté du cœur et de l'esprit.
Chem. de la perf.

AVRIL.

Image que Thérèse avait placée
dans sa cellule

Comme sa patronne espagnole, Thérèse ne prendra la plume que pour chanter les miséricordes du Seigneur : « *Misericordias Domini in aeternum cantabo.* »
Thérèse pensait peut-être à la légende de cette image lorsqu'elle confia un jour au père Blino : « Mon Père, je veux devenir une sainte, je veux aimer le bon Dieu autant que sainte Thérèse. » Et comme le jésuite essaie de modérer les aspirations de la pénitente, celle-ci lui rétorque : « Mais, mon Père, je ne trouve pas que ce sont des désirs téméraires, puisque Notre-Seigneur a dit : "Soyez parfaits comme votre Père céleste est parfait" ». Une contestation tout évangélique.

Quand elle fait le récit de sa prise d'habit dans son premier manuscrit, elle écrit : « Après avoir embrassé une dernière fois mon Roi chéri, je rentrai dans la clôture, la première chose que j'aperçus sous le cloître fut "mon petit Jésus rose" me souriant au milieu des fleurs et des lumières et puis aussitôt mon regard se porta sur des flocons de neige, le préau était blanc comme moi... »

Thérèse était chargée de fleurir la statue. Elle aimait particulièrement déposer des fleurs champêtres dans une vaste corbeille qui se trouvait à 1 mètre du sol. Mais, pour ne pas déplaire à mère Hermance, qui se disait incommodée par l'odeur des fleurs, elle les remplaçait souvent par des fleurs artificielles.
Le socle de l'époque était rond et le plus souvent entouré de papier-rocher et de branchages sur lesquels se trouvaient posés des oiseaux empaillés. Les jours de fête, on y ajoutait nappes et dentelles. Thérèse peignit en rose la tunique de l'Enfant-Jésus (avec des filets d'or). Elle fut plusieurs fois repeinte depuis. La vitrine actuelle n'existait pas à l'époque et le socle ne portait pas l'inscription : « Jésus de Thérèse. »

J'aimais à parer de fleurs l'autel du petit Jésus

JE SUIS L'ENFANT JESUS de

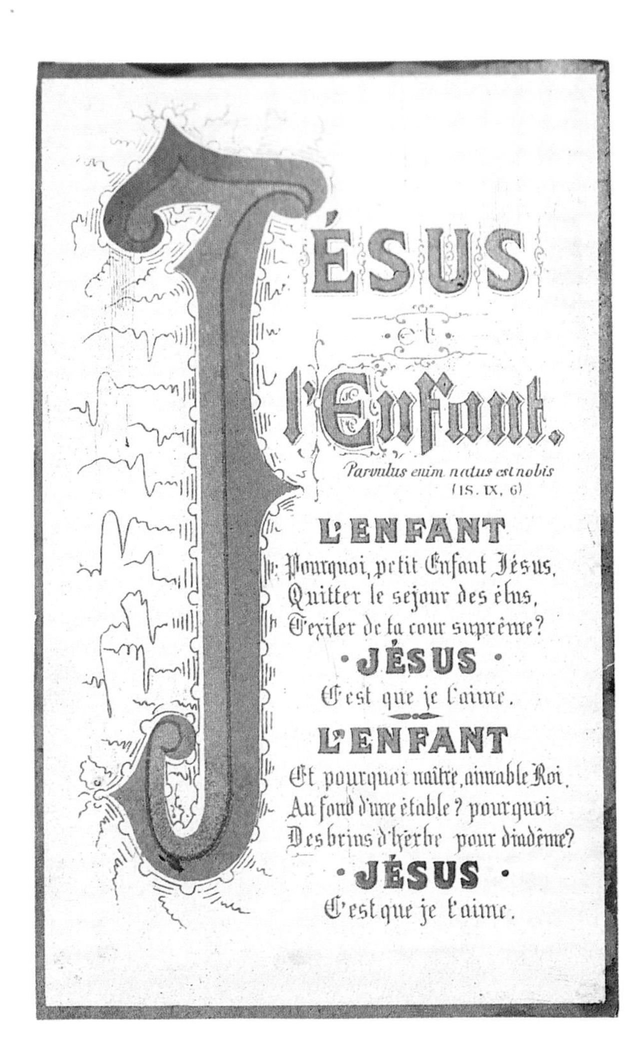

JÉSUS et l'Enfant.

Parvulus enim natus est nobis (IS. IX, 6)

L'ENFANT
Pourquoi, petit Enfant Jésus,
Quitter le sejour des élus,
T'exiler de ta cour suprême?
JÉSUS
C'est que je t'aime.

L'ENFANT
Et pourquoi naître, aimable Roi,
Au fond d'une étable? pourquoi
Des brins d'herbe pour diadème?
JÉSUS
C'est que je t'aime.

L'ENFANT
Où donc est ta cour, cher Enfant?
Rien qu'un âne, un bœuf, réchauffant
Ta joue, hélas! glacée et blême....
JÉSUS
C'est que je t'aime.

L'ENFANT
N'as-tu pas, au divin séjour,
Des anges frémissant d'amour
Comme lorsque une ruche essaime?
JÉSUS
C'est que je t'aime.

L'ENFANT
La terre vaut-elle le ciel,
Elle qui ne t'offre que fiel,
Froideur, abandon et blasphème?
JÉSUS
C'est que je t'aime

L'ENFANT
Enfin pourquoi tant de douleurs,
Et dans tes yeux pourquoi ces pleurs
Préludes d'un sanglant baptême?
JÉSUS
C'est que je t'aime.

Image conservée par Thérèse

Le texte de cette image paraphrase un mot de saint Bernard que Thérèse cite volontiers : « Jésus, qui t'a fait si petit ? — L'Amour ! »

En fait, Bernard de Clairvaux a écrit dans son *Traité de la charité* (chap. VI) : « Le plus grand de tous les êtres est devenu le plus petit. Qui a fait ce prodige ? L'Amour ! »

Statue de l'Enfant-Jésus de Prague

Cette statue se trouvait, du temps de Thérèse, sur l'autel du noviciat. Dans tous les carmels, l'Enfant-Jésus de Prague était invoqué sous le nom du « Divin Petit Grand ». Thérèse en possédait plusieurs images.
En faisant reposer le globe terrestre dans la main de Jésus, l'artiste évoque la maîtrise exercée par le Christ sur le monde : « Il est avant toutes choses et tout subsiste en Lui » (Col 1, 7) ; « Dans sa main, tout grandit et s'affermit » (1 Ch 29, 12).
Thérèse pense peut-être à cette image lorsqu'elle chante dans l'un de ses poèmes :

« De ta petite main qui caressait Marie
Tu soutenais le monde et lui donnais la [vie
Et Tu pensais à moi. »

Rapportée d'Espagne il y a plus de trois siècles, la statuette de cire séjourne depuis lors dans la capitale de la Bohême : d'où son nom. C'est une dame noble espagnole, Maria Manriques de Lara, qui l'apporta lors de son mariage avec Vratislav de Pernštejir. Sa fille Polyxena reçut ce trésor de famille en cadeau de noces lors de son mariage avec le chancelier du royaume de Bohême.
En 1628, Polyxena, devenue veuve, résolut de rendre accessible à tous les fidèles cette statuette : elle la confia au couvent des carmes qui venait de se fonder près de l'église Notre-Dame-des-Victoires. Ce sont les pères carmes qui propagèrent son culte à travers le monde.
Du fait de la fermeture du couvent des carmes en 1784 sous le règne de Joseph II, la garde du sanctuaire Notre-Dame-des-Victoires où l'on vénère la statuette fut confiée à l'ordre de Malte. Aujourd'hui, c'est le chapitre métropolitain de la cathédrale Saint-Guy qui en est chargé. Aux grandes occasions et selon la fête célébrée, la statuette est revêtue d'une parure différente.

Les profondeurs des trésors cachés dans la Sainte Face

La Sainte Face représentée
sur le voile de Véronique
(conservé à la basilique Saint-Pierre de Rome)
et diffusée par le « saint homme
de Tours », M. Dupont

M. Guérin en avait fait placer une reproduction dans la cathédrale Saint-Pierre de Lisieux et faisait entretenir à ses frais la lampe à huile qui brûlait constamment devant elle (quatrième chapelle latérale, à droite en entrant).

Image de sœur Marie de Saint-Pierre
confectionnée par sœur Agnès
et conservée par Thérèse

Le Vénérable M. Dupont

UNE DÉVOTION PROPAGÉE PAR LE « SAINT HOMME DE TOURS »

Dès sa jeunesse, Thérèse avait été habituée à vénérer la Sainte Face de Jésus, telle qu'elle est représentée sur le voile de Véronique conservé à la basilique Saint-Pierre de Rome.
Le 26 avril 1885, Thérèse était inscrite, ainsi que son père et ses trois sœurs encore dans le monde, sur les registres de la Confrérie réparatrice de la Sainte Face dont le siège se trouvait à Tours, près de l'Oratoire fondé par M. Dupont, surnommé par ses contemporains « le saint homme de Tours » (1797-1876). Ce laïc tourangeau avait pris connaissance en 1851 des révélations reçues par une carmélite de Tours, morte en odeur de sainteté trois ans plus tôt, sœur Marie de Saint-Pierre (1816-1848). Il consacre le reste de sa vie à répandre le culte de la Sainte Face dans l'esprit de sœur Marie de Saint-Pierre, à savoir dans le but de réparer les outrages et les blasphèmes qui ont défiguré et défigurent encore la Face du Sauveur.

SŒUR THÉRÈSE DE L'ENFANT-JÉSUS ET DE LA SAINTE-FACE

Mère Geneviève de Sainte-Thérèse, fondatrice du carmel de Lisieux, appréciait beaucoup cette dévotion et invita ses novices à l'adopter. A son entrée au carmel, Thérèse fut à son tour initiée par Pauline. Celle-ci montrait à sa jeune sœur que la Face défigurée du Sauveur devait l'encourager à vivre dans l'humilité, à rester bien cachée, à devenir de plus en plus le « jardin fermé » dans lequel Il puisse se complaire, une « petite Véronique » qui le console. Tant et si bien que le 10 janvier 1889, le jour de sa prise d'habit, Thérèse ajoutera à son nom de religieuse le vocable de « Sainte-Face ». Elle utilisera souvent les timbres à l'effigie de la Sainte Face diffusés par la Confrérie de Tours.

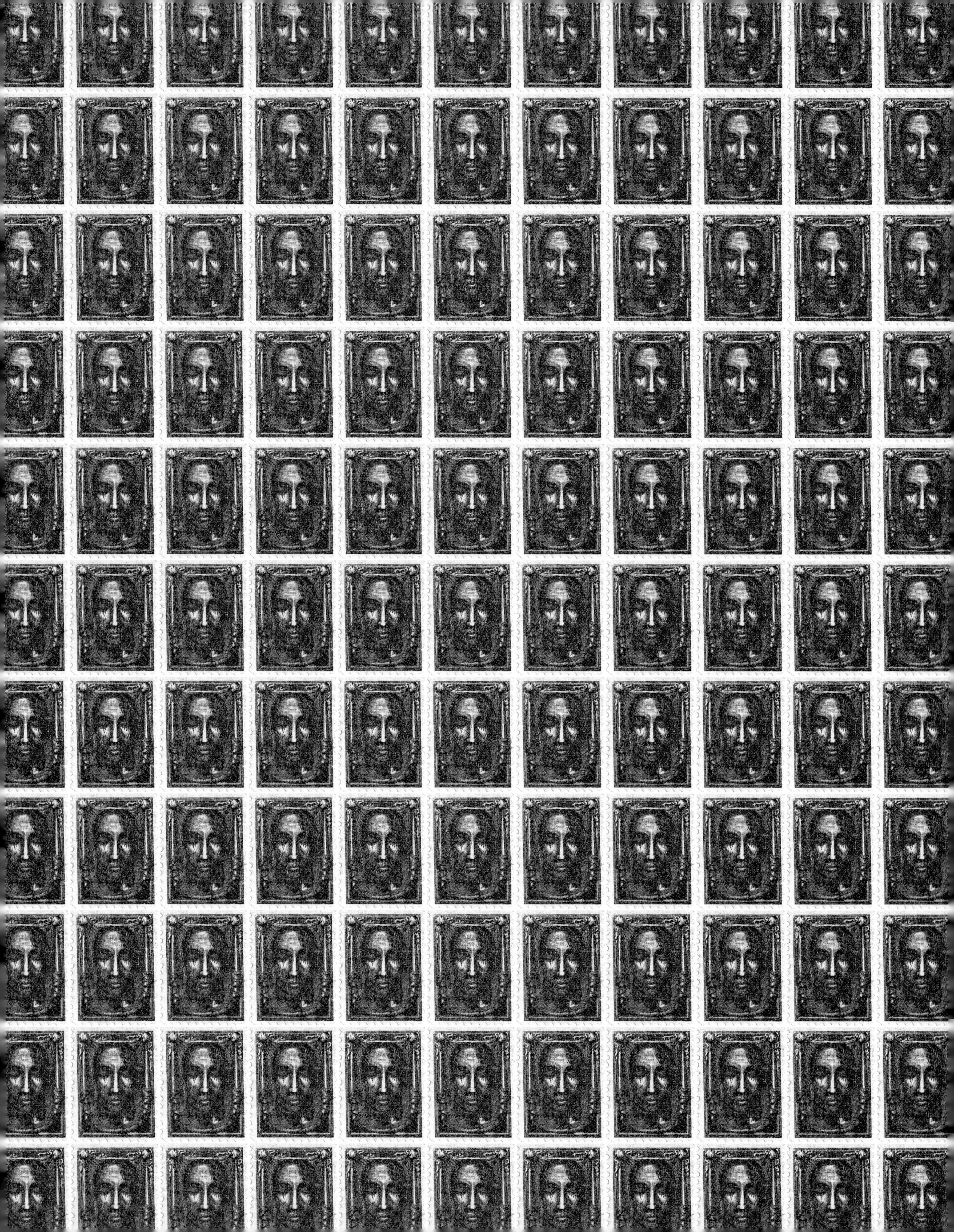

Ces paroles d'Isaïe : « Qui a cru à votre parole ?... Il est sans éclat, sans beauté..., son visage était comme caché, ont fait tout le fond de ma dévotion à la Sainte Face, ou, pour mieux dire, le fond de toute ma piété. Moi aussi, je désirais être sans beauté, seule à fouler le vin dans le pressoir, inconnue de toute créature » (confidence faite par Thérèse le 5 août 1897).

Enveloppe déposée par Thérèse sous la porte de sœur Geneviève la veille de sa profession (24 février 1896)

Cette prière sur parchemin (7 × 4,2 cm) se trouvait dans un sachet que Thérèse portait constamment sur elle, contre sa poitrine. Elle y avait inséré également la formule de ses vœux, écrite en septembre 1890 (voir p. 169) et la dernière larme de mère Geneviève recueillie sur un linge. Il renfermait aussi un étui contenant deux médailles (rue du Bac et saint Benoît) et cinq « reliques » (dont une mèche de cheveux de sœur Marie de Saint-Pierre de Tours).

Cette prière doit dater de 1895 ou de 1896. Elle exprime de façon très concise le désir fondamental de Thérèse, celui de rester bien cachée à l'exemple de Jésus, dont la Sainte Face fut, durant la Passion, un visage « sans beauté ».

La plus courte prière de Thérèse

« Fais que je te ressemble Jésus. »

Image offerte par Thérèse
à sœur Marthe

Image offerte à Céline pour sa fête
(22 octobre 1889)

Toute jeune, Thérèse a dessiné le Cœur de Jésus. Durant toute son enfance, elle a été entourée de personnes qui lui ont inculqué la dévotion envers le Sacré-Cœur, une dévotion qui faisait une large place à la réparation qu'il faut offrir au Seigneur à la suite de tous les outrages qu'Il reçoit : le repos du dimanche n'est pas respecté, son nom est blasphémé, des hosties sont souvent profanées.

Mais, peu à peu, c'est plutôt à travers la Sainte Face que Thérèse prend l'habitude de contempler l'amour de Jésus pour les hommes. Elle devait apprécier particulièrement cette image qui associe étroitement la dévotion envers le Sacré-Cœur et la vénération de la Sainte Face. Elle pouvait lire au verso : « Si le Cœur de Jésus est l'emblème de l'amour, sa Face adorable en est *l'expression parlante.* »

Le culte de la Sainte Face diffusé par M. Dupont accordait une très grande importance à la réparation des outrages qui ont offensé et offensent encore chaque jour le Visage adorable du Sauveur. « Je vois bien clairement, affirmait sœur Marie de Saint-Pierre, que les blasphémateurs font souffrir la Face du Sauveur et que les réparateurs la réjouissent et la glorifient. » Sans renier explicitement cet aspect de réparation, la dévotion de Thérèse envers la Sainte Face est essentiellement contemplation de son Amour.

Un mois plus tard, le 12 février, M. Martin sera interné à l'asile du Bon-Sauveur de Caen. La contemplation de la Sainte Face habitera de plus en plus la prière de Thérèse. Dans son esprit, elle associera constamment la Sainte Face de Jésus et le visage méconnaissable de son père.

Par cette épreuve familiale qui la touche de si près, sœur Thérèse de l'Enfant-Jésus et de la Sainte-Face saisit mieux l'abîme d'humiliation dans lequel le Sauveur a voulu descendre. En contemplant la Sainte Face, elle se rappelle aussi que son père reste, envers et contre tout, l'enfant bien-aimé du Père. Aujourd'hui défiguré, il sera lui aussi transfiguré, comme Jésus.

En janvier 1889, l'abbé Gombault, économe au Petit Séminaire, entre dans la clôture pour donner son avis sur des problèmes techniques de construction. Il en profite pour photographier Thérèse dans son habit tout neuf de novice. Aussitôt sorti du carmel, il se rend aux Buissonnets et y photographie M. Martin et Léonie.

Les cheveux de Thérèse se devinent sous son voile blanc de novice. Son manteau est tout neuf. En le lui remettant le 10 janvier, Mgr Hugonin avait prononcé la formule rituelle : « Ceux qui suivent l'Agneau sans tache iront avec lui, vêtus de blanc. Que leurs vêtements soient toujours parés de candeur en signe de pureté intérieure. »

Quelle belle fête

Après neuf mois de postulat, Thérèse revêt l'habit du carmel le 10 janvier 1889. La cérémonie se déroule en présence de M. Martin. Malgré les ennuis de santé assez sérieux qu'il a subis dans les mois précédents — notamment des absences de mémoire —, on l'estime assez solide pour supporter les émotions de la « prise d'habit » de sa benjamine. Ce sera sa dernière fête sur terre.

Les tresses de Thérèse ne furent pas coupées le 10 janvier. Du fait de la conjoncture politique — on parlait d'expulsion et d'exil pour les communautés religieuses —, mère Marie de Gonzague préféra laisser ses cheveux le plus longtemps possible à la novice. La coupe n'eut lieu que l'année suivante, sur la demande insistante de Thérèse, six semaines avant sa profession (8 septembre 1890). En accomplissant la besogne, sœur Agnès surprit une larme dans les yeux de sa sœur : la générosité de Thérèse ne supprimait pas la difficulté du sacrifice...
L'arrangement actuel date de 1913. Suivant un procédé classique de l'époque, Céline reconstitua la chevelure de sa sœur en utilisant des cheveux provenant de différentes coupes. La partie supérieure — formant calotte — provient des cheveux coupés au moment de sa prise d'habit. Mais, la plupart d'entre eux ayant été utilisés en diverses compositions, Céline dut recourir à des cheveux provenant d'autres coupes pour recomposer ces longues tresses.
Du fait de la menace d'expulsion qui pesait sur elles, les religieuses ne faisaient toujours pas couper trop court leurs cheveux. Sœur Marie de la Trinité, la coiffeuse de Thérèse, en avait conservé une abondante moisson ! Les boucles sont formées de cheveux assez courts, de 15 à 20 cm, montés sur fils, un travail de perruquier réalisé par sœur Thérèse de la Sainte-Face en 1913.

La chevelure de Thérèse

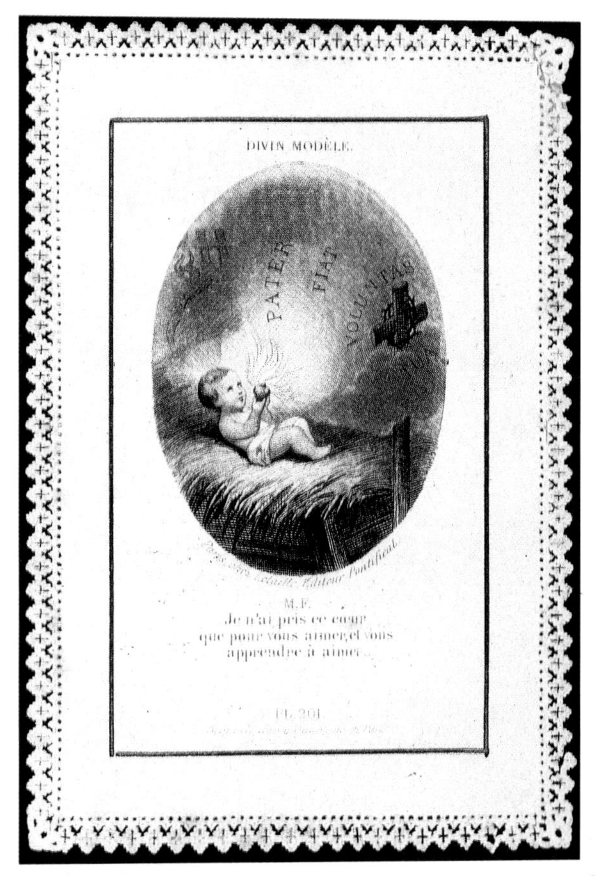

Image offerte à sœur Marthe
par Thérèse, en souvenir de sa prise
d'habit

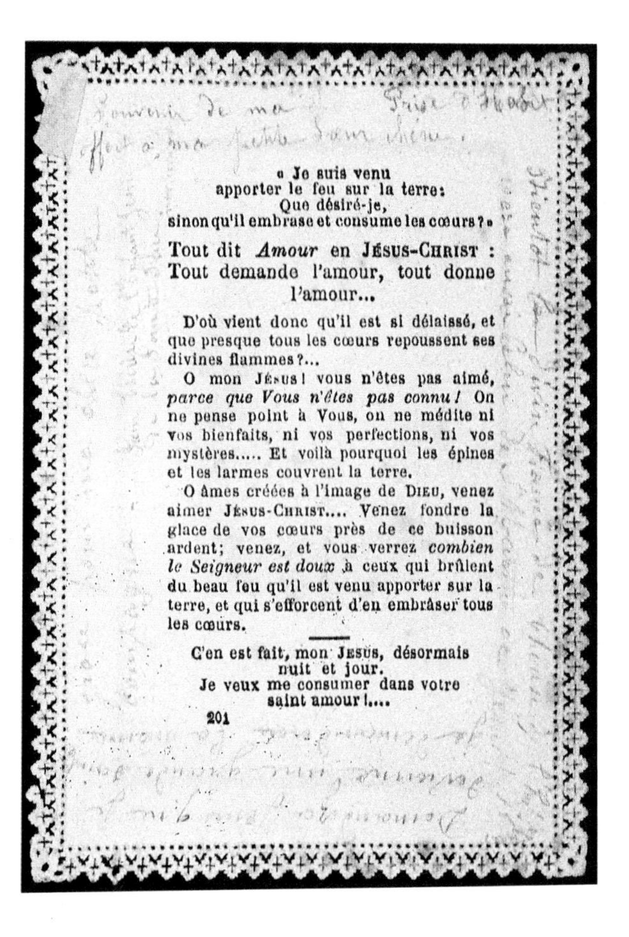

Image confectionnée
et enluminée par Thérèse en souvenir
de sa prise d'habit

Jésus vient sur terre pour aimer les hommes et répandre en eux le feu de son amour. « Devenir une grande sainte », comme Thérèse le désire le jour de sa prise d'habit, c'est « nuit et jour » se consumer d'amour pour Jésus.
En offrant cette image à sœur Marthe, Thérèse cherche à la consoler de ne pas encore être admise à revêtir l'habit du carmel. Apparaît ici pour la première fois dans la signature de Thérèse son nom définitif: sœur Thérèse de l'Enfant-Jésus et de la Sainte-Face.

Dès son enfance, Thérèse aimait beaucoup cette image. Elle y entretenait sa soif de l'Eucharistie. Mère Agnès se souvenait qu'en la regardant, sa petite sœur disait avec joie: « Il s'arrête... O bonheur... Il vient chez moi. »
Il existait à l'époque des planches de sujets en miniature qui permettaient à chacun de se confectionner des images à sa convenance. Aux Buissonnets, Thérèse avait déjà dessiné une image sur laquelle elle avait collé le sujet. Elle fit la même chose au mois de janvier 1889 pour offrir à sa famille des souvenirs de sa prise d'habit.
Le répons de l'office de sainte Agnès calligraphié sur l'image manifeste clairement la place occupée par Marie dans l'offrande que Thérèse fait d'elle-même au Seigneur ce jour-là: pour elle, Marie est la « Vierge » par excellence. C'est avec sa Mère du Ciel qu'elle veut être fidèle à son vœu de virginité.

Seconde photographie de la novice prise
au mois de janvier 1889
par l'abbé Gombault (cf. avec p. 142)

Je serai l'épouse de Celui dont
la Mère est Vierge!...
Sr Agnès

Il faut que notre Père Chéri soit bien aimé de Jésus pour avoir ainsi à souffrir

Douze jours à peine après la prise d'habit de sa fille, la santé de M. Martin s'aggrave subitement. Il délire : il voit des carnages, des batailles, il entend le canon et le tambour. Pour défendre ses filles, il se saisit de son revolver et ne veut plus s'en séparer. Appelé en hâte, l'oncle Guérin désarme son beau-frère. Le médecin décide l'internement à l'asile du Bon-Sauveur, à Caen. Sous le prétexte d'une promenade, on emmène le malade redevenu calme. Il neige. On fait un bref passage par le carmel. Seule, Pauline voit son père et reçoit de lui les quelques poissons de sa dernière pêche. Le soir même, il est interné à Caen. Il y restera trois ans, jusqu'au moment où, paralysé des membres inférieurs, il ne risque plus de faire des fugues dangereuses.
Une semaine plus tard, Léonie et Céline prennent pension chez les sœurs de Saint-Vincent-de-Paul, proches du Bon-Sauveur et, du 19 février au 5 mai, elles vont quotidiennement prendre des nouvelles de leur père et les transmettre à Lisieux. Elles ne peuvent le voir qu'une fois par semaine.
A Lisieux, les langues vont bon train. D'aucuns prétendent qu'en entrant si jeune au carmel, Thérèse est responsable de la maladie mentale de M. Martin : le chagrin l'a rendu fou. Aujourd'hui, la plupart des médecins pensent que ces troubles provenaient d'une artériosclérose cérébrale — diagnostic que l'on peut établir assez facilement, compte tenu des ictus apoplectiques antérieurs que M. Martin avait subis et des paralysies transitoires qui en étaient résultées.

M. Martin a de longs moments de lucidité. Il étonne alors le corps médical par sa gentillesse et sa docilité. « Je sais pourquoi le bon Dieu m'a donné cette épreuve, confie-t-il le 9 mars à son médecin : "Je n'avais jamais eu d'humiliation, il m'en fallait une." » Et le médecin de répondre : « Eh bien ! celle-là peut compter ! »

Le jardin
de l'hôpital
du Bon-Sauveur
à Caen

Maître-autel
de la cathédrale Saint-Pierre

Il a été offert par M. Martin en 1888. Le clergé de la cathédrale ayant lancé une souscription pour l'achat d'un nouvel autel, M. Martin alla trouver l'archiprêtre et lui remit les 10 000 francs nécessaires. A quelque temps de là, il comprit qu'après avoir offert l'autel, il restait à offrir la victime. Un jour de mai 1888, au parloir du carmel, il dit à ses filles : « Mes enfants, je reviens d'Alençon, où j'ai reçu, dans l'église Notre-Dame, de si grandes grâces, de telles consolations, que j'ai fait cette prière : "Mon Dieu, c'en est trop ! Oui, je suis trop heureux, il n'est pas possible d'aller au ciel comme cela, je veux souffrir quelque chose pour vous ! Et je me suis offert..." »

LA COMMUNAUTÉ DU BON-SAUVEUR DE CAEN

Parce qu'elle avait bénéficié de la direction d'un prêtre remarquable du diocèse de Bayeux, l'abbé Pierre-François Jamet, l'inventeur d'un système de signes pour les sourds-muets, cette communauté religieuse était hors du commun.

Après avoir pris en charge des femmes de mauvaise vie, puis des sourds-muets, les religieuses du Bon-Sauveur acceptèrent de recevoir des aliénés, non plus comme des fous à enfermer, mais comme des malades à soigner et à essayer de guérir. Leur maison devint ainsi une maison pilote pour le soin des handicapés mentaux.

Il n'empêche qu'à l'époque l'entrée au Bon-Sauveur était considérée comme une profonde humiliation. Témoin l'article de La Croix du Calvados *(juillet 1891) que Thérèse eut en mains puisqu'il est imprimé au verso d'un article sur le père Loyson qu'elle avait soigneusement conservé (voir p. 179).*

Anne-Marie Roulé, que Léon Bloy avait songé à épouser en 1878 et qui devint folle en 1882, y fut internée jusqu'à sa mort, en 1907.

Fous. — Mercredi dernier, le train partant de Paris à 11 heures emportait 180 aliénés, hommes et femmes.
Un certain nombre de ces malheureux sont descendus à Caen et ont été immédiatement dirigés sur le Bon-Sauveur. Les autres continuent leur route et ont été internés à Pont-l'Abbé.
Chaque mois la ville Lumière expédie ainsi en province le trop plein des asiles où doivent fatalement venir échouer tant de ces pauvres hères que la misère et l'alcoolisme réduisent à ce triste état.

La Croix du Calvados
(juillet 1891)

Comment Thérèse réagit-elle à une épreuve qui la touche au plus intime d'elle-même ? En regardant plus que jamais la Sainte Face de Jésus dont elle porte le nom depuis sa prise d'habit. Défiguré, à l'image du Christ durant sa Passion, M. Martin reste, comme Jésus, l'enfant bien-aimé du Père.
Thérèse relit aussi l'enseignement donné par le père Pichon au cours de sa retraite de 1887. Pour souffrir selon le cœur de Dieu, point n'est besoin de souffrir avec courage comme un héros. Il suffit de souffrir comme Jésus l'a fait à Gethsémani. Il y a une tristesse qui n'est pas péché. « Souffrons avec amertume, écrit-elle à Céline le 26 avril 1889, pour les vingt ans de celle-ci. Jésus a souffert avec tristesse. Sans tristesse est-ce que l'âme souffrirait ? Et nous voudrions souffrir généreusement, grandement ! Céline ! Quelle illusion ! »

Le cantique de la souffrance unie à ses souffrances est ce qui ravit le plus son cœur !... Jésus brûle d'amour pour nous... regarde sa Face adorable !... Regarde ces yeux éteints et baissés ! regarde ces plaies... Regarde Jésus dans sa Face... Là tu verras comme il nous aime.

Sr Thérèse de l'Enfant Jésus de la Ste Face
nov. car. ind.

Lettre à Céline du 4 avril 1889

Thérèse invite plus que jamais sa sœur à contempler la Face adorable de Jésus : c'est le soleil qui doit illuminer sa nuit et lui permettre de conserver la paix. « Qui dit paix, écrit-elle plus haut, ne dit pas joie, ou du moins joie sentie. »

Jours de Grâces, accordés par le Seigneur à sa petite épouse

Naissance 2 Janvier 1873 — Baptême 4 Janvier 1873 — Sourire de la Sainte Vierge Mai 1883
Première Communion 8 Mai 1884 — Confirmation 14 Juin 1884 — Conversion 25
Décembre 1886 — Audience de Léon XIII 20 Novembre 1887 — Entrée au Carmel 9 Avril 1888
Prise d'habit 10 Janvier 1889 — Notre grande richesse 12 Février 1889 — Examen canonique
Bénédiction de Léon XIII Septembre 1890 — Profession 8 Septembre 1890 — Prise de voile 24
Septembre 1890 — Offrande de moi-même à l'Amour 9 Juin 1895.

En écrivant, à la fin de son premier manuscrit, la liste des grandes dates de sa vie, Thérèse n'omet pas de mentionner le jour où son père a été interné à l'asile du Bon-Sauveur : 12 février 1889. En permettant cette épreuve, Dieu a permis à tous les membres de sa famille de participer de plus près à la Passion de Jésus. Aussi ose-t-elle l'appeler « notre grande richesse ».

Parchemin (10,3 × 6,5 cm)
offert par sœur Agnès à Céline
le 27 avril 1890

Sœur Agnès commente ainsi sa composition : « C'est toi qui es le beau lys blanc dont les pétales soutiennent la Sainte Face. A toi l'honneur, puisque c'est ton nom [Céline prévoyait de s'appeler en religion Marie de la Sainte-Face]. La tige, c'est notre petite Mère du Ciel et Papa [sous-entendu : la branche d'épines] la Victime bien-aimée que Jésus s'est choisie dans notre famille. Les quatre petits boutons sont les quatre anges envolés. »
La sentence calligraphiée sur l'image et signée P.P. est une citation du père de La Colombière faite par le père Pichon dans sa retraite d'octobre 1887.
Dans une lettre adressée le même jour à Céline, Thérèse fait sien ce symbolisme.

Souffrons avec amertume

Sœur Marguerite-Marie du Sacré Cœur
(1850-1926)

Colombiers-sur-Seulles : un village blotti au bord d'une rivière qui serpente vers son estuaire, Courseulles. C'est là que naît, un jour de mai 1850, Léa Nicolle. L'église de son baptême est splendide : un clocher en pur style roman, un chœur des XIIe-XIIIe siècles. Son père est tailleur de pierre : les carrières ne manquent pas dans la région. Sa mère est dentellière : à l'époque, l'arrondissement de Bayeux compte près de quinze mille ouvrières.
En 1872, l'abbé Hodierne, qui vient d'exercer la fonction de chapelain du carmel de Lisieux pendant dix ans, devient curé de Crépon, paroisse proche de Colombiers. Il fait admettre sa « pénitente » au carmel le 15 juillet 1873. Ce jour-là, sœur saint Jean-Baptiste et sœur Aimée de Jésus prennent le voile. Thérèse est en nourrice à Semallé. Vingt ans plus tard, sœur Marie des Anges présente sœur Marguerite-Marie comme une « marguilette du bon Dieu, ayant la simplicité de cette fleur ». Cette robuste campagnarde est forte comme un bœuf.

Avec sœur Marie-Philomène et sœur Aimée de Jésus, elle forme le trio qui se porte toujours volontaire pour les gros travaux.

En 1886, elle présente des troubles mentaux inquiétants. On temporise mais, en 1890, on est obligé de l'hospitaliser au Bon-Sauveur de Caen, un an après M. Martin. Elle en revient à peu près rétablie. On imagine volontiers les sœurs Martin lui demander quelques détails sur la vie quotidienne au Bon-Sauveur. Début 1896, elle fait une rechute. On suggère à sœur Geneviève de prier pour la guérison de la malade le 24 février 1896, jour de sa profession. Mais Thérèse assure que le miracle n'aura pas lieu, car, à la même époque, elle l'a vue en songe qui entrait à la salle de communauté avec une croix lumineuse sur les épaules. De fait, le 14 mars 1896, elle est de nouveau hospitalisée. En juin, son frère l'accueille chez lui, à Colombiers. En 1922, elle est admise chez les Petites Sœurs des pauvres à Caen, où elle meurt en 1926. Nul doute que la maladie de M. Martin aida Thérèse et toute la communauté à mieux accepter l'épreuve vécue par sœur Marguerite-Marie.

Laisse-moi me cacher sous ton voile

Cette allée du cloître longe
le chœur des carmélites.
La statue de la Vierge se trouve
près de la sacristie
et de la porte d'entrée

Sa vie cloîtrée, Thérèse l'a vécue sous le regard de Marie et dans le rayonnement de son sourire qu'elle avait entrevu à l'âge de dix ans. Quand elle parle ou quand elle écrit, elle se réfère constamment à la Vierge : deux cent trente-neuf allusions à Marie dans son œuvre. Sur les cinquante-quatre poèmes qu'elle a composés, huit lui sont dédiés et seize la citent une ou plusieurs fois.

La statue de la Vierge qu'elle saluait avec joie en passant dans le cloître ressemblait étonnamment à celle des Buissonnets : le même sourire sur le visage, la même position des mains, le même geste d'accueil.

Petite Fleur
de MARIE
Merci
M.T.

L'une des images préférées de Thérèse : Marie porte sur ses genoux l'Enfant-Jésus qui serre dans ses bras un autre enfant

A travers cette représentation de Marie abritant ensemble sous son voile Jésus et ses autres enfants, Thérèse saisit le cœur et le fruit de la dévotion mariale : plus je vis en Marie, plus je suis uni à Jésus. Plus je me fais petit, plus Marie peut me porter et m'unir à Lui. Elle le chante dans un poème de Noël 1894 :

« Je te cacherai sous le voile
Où s'abrite le Roi des cieux
Mon Fils sera la seule étoile
Désormais brillante à tes yeux

Mais pour que toujours je t'abrite
Sous mon voile, près de Jésus,
Il te faudra rester petite
Parée d'enfantines vertus. »

Durant son année de noviciat, Thérèse reçoit une grande grâce mariale. En juillet 1889, alors qu'elle est en train de prier dans l'ermitage de Sainte-Marie-Madeleine, elle se sent subitement enveloppée sous le voile de la Vierge Marie. Elle en fait confidence à mère Agnès le 11 juillet 1897, trois jours après sa descente à l'infirmerie : « Il y avait comme un voile jeté pour moi sur toutes les choses de la terre... J'étais entièrement cachée sous le voile de la Sainte Vierge. En ce temps-là, on m'avait chargée du réfectoire et je me rappelle que je faisais les choses comme ne les faisant pas : c'était comme si on m'avait prêté un corps. Je suis restée ainsi pendant une semaine entière. »
Toute la piété mariale de Thérèse fut marquée par cette expérience. Elle comprit pour toujours ce qu'explique saint Louis-Marie Grignion de Montfort dans ses écrits : nous devons vivre notre vie chrétienne « en Marie ». Elle est le sein maternel dans lequel nous avons le droit et le devoir de nous abandonner pour y être formés à l'image de Jésus.
Dans ses poèmes, Thérèse chante souvent sa joie d'être enveloppée par le voile virginal de Marie :

« O Vierge immaculée ! C'est toi ma [douce Étoile
Qui me donnes Jésus et qui m'unis à [Lui
O Mère, laisse-moi reposer sous ton [voile
Rien que pour aujourd'hui. »

Derrière le cimetière, l'ermitage
de Sainte-Marie-Madeleine
surmonté d'une statue de la Vierge

J. M. J. T. (Air : Minuit chrétiens)

La Rosée Divine ou le lait virginal de Marie

Mon doux Jésus sur le sein de ta Mère
Tu m'apparais tout rayonnant d'amour
Daigne à mon cœur révéler le mystère
Qui t'exila du céleste séjour
Ah ! laisse moi, me cacher sous le voile
Qui te dérobe à tout regard mortel
Et près de toi, ô matinale étoile !
Je trouverai un avant goût du Ciel.

La première poésie composée par Thérèse

C'est à la demande insistante de sœur Thérèse de Saint-Augustin que Thérèse écrivit, pour la fête de la Présentation du Seigneur (2 février 1893), son premier poème.

Sœur Thérèse de Saint-Augustin appréciait beaucoup les réflexions de sœur Marie de Saint-Pierre — la carmélite de Tours — sur les abaissements du Verbe incarné : « Il y a quelques jours, après la sainte Communion, l'Enfant-Jésus m'a fortement appliquée à considérer l'honneur et l'hommage de louange parfaite qu'Il a rendus à son Père céleste pendant le temps où Il a été nourri du lait virginal de sa très Sainte Mère. Et Il m'a fait connaître qu'Il veut que je l'adore dans cet humble état, en union avec les Saints Anges, afin que sa miséricorde me remplisse d'innocence, de pureté et de simplicité ». Grâce à la lecture de L'Année liturgique *de dom Guéranger, Thérèse savait que ce genre de considérations étaient familières aux Pères de l'Église.*
Avec la tradition chrétienne, Thérèse s'émerveille des abaissements du Verbe qui a eu besoin de lait pour vivre, mais elle songe aussi à l'Eucharistie, dont elle-même a besoin pour vivre de la vie même de Jésus : le lait virginal qui convient aux enfants de Dieu, c'est la « blanche Hostie », le corps même de Jésus que Marie nous a préparé en le nourrissant de son lait.

Thérèse disait à Céline : « Cette Vierge me fait penser à une mère qui allaite son enfant. » Nul doute que Thérèse regarda cette image pour composer sa première poésie.
Le lys semble lui avoir servi de modèle dans le tableau qu'elle peignit en 1892 (voir p. 197). Il symbolise ici la virginité de Celle qui eut l'honneur de nourrir l'Enfant-Dieu de son « lait virginal ».

Image qui se trouvait dans la cellule de Thérèse

Tableau peint par Céline en 1894
à la demande de Thérèse.
Céline s'est inspirée du tableau de Raphaël :
La Vierge au grand duc

De la crèche au calvaire
Image que Thérèse reçut de sœur Marthe le jour de sa profession (23 septembre 1890).
Elle écrivit elle-même au verso « à sœur Thérèse de l'Enfant-Jésus »

On retrouve ici le thème cher au cardinal de Bérulle : dès son entrée dans le monde, Jésus s'offre à son Père : « Me voici, ô Dieu, pour faire ta Volonté. » Dans son berceau, il tient une croix ; mieux, il étend déjà les bras sur une croix.
L'image servit sans doute à Thérèse pour l'ébauche de son tableau *Le Rêve de l'Enfant-Jésus* : on en a retrouvé le calque dans son emploi de peinture.
Elle suggéra sans doute aussi la paraliturgie qu'elle imagina pour la fête de Noël 1895 : chacune des carmélites fut invitée à présenter un billet à l'Enfant-Jésus pour lui offrir un gâteau, du miel ou un sourire... (voir p. 162).

Sœur Thérèse de l'Enfant-Jésus et de la Sainte-Face

Habitués à méditer successivement les mystères joyeux, douloureux et glorieux du Rosaire, nous considérons spontanément la naissance de Jésus comme un événement joyeux, tandis que la Sainte Face du Sauveur défigurée par la couronne d'épines nous apparaît résumer à elle seule toute sa Passion douloureuse.
Cette dichotomie n'existait pas dans l'esprit des chrétiens au siècle dernier. Lorsqu'ils regardaient l'Enfant-Jésus dans sa crèche, ils contemplaient en Lui la future Victime du calvaire. Mais, d'autre part, lorsqu'ils levaient les yeux vers le Crucifié, ils acclamaient déjà en Lui le Ressuscité.
En examinant de plus près le regard que Thérèse posait sur la crèche, nous comprendrons mieux qu'elle ait pu si facilement associer dans son nom le mystère joyeux de l'enfance de Jésus et le mystère douloureux de sa Sainte Face.
Les petites images du siècle dernier représentent souvent Jésus rêvant dès son berceau à sa Passion future. A première vue, cela nous apparaît contraire à la foi chrétienne, et spécialement à ce que l'Église a défini au Concile de Chalcédoine (451), à savoir que le Christ, tout Fils de Dieu qu'Il était dès le premier instant de sa conception, a pleinement vécu notre condition d'homme, et a eu, par conséquent, un esprit comme

le nôtre, capable de progresser. Ne le voyons-nous pas dans l'Évangile s'étonner de la foi du centurion ? Imaginer qu'il ait pu avoir conscience de son avenir, alors qu'Il était encore bébé, n'est-ce pas Le faire échapper à la condition de tous les enfants du monde ?
Absolument pas. C'est tout au fond de sa conscience humaine, là où Il se savait le Fils bien-aimé du Père dès le premier instant de sa conception, que Jésus a pu s'offrir à son Père dans un élan d'amour incomparable.

*Cette offrande du Verbe incarné à son Père dès le sein maternel — l'offrande qui nous sauve — était le grand objet de la contemplation du cardinal de Bérulle, le théologien du XVII*e *siècle qui exerça une si grande influence sur son époque et, notamment, sur les premières carmélites de France, puisque son action avait été déterminante pour la fondation à Paris des premiers carmels réformés. Le cardinal de Bérulle en fut d'ailleurs le premier Supérieur. On sait qu'il introduisit aussi dans notre pays la congrégation de l'Oratoire, fondée en Italie par Philippe Néri.*
Pour étayer sa pensée, il s'appuyait sur un verset du psaume 40 repris par l'Épître aux Hébreux (10, 6-7). En entrant dans le monde, le Christ dit : « Tu n'as voulu ni sacrifice ni oblation, mais tu m'as façonné un corps. Tu n'as agréé ni holocaustes ni sacrifices pour les péchés. Alors j'ai dit : Voici, je viens, car c'est de moi qu'il est question dans le rouleau du livre, pour faire, ô Dieu, ta volonté. »
Pour le cardinal de Bérulle, toute la vie du Christ fut l'accomplissement de ce « oui » primordial qu'Il avait dit à son Père après que Marie eut dit « oui » à l'ange. Cette vision théologique est celle de toute l'école française de spiritualité, c'est-à-dire qu'elle est partagée par monsieur Vincent, saint Jean Eudes, M. Olier, etc.
Thérèse la fait sienne sans difficulté. Au début de l'année 1894, elle compose un tableau qui représente l'Enfant-Jésus rêvant dans son berceau à sa Passion future. Elle dessine donc sur la même toile le visage de l'Enfant-Jésus et sa Face douloureuse.
Dans la collection de petites images qu'elle avait à sa disposition, il en était beaucoup qui illustraient le même thème. Tantôt l'Enfant-Jésus est représenté tenant en main la croix ou la couronne d'épines, tantôt Il est couché dans une crèche qui a déjà la forme d'une croix. Les peintres d'icônes obéissent à la même inspiration quand ils composent une Nativité. Ils placent le Nouveau-Né dans une grotte toute noire pour évoquer le Saint-Sépulcre où on Le déposera à la fin de sa vie. Quant aux langes du bébé, ils annoncent le linceul d'où surgira le Ressuscité.

Armoiries dessinées par Thérèse
à la fin de son premier manuscrit,
en janvier 1896

Thérèse en a rédigé elle-même le commentaire : « Le blason JHS est celui que Jésus a daigné apporter en dot à sa pauvre petite épouse. L'*orpheline de la Bérésina* est devenue *Thérèse de l'ENFANT-JÉSUS de la SAINTE FACE*, ce sont là ses titres de noblesse, sa richesse et son espérance. — La Vigne qui sépare en deux le blason est encore la figure de Celui qui daigna nous dire : *Je suis la Vigne et vous êtes les branches, je veux que vous me rapportiez beaucoup de fruits.* Les deux rameaux entourant, l'un la Sainte Face, l'autre le petit Jésus sont l'image de Thérèse elle-même qui n'a qu'un désir ici-bas : celui de s'offrir comme une petite grappe de raisin pour rafraîchir Jésus enfant, l'amuser, se laisser presser par Lui au gré de ses caprices et de pouvoir aussi étancher *la soif* ardente qu'Il ressentit pendant sa passion. — La harpe représente encore Thérèse qui veut sans cesse chanter à Jésus des mélodies d'amour. »

Image dont s'est inspirée Thérèse
pour la composition de son tableau.
On voit le quadrillage
qu'elle a opéré sur l'image

L'image lui avait été offerte le 17 avril 1888 par sœur Anne du Sacré-Cœur, une carmélite qui, venue de Saigon en 1883, y repartit en 1895.

Thérèse n'a pas suivi entièrement son modèle : elle a notamment préféré représenter l'Enfant-Jésus les yeux baissés. Elle en explique elle-même les raisons en écrivant à sœur Marie-Aloysia : « J'ai peint ce divin Enfant de manière à montrer ce qu'Il est à mon égard. En effet, Il dort presque toujours. » Mais Thérèse sait très bien que si Jésus dort, « son cœur veille ». Sans cesse Il pense à nous.
En outre, les yeux baissés de l'Enfant-Jésus, comme ceux de la Sainte Face, lui font désirer plus intensément le jour où le Seigneur montrera enfin son regard. C'est seulement « dans la patrie » que nous apercevrons dans ses yeux de quel amour chacun de nous est aimé.

Reliquaire monté par Thérèse

Thérèse a commenté elle-même son tableau en l'offrant à mère Agnès.
« En jouant avec les fleurs que son épouse chérie lui a apportées dans sa crèche, Jésus pense à ce qu'Il fera pour la remercier. Là-haut dans les jardins célestes, les anges, serviteurs de l'Enfant divin, tressent déjà les couronnes que son cœur a réservées pour sa bien-aimée.
« Cependant la nuit est venue. La lune envoie son rayonnement argenté et le doux Enfant-Jésus s'endort. Sa petite main ne quitte pas les fleurs qui l'ont réjoui pendant la journée et son cœur continue de rêver au bonheur de son épouse chérie.
« Bientôt, Il entrevoit dans le lointain des objets étranges qui n'ont aucune ressemblance avec les fleurs printanières. Une croix ! Une lance ! Une couronne d'épines ! Et cependant le Divin Enfant ne tremble pas. Voilà ce qu'Il choisit pour montrer à son épouse combien Il l'aime ! Mais ce n'est pas encore assez, son visage enfantin et si beau, Il le voit défiguré, sanglant ! méconnaissable ! Jésus sait bien que son épouse Le reconnaîtra toujours, qu'elle sera à ses côtés, alors que tous L'abandonneront. Aussi l'Enfant Divin sourit à cette image sanglante. Il sourit encore au calice rempli du vin qui fait germer les vierges. Il attend que les ombres déclinent, que la nuit de la vie soit remplacée par le jour radieux de l'éternité ! [...]
« C'est alors qu'Il inclinera vers elle sa Face divine toute rayonnante de gloire et qu'Il fera goûter éternellement à son épouse la douceur ineffable de son divin baiser ! »

« Le rêve de l'Enfant-Jésus »
Peinture à l'huile que Thérèse a réalisée au début de l'année 1894 et qu'elle a offerte à mère Agnès le 21 janvier, pour sa première fête de prieure

Au mois d'avril suivant, mère Agnès l'envoyait à sœur Marie-Aloysia Vallée, son ancienne maîtresse de la Visitation du Mans. En 1927, sœur Geneviève fit revenir le tableau et retoucha profondément le visage de l'Enfant-Jésus. Les anciennes religieuses de la Visitation se souviennent qu'il ressemblait beaucoup plus à un « poupon », aux traits forts et peu gracieux.

Par suite de la fermeture du monastère du Mans, le tableau se trouve aujourd'hui à la Visitation de Chartres.

L'ENFANT-JÉSUS DU CARMEL DE BEAUNE

Thérèse connaissait l'origine du culte dont les carmels de son époque entouraient le saint Enfant-Jésus de Beaune. En 1630, une toute jeune enfant était entrée au carmel de cette ville après la mort de sa mère : Marguerite Parigot. Elle n'avait que onze ans et demi, mais sa précocité spirituelle avait décidé les responsables à faire une exception en sa faveur.

Elle y apprend à vénérer l'Enfant-Jésus, selon la coutume des mères espagnoles qui venaient de fonder les premiers carmels de France : célébration du 25 de chaque mois pour honorer l'Incarnation du Verbe, célébration de l'heure de minuit pour vénérer sa naissance, etc. Très vite, l'Enfant-Jésus lui apparaît et l'aide à faire son travail : sa prieure et sa maîtresse des novices sont obligées de reconnaître que l'enfant ne ment pas. Elle reçoit le nom de sœur Marguerite du Saint-Sacrement et, à l'âge de seize ans, se consacre définitivement à Dieu.

L'Enfant-Jésus continue de se manifester à elle et lui enseigne la manière de l'honorer depuis le moment de son Incarnation jusqu'à sa douzième année. C'est le point de départ d'un chapelet à quinze grains — la « petite couronne » — qui, quelques années plus tard, sera diffusé à des milliers d'exemplaires. Sur les trois premiers grains, on dit trois Pater *et, sur les douze autres, douze* Ave *en l'honneur des douze premières années de la vie de Jésus.*

On construit aussi près du carmel une chapelle où l'on vient prier l'Enfant-Jésus dans les bras de sa Mère. Lui succède, en 1643, une statuette représentant Jésus debout, portant couronne et sceptre royal. En 1638, en effet, au cours d'une nouvelle apparition, Marguerite avait compris que l'Enfant-Jésus désirait être honoré comme Roi des rois et Seigneur des seigneurs. Les prodiges — conversions et guérisons — se multiplièrent dans cette chapelle, devant cette statue du « Petit Roi ». Elle avait été sculptée par un grand converti, le baron de Renty, fondateur de la célèbre Compagnie du Saint-Sacrement, et qui devint l'un des plus ardents propagateurs de ce culte.

On ne voit pas Thérèse s'y référer explicitement, mais, comme la carmélite de Beaune, Thérèse se plaît à contempler en Jésus Celui qui réclame tout l'amour de notre cœur. Il est le « Divin Petit Mendiant de Noël ». C'est le titre de la paraliturgie qu'elle compose et qu'elle fait jouer le soir du 25 décembre 1895.

Le thème de cette image rejoint le culte du « Petit Roi ». L'Enfant de la crèche réclame notre amour. A la suite des bergers de Noël, nous devons L'adorer. Et les quinze médaillons qui entourent la crèche — devenue trône — ne sont pas sans rappeler les quinze grains de la couronne diffusée par le carmel de Beaune. Ils nous invitent à tenir, « à la cour du Roi Jésus », l'office des anges, des bergers, de l'étable, du bœuf et de l'âne, de la Vierge, de saint Joseph et des Rois mages...

A la suite de Marguerite du Saint-Sacrement, Thérèse s'applique aussi à vivre les vertus de l'enfance, dont Jésus nous offre le parfait modèle, et spécialement l'abandon confiant à la volonté du Père. Enfin, si Thérèse n'encourage pas les disciples de sa Petite Voie à multiplier les prières vocales et les pratiques de dévotion envers l'Enfant-Jésus, comme le faisait la carmélite de Beaune, elle est loin de dédaigner les marques extérieures de vénération. Elle aussi aime orner de fleurs la statue de l'Enfant-Jésus ou jeter des pétales au crucifix du préau.

L'Enfant-Jésus du carmel de Beaune

La statue se trouve au fond de la tribune donnant sur le chœur des carmélites. C'est devant cette statue que sœur Agnès explique un jour à Thérèse qu'il serait magnifique qu'elle ajoutât à son nom de religieuse celui de la Sainte Face. C'est assez dire qu'à l'époque la représentation de l'Enfant-Jésus évoquait facilement le souvenir de sa Passion.

C'est devant cet Enfant-Jésus que la communauté s'est réunie en salle du chapitre le soir du 25 décembre 1895 pour une sorte de paraliturgie dont Thérèse a imaginé le cérémonial. Chaque sœur se présente par « rang de religion » en commençant par la prieure. Agenouillée devant l'Enfant-Jésus, elle tire au hasard un billet dans une corbeille et le donne à un ange (sœur Marie de l'Eucharistie) qui chante le couplet. Chaque sœur reçoit ainsi, en présence de toutes, une invitation personnelle à offrir au Seigneur le meilleur d'elle-même : son sourire, son chant, son cœur. Thérèse s'émerveille en effet à l'idée qu'en venant sur terre le Tout-Puissant réclame notre pauvre amour.

Ce soir-là, les carmélites accomplissent en quelque sorte le geste que fait l'enfant sur l'image que Thérèse avait reçue de sœur Marthe le 23 septembre 1890 : elles offrent toutes à l'Enfant-Dieu une lettre qui explicite le don d'elles-mêmes qu'elles veulent lui faire. Le soir du 25 décembre 1895, ce fut vraiment au carmel de Lisieux l'« offrande et la fête des lettres » (voir p. 156).

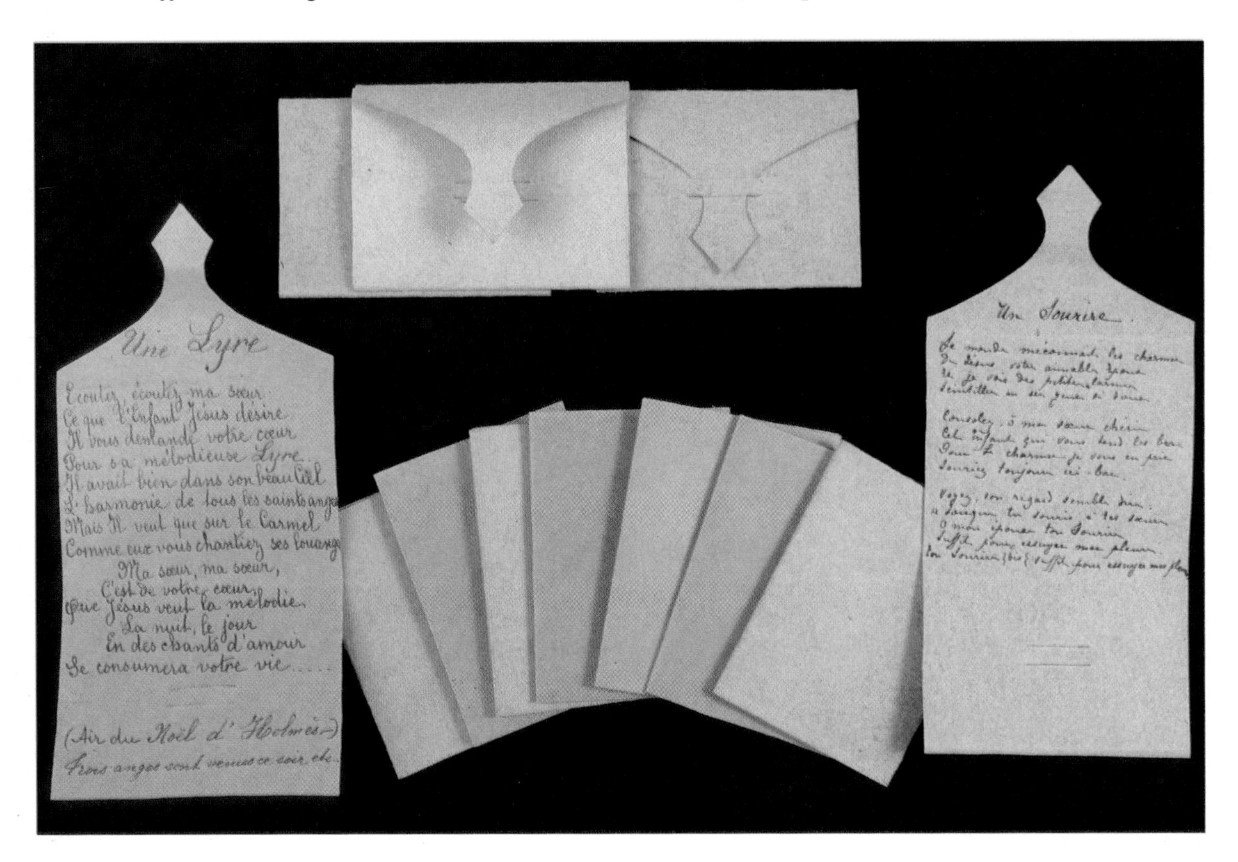

Quelques-unes des lettres composées par Thérèse pour la paraliturgie de Noël 1895 : « Le Divin Petit Mendiant de Noël ».
Les billets roses ont été copiés par sœur Marie de la Trinité ; les bleus par sœur Geneviève, le vert par sœur Marie de l'Eucharistie

Statue en cire que les carmélites déposaient dans leur crèche

L'Enfant Jésus repose sur un lit de duvet de cygne qui ornait la robe que Thérèse portait le jour de sa prise d'habit. La tunique a été également taillée dans cette robe. On a utilisé, pour la chevelure, des cheveux de Thérèse enfant. La dentelle en point d'Alençon a été confectionnée par Mme Martin.

Toute jeune, Thérèse avait dessiné le Cœur de Jésus (voir p. 64). Les images en son honneur étaient nombreuses et le père Pichon, son père spirituel, y faisait de fréquentes allusions dans sa correspondance ou sa prédication.

Thérèse, au contraire, en parle peu : elle n'emploie qu'une seule fois l'expression « Sacré-Cœur » dans ses trois manuscrits. Une seule de ses vingt et une prières s'adresse au Sacré-Cœur. Et les quelques poésies qui s'y rapportent directement ont été composées à la demande de sa marraine, sœur Marie du Sacré-Cœur.

Comment expliquer cette « lacune » ? Thérèse, en fait, n'éprouve pas le besoin de se représenter le cœur de Jésus pour penser à son amour. Elle préfère de beaucoup évoquer l'Enfant-Jésus dans sa crèche ou la Sainte Face. Ce qui gêne Thérèse dans les représentations du Sacré-Cœur qu'elle a sous les yeux, c'est que Jésus y montre son cœur, symbole de son amour, mais ne nous invite pas suffisamment à y reposer, comme l'a fait saint Jean durant la dernière Cène. Or, c'est cela qui intéresse Thérèse :

« Sommeiller sur son cœur, tout près de [son visage
Voilà mon ciel à moi ! »

Elle préfère donc les images où Jésus laisse un enfant grimper sur ses genoux ou reposer sur sa poitrine, et s'en explique à Céline quand celle-ci se trouve avec Léonie à Paray-le-Monial, à l'occasion du deuxième centenaire de la mort de Marguerite-Marie : « Je ne vois pas le Sacré-Cœur comme tout le monde, lui écrit-elle le 14 octobre 1890. Je pense que le cœur de mon Époux est à moi seule, comme le mien est à Lui seul et je Lui parle alors dans la solitude de ce délicieux cœur à cœur, en attendant de Le contempler un jour face à face. »

On comprend alors que Thérèse privilégie les images dont les légendes affirment explicitement que le Cœur du Christ est « notre refuge », le « creux du Rocher » où nous pouvons fixer à jamais notre séjour, pour y goûter la tendresse infinie de Dieu.

Je ne vois pas le Sacré-Cœur comme tout le monde

Une image dont la légende plaît davantage à Thérèse : le cœur de Jésus est présenté comme le « creux du Rocher » où nous pouvons nous reposer

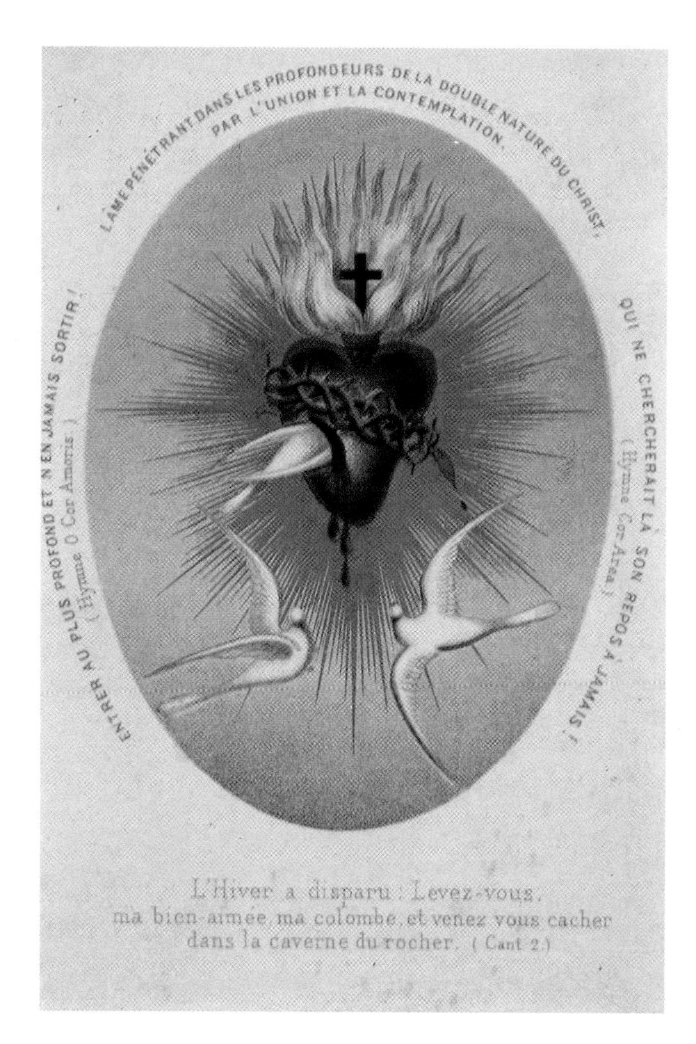

Image que Pauline avait apportée de la Visitation du Mans et que Thérèse aimait beaucoup (témoignage de sœur Geneviève au verso d'une photographie qu'elle en avait tirée)

Thérèse désire se perdre dans le cœur du Christ, comme elle désire se cacher dans le secret de sa Face. Elle méditait souvent le verset du Cantique par lequel l'Époux invite sa bien-aimée — sa colombe — à venir se blottir en Lui.

Dans sa deuxième pièce sur Jeanne d'Arc, elle remet ces mots dans la bouche du Christ, lorsqu'Il accueille dans son Royaume la jeune martyre qui vient de mourir sur le bûcher en murmurant son Nom. Pour Thérèse, le Cœur du Christ est aussi la Fournaise d'amour seule capable de consumer dès ici-bas tous nos péchés :

« Et moi je choisis pour mon purgatoire
Ton amour brûlant, ô Cœur de mon [Dieu !
Mon âme exilée quittant cette vie
Voudrait faire un acte de pur amour
Et puis s'envolant au Ciel, sa Patrie,
Entrer dans ton Cœur sans aucun [détour. »

Image offerte par sœur Geneviève à Thérèse le jour de sa profession

Thérèse appréciait beaucoup cette image. Elle y voyait l'illustration d'une parole d'Évangile qui l'enthousiasmait : « Celui qui m'aime, mon Père l'aimera et nous viendrons à lui et nous ferons chez lui notre demeure » (Jn 14, 23). Les deux premières strophes de son poème « Vivre d'amour » chantent cette présence de la Trinité sainte dans l'âme du chrétien. En ouvrant son cœur à Jésus, Thérèse sait qu'elle accueille en elle le Père et l'Esprit-Saint et qu'elle est embrasée du feu de leur amour :

« O Trinité, vous êtes prisonnière de mon [Amour. »

Le Cœur du Christ
au sein de la vie trinitaire

Cette image, que Thérèse aimait particulièrement, est d'une grande justesse théologique. Tels des pèlerins, nous sommes invités par Marie et Joseph à nous arrêter sur notre chemin pour nous prosterner devant Jésus, leur Enfant. Il est le Christ, Celui qui reçoit en plénitude l'onction de l'Esprit-Saint que le Père Lui communique pour qu'Il le répande à son tour sur tous ceux qui viennent à Lui avec confiance.
Le Christ est à la fois au centre de la Sainte Famille et au cœur de la Trinité sainte. La Sainte Famille est tout entière ordonnée à faire entrer le chrétien dans les profondeurs de la vie trinitaire.

Image peinte par Thérèse au carmel.
Le texte a été écrit par sœur Agnès

Thème de l'abandon entre les mains de Jésus : là, nous n'avons rien à craindre.

La salle du chapitre au milieu de laquelle Thérèse s'est prosternée le lundi 8 septembre 1890

Ma robe de noces était prête

Thérèse aurait pu faire profession en janvier 1890, un an après son entrée au noviciat. Mais le chanoine Delatroëtte l'estime trop jeune. La maladie de M. Martin n'arrange rien. D'abord déçue de ce retard, Thérèse le met à profit pour se préparer davantage encore à ses épousailles avec le Seigneur. L'engagement définitif d'une carmélite oblige alors à deux cérémonies. La première, privée, en salle du chapitre, est fixée au 8 septembre, en la fête de la Nativité de la Vierge. La seconde, dans la chapelle du monastère, en présence des fidèles, s'appelle la « prise de voile » : la carmélite y échange son voile blanc de novice contre le voile noir de professe. Cette seconde cérémonie est fixée au 24 septembre. La veille, Thérèse espère encore que son père pourra y assister, mais M. Guérin juge plus prudent de ne pas exposer son beau-frère à une telle émotion.
Le 2 septembre, Thérèse se rend dans la chapelle et répond aux questions de l'examen canonique que lui pose le chanoine Delatroëtte : « Pourquoi êtes-vous venue au Carmel ? — Je suis venue pour sauver les âmes et surtout afin de prier pour les prêtres. »
La veille de son engagement, un vent de panique souffle brusquement sur son âme. « Je n'ai pas la vocation ! » se dit-elle. En confiant son angoisse à sa maîtresse des novices, elle est vite apaisée. Mise au courant de ce trouble, la prieure se contente de rire. Le lendemain, c'est dans une paix profonde que Thérèse prononce ses vœux. Elle est la quarante-huitième professe du carmel de Lisieux. Elle aura dix-huit ans dans quatre mois.

Image offerte à Thérèse
par le vicaire général de Bayeux,
l'abbé Révérony,
à l'occasion de sa profession

L'image fait allusion à la transverbération du cœur de Thérèse d'Avila et rappelle l'une de ses devises préférées : « *Aut pati aut mori* (Souffrir ou mourir). »

Image offerte à Thérèse
le jour de sa profession par sœur Agnès
et sœur Marie du Sacré-Cœur

L'image de la Présentation de la Vierge est collée sur un carton. La légende calligraphiée par sœur Agnès est un répons de la fête de Sainte-Agnès. Une façon discrète de rappeler que, par son vœu de chasteté, la carmélite veut ressembler à la Vierge Marie et vivre sa consécration religieuse comme une véritable alliance nuptiale avec Jésus.
Thérèse écrira plus tard : « Quelle belle fête que la nativité de Marie pour devenir l'épouse de Jésus ! C'était la petite Sainte Vierge d'un jour qui présentait sa petite fleur au petit Jésus... Ce jour-là, tout était petit, excepté les grâces et la paix que j'ai reçues. »
Le 30 avril 1896, Thérèse offrira la même image à sœur Marie de la Trinité pour sa profession, en la commentant ainsi : « C'est vous la petite Marie qui montez les degrés du Temple. A la gauche du grand prêtre, c'est moi l'enfant qui vous appelle en faisant signe de sa main ; Céline est appuyée sur son épaule ; et, de l'autre côté, sœur Marie de l'Eucharistie.

Le « mémorial » de profession que Thérèse portera toute sa vie sur elle

Il mesure 4,4×5,9 cm. C'est sous le regard de Jésus, dans le rayonnement de la Sainte Face, qu'elle veut vivre ses vœux de chasteté, de pauvreté et d'obéissance.

J. M. J.
Je sœur Thérèse
Marie Françoise de l'Enf. Jésus
de la Sainte Face

Le billet que Thérèse porte sur elle le jour de sa profession

Elle s'offre totalement à Jésus (qu'elle tutoie), le prie que lui soit épargnée la plus petite des fautes volontaires. Elle demande le martyre du cœur ou du corps, ou plutôt tous les deux, et qu'aujourd'hui beaucoup d'âmes soient sauvées. »
Une graphologue qualifie ce billet de « pathétique ». « On mesure l'étendue de son impressionnabilité, de sa faiblesse, de ses craintes, de ses bouleversements de sensibilité. » Mais aussi « une décision de fer, une volonté de lutte, une énergie farouche. Il y a à la fois l'effroi d'une enfant et une décision de guerrier dans ces tracés ».

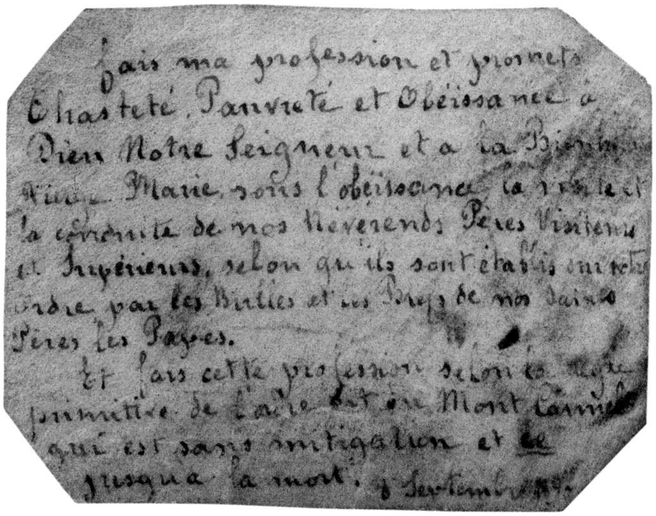

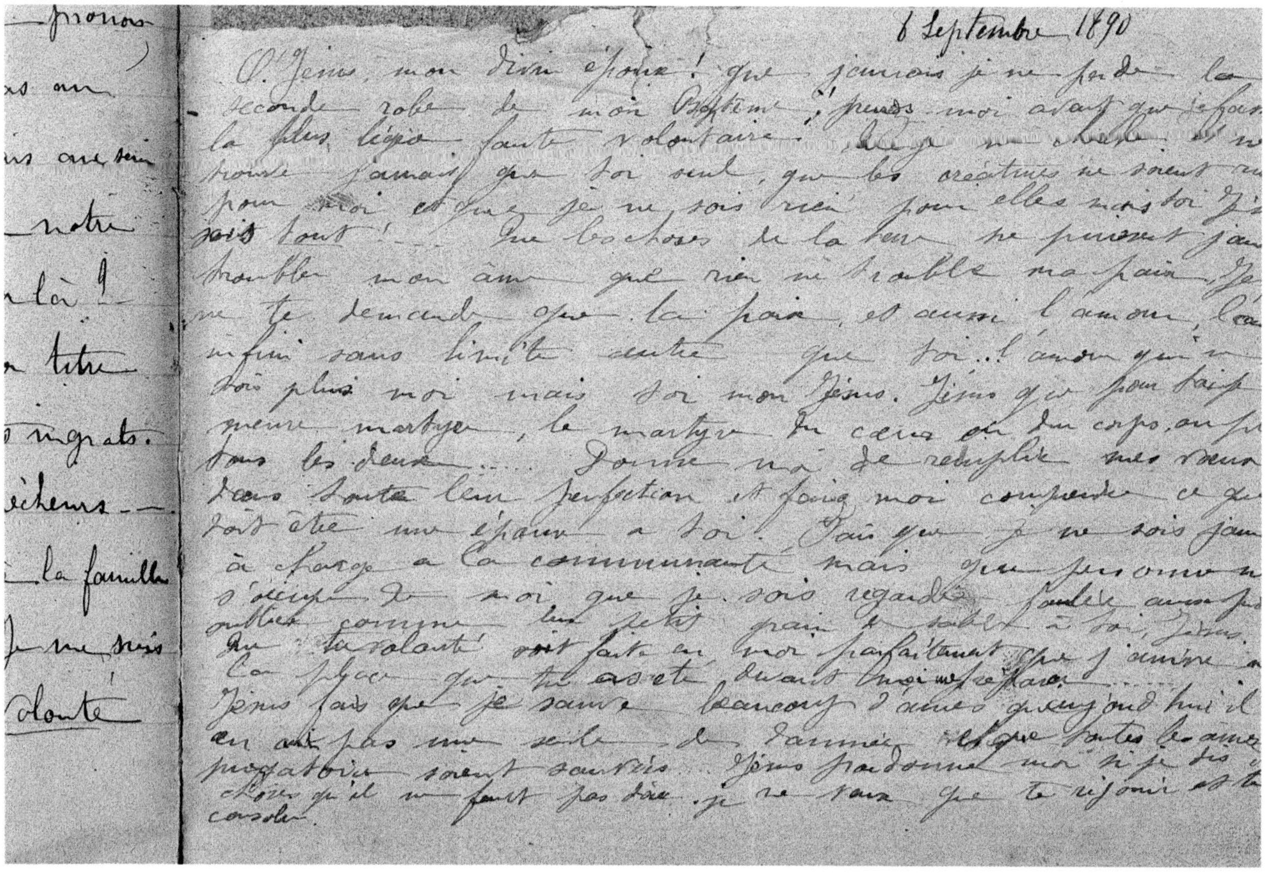

Peinture de mère Agnès

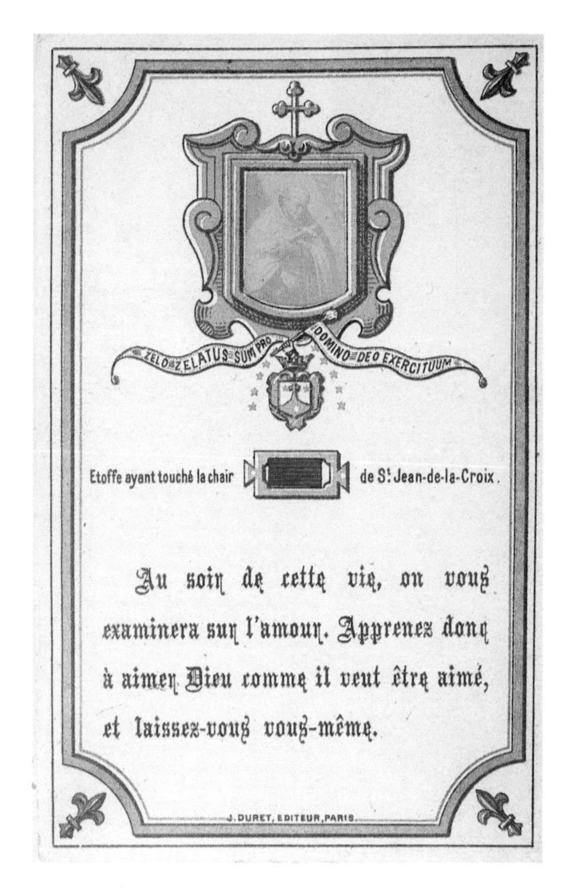

Image vraisemblablement offerte à Thérèse par mère Marie de Gonzague (Céline avait reçu de la prieure une image identique)

Thérèse citait souvent cette sentence de saint Jean de la Croix (voir p. 173).

Que de lumières n'ai-je pas puisées dans les œuvres de saint Jean de la Croix

Thérèse a conscience de lui devoir beaucoup : « A l'âge de dix-sept et dix-huit ans, je n'avais pas d'autre nourriture spirituelle. »
Les passages de La Vive Flamme *sur la valeur purificatrice des épreuves l'ont beaucoup aidée au moment de la maladie mentale de son père. « Bien accueillir la souffrance, explique-t-elle à Marie de la Trinité, nous mérite la grâce d'une plus grande souffrance ou plutôt d'une purification plus profonde pour arriver à la parfaite union d'amour. Ah ! Quand j'eus compris cela, la force me fut donnée pour tout souffrir. »*
Le docteur du Carmel l'encouragea aussi à « descendre dans la vallée de l'humilité » pour parvenir aux sommets de l'union à Dieu. Elle mimait souvent devant ses novices trois vers sanjuanistes qui célèbrent la valeur de cette humilité : « Et m'abaissant si bas, si bas,/ Je m'élevai si haut, si haut,/ Que je pus atteindre mon but. » (A lo divino.)
Jean de la Croix lui apprend enfin que, dans la vie spirituelle, il s'agit moins d'acquérir de nouvelles vertus que de perdre ce qui fait obstacle à l'invasion de Dieu en nous. Elle recopie plusieurs pensées du saint qui expriment cette conviction. « Celui qui aime vraiment Dieu regarde comme un gain et une récompense de perdre toute chose et de se perdre encore lui-même pour Dieu. »

« Pour trouver une chose cachée, il faut se cacher soi-même. » Elle aime en définitive le contraste qu'il souligne entre le rien *de la créature et le* tout *de Dieu.*

Image enluminée par Thérèse

La maison Dédouit de Caen, qui avait édité ces images à l'occasion du troisième centenaire de la mort de saint Jean de la Croix (1891), demande au carmel de Lisieux de les enluminer. Un travail auquel s'adonnèrent Thérèse et mère Agnès. Il existe encore dans les archives du carmel de Lisieux plusieurs images de ce type dont l'enluminure est restée inachevée.

Statue de Jean de la Croix qui se trouvait au chauffoir, du temps de Thérèse

Thérèse retrouve surtout chez Jean de la Croix l'intuition fondamentale de ce qu'elle appellera plus tard sa « Petite Voie » : pour s'offrir à l'Amour miséricordieux, point n'est besoin d'être une victime parfaite. Il suffit de se présenter à Dieu tel que l'on est. L'abîme de notre misère attire l'abîme de sa Miséricorde. Au lieu de prendre appui sur ses propres performances spirituelles, il ne faut s'appuyer que sur la force de son bras.

Glose sur le Divin.

Composée par R. P. St Jean de la Croix et mise en vers par la plus petite de ses filles pour fêter la Profession de sa chère Sœur Marie de la Trinité et de la Sainte Face

Appuyée sans aucun Appui
Sans Lumière et dans les Ténèbres
Je vais me consumant d'Amour...

Au monde, (quel bonheur extrême)
J'ai dit un éternel adieu !...
......Elevée plus haut que moi-même
Je n'ai d'autre Appui que mon Dieu.

Et maintenant je le proclame
Ce que j'estime près de Lui
C'est de voir et sentir mon âme
Appuyée sans aucun appui !...

Bien que je souffre sans lumière
En cette vie qui n'est qu'un jour
Je possède au moins sur la terre
La vie céleste de l'Amour.....
Dans le chemin qu'il me faut suivre
Se rencontre plus d'un péril,
Mais par l'Amour je veux bien vivre
Dans les ténèbres de l'exil.

L'Amour j'en ai l'expérience
Du bien, du mal qu'il trouve en moi
Sait profiter (quelle puissance)
Il transforme mon âme en soi
Ce Feu qui brûle dans mon âme
Pénètre mon cœur sans retour
Ainsi dans sa charmante flamme
Je vais me consumant d'Amour !...

30 avril 1896. Thérèse de l'Enf. Jésus de la Ste Face rel. carm. ind.

Poème offert par Thérèse à sœur Marie de la Trinité à l'occasion de sa profession (30 avril 1896)

Thérèse a mis en vers un poème de saint Jean de la Croix qu'elle aimait particulièrement. En le lui remettant, elle a fait remarquer à la nouvelle professe la pensée qui lui plaisait le plus. Celle que développe la troisième strophe. Pour mieux faire éclater sa Miséricorde, le Seigneur se plaît à transformer en flammes d'amour ceux qui reconnaissent avec humilité tout le mal qui persiste encore en eux.

Sœur Marie de la Trinité est certainement un témoin privilégié de l'influence exercée sur Thérèse par les écrits de saint Jean de la Croix. Thérèse avait confié à sa novice son désir qu'il soit déclaré docteur de l'Église, afin qu'un plus grand nombre de chrétiens recourent à son enseignement.

Pensée de N. P. St Jean de la Croix

Quand l'amour que l'on porte à la créature est une affection toute spirituelle et fondée sur Dieu seul, à mesure qu'elle croît, l'amour de Dieu croît aussi dans notre âme ; plus alors le cœur se souvient du prochain, plus il se souvient aussi de Dieu et le désire, ces deux amours croissant à l'envi l'un de l'autre.

Celui qui aime vraiment Dieu regarde comme un gain et une récompense de perdre toutes choses et de se perdre encore lui-même pour Dieu...

Au soir de cette vie, on vous examinera sur l'amour. Apprenez donc à aimer Dieu comme il veut être aimé et laissez vous vous-même.

Souvenir du 7 Mai de l'an de grâce 1896. Offert à ma chère petite sœur Marie de la Trinité et de la Ste Face

Sr Thérèse de l'Enf. Jésus de la Ste Face
rel. carm. ind.

Thérèse a utilisé une photographie de l'image peinte par mère Agnès (voir p. 170)

Image offerte par Thérèse à sœur Marie de la Trinité à l'occasion de sa prise de voile (7 mai 1896).

Thérèse recopie ici, en dessous de l'image de saint Jean de la Croix, la réponse qu'il fit au Christ de Ségovie. Une maxime qu'elle avait souvent méditée avec Céline au Belvédère des Buissonnets. Thérèse ajoute : « Par Amour ! »

Elle n'ignorait pas les jugements sévères que certaines sœurs de la communauté portaient sur la jeune professe : on la trouvait trop peu recueillie pour une carmélite ! Aussi l'encourage-t-elle à supporter ces critiques avec l'humilité chère à saint Jean de la Croix.

Au verso, elle a copié trois pensées extraites d'un opuscule qui lui était cher : *Maximes et avis spirituels de notre bienheureux père saint Jean de la Croix*. Thérèse voulut être photographiée avec ce recueil en juillet 1896.

Par la première de ces sentences, Thérèse rappelle à sœur Marie de la Trinité qu'elle ne doit pas s'inquiéter de l'affection de plus en plus forte qu'elle ressent pour sa maîtresse des novices. L'amitié qui les unit est très pure et ne peut que les aider dans leur désir d'aimer Dieu pardessus tout.

L'hiver 1890-1891 est très rigoureux. Il ne sera pas le seul et l'absence de chauffage dans la plupart des pièces du monastère rend la chose très éprouvante. « J'ai eu froid à en mourir », confiera Thérèse beaucoup plus tard. Son désir de ne rien refuser à Jésus, elle le vit à travers les gestes les plus simples de la vie quotidienne : « Plier les manteaux oubliés par les sœurs, profiter de toutes les plus petites choses et les faire par amour. » Elle mange tout ce qu'on lui présente sans protester. Sœur Marthe ne se prive pas de lui repasser les restes dont personne ne veut. Sœur Saint-Raphaël, sa voisine au réfectoire, boit, sans y prendre garde, sa part de cidre. Peu après ses dix-huit ans, elle change d'emploi : on la nomme aide-sacristine de sœur Saint-Stanislas. Deux ans durant, du 10 février 1891 au mois de juin 1893, elle s'applique à nettoyer cierges et encensoir et à préparer les vases sacrés. Jamais elle ne rechigne devant le travail qu'on lui demande. Appliquant à la lettre les conseils reçus au noviciat, elle accomplit sa besogne sans précipitation : n'est-ce pas un bon moyen de rester toujours en présence de Dieu ? Sa parfaite obéissance et son calme lui valent un surnom. Sœur Saint-Stanislas l'appelle : la « petite sœur Ainsi soit-il ».

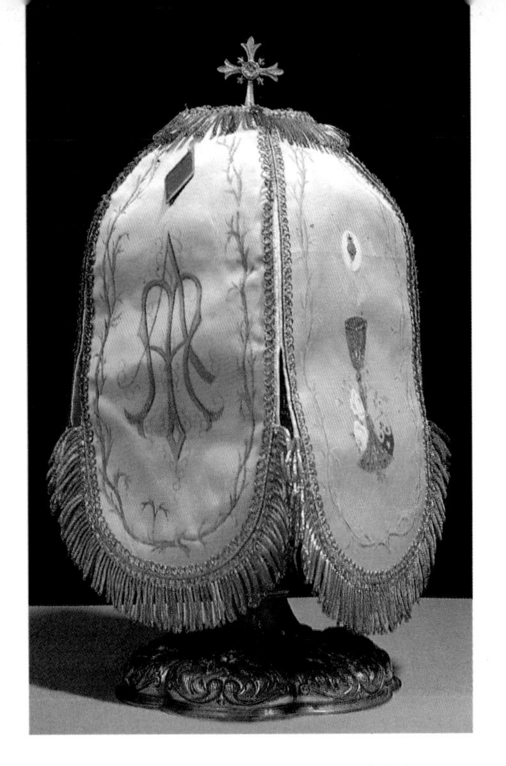

Pavillon de ciboire peint par Thérèse

J'étais heureuse de toucher aux vases sacrés

Le « tour » de la sacristie

Sœur Saint-Stanislas (1824-1914)

Les six enfants de la famille Guéret étaient nés sur la paroisse Saint-Jacques de Lisieux. La sœur aînée, Caroline, avait participé à la fondation du carmel de la ville. Avec les deux sœurs Gosselin, elle était allée faire son noviciat à Poitiers et en était revenue en 1838 pour s'installer avec d'autres compagnes rue de Beuvillers à Lisieux. Elle fait profession le 16 septembre de la même année sous le nom de sœur Saint-Jean-de-la-Croix.
Sa petite sœur, Rosalie, la rejoint au carmel en 1845, à l'âge de vingt et un ans, et y prend le nom de sœur Saint-Stanislas. Elle voudrait partir pour Saigon, mais c'est Caroline qui s'y rend en 1862 pour remplacer l'une des fondatrices, terrassée par le climat. Elle en reviendra en 1868 pour repartir presque aussitôt restaurer le carmel de Caen.
Sœur Saint-Stanislas exercera plusieurs charges au fil des années, notamment celle de première dépositaire (économe), de 1868 à 1874. De 1891 à 1893, elle est « première d'emploi » de Thérèse à la sacristie. Après l'épidémie d'influenza qui fait mourir quatre carmélites de Lisieux (et sa sœur Caroline au carmel de Caen), sœur Saint-Stanislas se retrouve, en février 1892, la plus ancienne de la communauté. En 1896, elle devient première infirmière : un poste qu'on lui a souvent confié.
Au mois de février 1897, Thérèse compose sa dernière pièce, *Saint Stanislas Kostka*, pour fêter les cinquante ans de profession religieuse de la doyenne et, deux mois plus tard, elle apprécie sa délicatesse dans les soins qu'elle en reçoit. Lorsqu'en avril-mai 1897, vésicatoires et pointes de feu lui lacèrent le dos, Thérèse s'émeut des attentions de sœur Saint-Stanislas : « Elle panse les plaies avec tant de douceur ! Je la vois choisir les linges les plus fins et elle les applique avec une main de velours ! » De son côté, l'infirmière admire la patience de sa malade : « Jamais une plainte. »
Sœur Saint-Stanislas survivra dix-sept ans à Thérèse ; elle mourra le 23 mai 1914.

MISSALE ROMANUM.
MISSALE ROMANUM

Les sacristines du carmel (novembre 1896)

Cette photo de famille est destinée à être envoyée à Mme Guérin pour sa fête (19 novembre). Elle a été prise dans la cour de la sacristie, comme les photos de Thérèse en Jeanne d'Arc. On retrouve le même mur, mais le lierre a poussé. Le strabisme de Thérèse serait dû, selon certains médecins, à la progression de la tuberculose dans son organisme.
Thérèse a travaillé à la sacristie de 1891 à 1893. Elle y est retournée en mars 1896, où elle travaille avec sa cousine, reconnaissable à son voile blanc de novice.

Les trois sœurs de Thérèse (de gauche à droite : sœur Marie du Sacré-Cœur, mère Agnès, sœur Geneviève) sont à l'époque « panetières », c'est-à-dire qu'elles aident sœur Marie-Philomène dans la confection des pains d'autel — un travail assez rémunérateur à l'époque. On les voit ici manipulant les fers à hostie.
Thérèse envie la vocation des prêtres. Elle l'a encore écrit quelques semaines plus tôt dans son second manuscrit. Mais elle est heureuse de s'associer de près à leur ministère par son travail à la sacristie.
Remplir le ciboire ! Un geste sacerdotal, mais aussi tout son idéal apostolique : c'est le Ciel qu'il faut remplir !

Sa joie d'être associée si étroitement au ministère des prêtres, Thérèse l'a chantée dans un poème de novembre 1896, intitulé « Les Sacristines du carmel », qu'elle a composé à l'intention de sœur Marie-Philomène, son ancienne compagne de noviciat :

« Notre bonheur et notre gloire
C'est de travailler pour Jésus.
Son beau ciel, voilà le ciboire
Que nous voulons combler d'élus ! »

Sur le cliché de verre, le visage de Thérèse a été griffé intentionnellement par ses sœurs. L'explication en est donnée par ces lignes de Léonie, écrites au dos d'une épreuve retrouvée à la Visitation de Caen : « Ce groupe nous plaît beaucoup, nous voudrions l'avoir dans nos archives (de la Visitation) ; vous êtes toutes très bien, sauf notre Sainte qui laisse beaucoup à désirer ; je voudrais que tu la retouches, mon artiste chérie, avant de nous renvoyer ce charmant tableau. Merci. » On a reproduit ici une épreuve originale non griffée.

N'imaginons pas que le travail d'une sacristine ne consistait qu'à préparer les vases sacrés. Les occupations ne manquaient pas. Et les jours chômés, Thérèse faisait exprès de passer à proximité de la sacristie pour que sœur Marie des Anges puisse lui demander quelque service supplémentaire.

THÉRÈSE EN JUILLET 1891

Juillet 1891. Sœur Marie du Sacré-Cœur quitte le noviciat. Thérèse doit y parfaire sa formation trois ans encore, en compagnie de sœur Marthe. Celle-ci est manifestement trop attachée à sa prieure. Thérèse s'en aperçoit mais ne juge pas opportun de le lui dire pour l'instant. Elle se contente de prier pour elle. Deux ans plus tard, elle sent que l'heure est venue d'intervenir. Avec courage, elle lui fait remarquer que son attachement à mère Marie de Gonzague ressemble trop à celui d'un chien à son maître... La novice l'admet. Thérèse est émerveillée de l'action du Seigneur dans le cœur de sa compagne.

C'est aussi le moment où le père Loyson donne plusieurs conférences en Normandie. Sa présence fait grand bruit dans la presse locale. Les journaux cléricaux l'appellent le « moine renégat », mais Thérèse le considère comme son véritable « frère ». N'a-t-il pas appartenu à l'Ordre des carmes ? Et ne peut-il pas se convertir en un instant, comme l'a fait Pranzini ?

« La confiance fait des miracles, écrit-elle à Céline, et Jésus a dit à la bienheureuse Marguerite-Marie : "Une âme juste a tant de pouvoir sur mon cœur qu'elle peut en obtenir le pardon pour mille criminels." » Elle ne verra pas sa conversion, mais ne se lassera jamais de prier pour lui.

Le 19 août 1897, en la fête de saint Hyacinthe, elle offrit pour lui sa dernière communion. Elle se préoccupe aussi du foyer de la cousine des Guérin, Marguerite-Marie Maudelonde, qui a épousé un magistrat athée, René Tostain. La jeune femme subit l'influence des idées de son mari et se met à douter de sa foi. Thérèse demande à Céline de lui prêter le livre d'Arminjon, qui l'a enthousiasmée aux Buissonnets. Un grand souci l'habite en vérité : que Jésus soit connu et aimé !

Sauver une âme qui semble à jamais perdue

Le père Hyacinthe Loyson (1827-1912)

Successivement sulpicien, novice dominicain pendant quelques mois, puis carme déchaussé durant dix ans, le père Hyacinthe, célèbre prédicateur, avait attiré les foules à Notre-Dame de Paris, avant de rompre avec son Ordre par une lettre retentissante du 20 septembre 1869. Le 10 octobre, l'excommunication majeure était lancée contre le religieux. Montalembert et Newman essayèrent vainement de le réconcilier avec l'Église. Son extrême libéralisme l'opposait aux ultramontains — les « inconditionnels » du pape — et surtout à l'infaillibilité pontificale dont on discutait beaucoup avant même l'ouverture du concile Vatican I qui devait en proclamer le dogme.

Par une nouvelle lettre publique datée du 30 juillet 1870, il déclare se retrancher définitivement de l'Église et, le 3 septembre 1872, il épouse Mme Mériman, une veuve américaine protestante qu'il avait amenée au catholicisme quatre ans auparavant. Paul Sabatier, le célèbre protestant libéral, disait de la « mère Hyacinthe » : « Il l'avait convertie au catholicisme, elle devait le convertir au mariage. »

Il organise à Genève un culte libre (1873-1874), puis fonde à Paris, en 1879, l'Église catholique gallicane. Il fait de nombreuses conférences à travers la France pour répandre ses idées mais, voyant que son Église végète, il la remet en 1893 aux « vieux catholiques d'Utrecht ». Le père Hyacinthe ne voulut jamais profiter de sa rébellion pour faire carrière. Lorsque Gambetta lui proposa un siège au Palais-Bourbon ou au Luxembourg, il refusa.

Quelques semaines après la mort de Thérèse, le 12 novembre 1897, il rend visite à l'abbé Huvelin, lequel est déjà bien malade. C'est le début d'une véritable amitié. Comme Charles de Foucauld avait pu l'expérimenter onze ans plus tôt, Hyacinthe

— Pour le grand pèlerinage de Rome, deux départs ont été demandés à la Direction générale en faveur des pèlerins du Calvados. Le premier aurait lieu le mercredi 16 septembre, de Paris avec les pèlerins du Nord, et le second le lundi 12 octobre, de Paris également, avec les pèlerins d'Orléans. Ainsi chacun pourra choisir l'époque qui s'accommodera le mieux avec ses occupations et sa profession.

S'adresser à M. le dr La Néelle, rue de l'Oratoire, ou à M. l'abbé L. Garnier, à Caen.

M. le Curé de St-Pierre et Loyson

(3e CONFÉRENCE)

L'apostat a osé traiter de nouvelle, de grossière, de ridicule la dévotion au Sacré-Cœur. Pour mieux faire comprendre sa réponse à ses auditeurs, M. le Curé de Saint-Pierre a distingué dans cette dévotion la cause, l'objet et le signe extérieur; la cause qui l'a fait naître, c'est la reconnaissance des chrétiens envers leur Sauveur; l'objet réel, c'est l'amour de J.-C. pour les hommes; le signe extérieur, sensible, c'est le Sacré-Cœur de Jésus. C'est surtout contre ce signe extérieur et les hommages qui lui sont rendus que s'é-apparitions les expliquent et les justifient surabondamment. Jésus-Christ instruisait ses apôtres et les armait pour le salut du monde. St-Michel encourageait Jeanne d'Arc, et l'armait pour le salut de la France. Aujourd'hui la Très-Sainte Vierge qui aime notre patrie et la regarde toujours comme le soldat de Dieu, voyant entre quelles mains elle est tombée, la Très-Sainte Vierge veut l'en arracher.

M. le Curé de St-Pierre a terminé sa 3e conférence par un apostrophe au blasphémateur. Vous constatez, s'est-il écrié, qu'il y a un réveil religieux en France; et vous adjurez vos auditeurs de ne pas le laisser tomber entre les mains de l'Église catholique. Eh bien oui, nous aussi, nous avons constaté ce réveil depuis les apparitions de la Très-Sainte Vierge en les grands pèlerinages qui remuent le monde. Mais nous ne laisserons pas la Franc-Maçonnerie mettre la main dessus. Trop longtemps, nous avons gardé le silence, aujourd'hui, après le Pape, après nos Évêques, nous parlerons, nous agirons; et nous ferons tout pour ramener au Dieu de ses pères et à la Sainte Eglise notre chère patrie, qui ne s'en est éloignée que pour son malheur.

La Croix du Calvados (1891)

Thérèse a reçu de Céline plusieurs coupures de journaux relatant les conférences données par l'abbé Legrand, curé de la paroisse Saint-Pierre de Caen, pour réfuter les affirmations du père Loyson. Ici il s'agit de ses attaques contre la dévotion au Sacré-Cœur. On remarquera dans l'article précédent la mention du Dr La Néele, le gendre de M. et Mme Guérin, qui prenait une part active à l'organisation d'un pèlerinage à Rome.

apprécie beaucoup la charité, l'intelligence et l'absence totale de prosélytisme qui sont les marques distinctives du vicaire de Saint-Augustin. Il lui écrira le 18 octobre 1899: « A vous qui êtes un vrai prêtre de Dieu, j'ai besoin de vous dire ceci: "A l'Église telle qu'elle vit dans votre âme, je pourrais adhérer de toute mon âme." » La mort de l'abbé Huvelin en 1910 lui cause un profond chagrin.
En janvier 1911, le carmel de Lisieux lui fait parvenir un exemplaire de l'*Histoire d'une âme*, en ajoutant que la carmélite avait prié pour sa « conversion ». Le destinataire se dit « véritablement touché » par beaucoup de choses lues dans ce livre, mais, ajoute-t-il, « je crois pouvoir dire devant la mort et devant Dieu que l'égoïsme, l'orgueil et la haine n'ont jamais été les mobiles de ma pensée et de ma vie ».
Il meurt à Paris le 9 février 1912 après avoir murmuré, tout en baisant son crucifix: « mon doux Jésus ».

René Tostain, invité chez les Guérin (photographie de 1893)

Substitut du procureur de la République à Lisieux, il avait épousé, le 14 octobre 1889, une nièce de Mme Guérin, Marguerite-Marie Maudelonde. Homme très droit, il se disait athée. Thérèse a très spécialement offert pour lui l'épreuve des dix-huit derniers mois de sa vie.

Henry Chéron (1867-1936)

Après avoir songé un moment à une carrière de pharmacien — il fait en 1884 un stage chez M. Guérin —, Henry Chéron devient avocat et se lance à corps perdu dans la politique. Animateur du groupe radical de Lisieux, il récolte les voix des ouvriers de la ville. Pendant des années, il ferraille dans la presse contre son ancien patron, M. Guérin, qui s'est précisément engagé à fond dans la politique soutenue par *Le Normand*, pour combattre les idées du *Progrès lexovien*.
Élu à vingt-cinq ans conseiller d'arrondissement (1892), Henry Chéron est élu, en octobre 1894, maire de Lisieux. Mais il est battu trois fois de suite aux élections législatives par le candidat républicain modéré, Henri Laniel, manufacturier et maire de Beuvillers. En fait, son anticléricalisme sera toujours tempéré par son opportunisme. Il n'interdit jamais les processions et usa de son influence pour qu'aucune communauté religieuse ne fût expulsée de la ville.
Il devient député de Caen en 1906, entre la même année dans le gouvernement comme sous-secrétaire à la Guerre (1906-1909), puis à la Marine (1909-1910), et il est élu sénateur du Calvados en 1913. Après la guerre, il accède aux plus hautes responsabilités gouvernementales, puisqu'il devient en 1922 ministre de l'Agriculture (c'est alors qu'il reçoit son surnom de « Chéron-vie chère »), puis ministre des Finances (1928-1930) et de la Justice (1930-1931 et 1934).
Quand il parlait de Thérèse, il se plaisait à rappeler que, dans l'arrière-boutique de la pharmacie Guérin, il avait joué de l'accordéon pour la plus grande joie de Thérèse Martin.

Le bras de mon oncle ne cesse de se fatiguer

Une partie de croquet
rue de la Chaussée
De gauche à droite : Céline, M. Guérin, Mme Guérin, Francis La Néele, Jeanne et Marie Guérin

En 1891, M. Guérin prend une part de plus en plus active aux combats politiques de Lisieux. En 1888, un événement imprévu l'avait amené à revendre sa pharmacie et à se lancer dans l'action politique. Un cousin de sa femme, M. Auguste David, ancien notaire à Évreux, le nomme légataire universel de son opulente fortune. Voici M. Guérin subitement propriétaire d'un immense domaine aux environs d'Évreux, La Musse, et à l'abri de toute préoccupation financière. Le 8 décembre 1888, il cède sa pharmacie à Victor Lahaye, son premier collaborateur, et acquiert une maison de maître à Lisieux, rue de la Chaussée (aujourd'hui 19, rue Paul-Banaston). Il l'occupe vers la fin de l'année 1889, après un bref passage rue Condorcet et aux Buissonnets, hélas ! déserts depuis le départ de M. Martin pour le Bon-Sauveur. Plus

Les trois journaux de Lisieux reflètent parfaitement les trois tendances politiques qui se partagent alors l'opinion.

Le Lexovien

Organe de la bourgeoisie républicaine et libérale, légèrement anticléricale, ce journal paraît le mardi et le samedi sur quatre pages, sans aucune illustration. Son tirage est limité (deux mille cinquante exemplaires en décembre 1874). Il reflète les idées du milieu dirigeant de la cité, représenté par les Paul Banaston, les Fleuriot, les Duchesne-Fournet, et par les trois hommes qui se succèdent à la mairie de 1871 à 1894 — Prat, Michel et Peulevey. Ces milieux libéraux entendent bien n'avoir aucun ordre à recevoir du clergé. Le 21 octobre 1885, un article proteste contre une circulaire de l'évêque, Mgr Hugonin, publiée et lue en chaire à la veille du vote.

Le Progrès lexovien

Lancé par Henry Chéron, il est l'organe du parti radical qui s'est détaché en 1884 des républicains modérés. L'anticléricalisme est l'un de ses principaux chevaux de bataille.

L'ancien Journal de Lisieux et de Pont-l'Évêque, *devenu, le 22 juin 1878,*

Le Normand

paraît également le mardi et le samedi. Il est l'organe de la droite monarchiste animée à Lisieux par un ami d'Isidore Guérin, Paul-Louis Target. Né à Lisieux en 1821, cet avocat avait été élu en 1871 député du Calvados, mais il est battu quand il se présente en 1874 dans l'arrondissement de Lisieux.

MERCREDI 27 JANVIER 1892

PRENEZ DES GANTS

La lecture du journal *Le Normand* portant la date d'hier soir est vraiment trop intéressante pour que nous ne fassions pas à cette feuille et à son éminent rédacteur tous les honneurs de la réclame.

Il paraît que la réunion de dimanche soir n'a été *qu'un four gigantesque et pyramidal*; c'est M. I. Guerin qui écrit cela et il faut l'en croire sur parole.

Mais d'abord, direz-vous, M. Guérin était-il présent à la séance ? Pas le moins du monde; seulement, cet homme étant porteur d'un binocle perfectionné a le don de double vue : il est à la fois ici et ailleurs. Cette faveur de la science sert même considérablement son naturel prudent ; tandis que nous allons en réunion publique nous mettre à la disposition des électeurs, M. Guérin, les pieds sur ses chenêts, regarde tranquillement bouillir son pot au feu. Mais c'est ici précisément que se manifeste toute la puissance de son imagination. En voyant bouillir le potage, il se figure être en présence du flot grossissant des fureurs populaires ; le pétillement de la flamme lui représente les interruptions dont on bombarde là-bas ses adversaires, et il les voit bientôt « écumer » de rage et d'impuissance.

Alors, inspiré par cet émouvant spectacle, il se dirige vers son bureau, prend sa meilleure plume et raconte, sans désemparer, les luttes terribles dont il vient d'être le témoin.

Dans un article du *Progrès lexovien*, Henry Chéron lance ses invectives contre Isidore Guérin : il s'est permis de critiquer une réunion politique de gauche à laquelle il n'a même pas assisté.

UN AMI DU PEUPLE

Les répliques de M. le rédacteur en chef du *Progrès*, à notre adresse, dépourvues de ce calme et de cette possession de soi-même, qui doivent être la première qualité de celui *qui se destine à commander aux foules*, nous dépeignent l'emballement du coursier piqué par un frêlon.

Au moindre obstacle, il se cabre, à la plus petite contradiction, il s'irrite ; il devrait cependant savoir que les hommes d'ordre et sensés qui, Dieu merci, forment encore l'immense majorité de la population lexovienne, ne sont pas disposés à se laisser entraîner sans résistance dans la politique de casse-cou, où sa juvenile ardeur l'emporte étourdiment.

Si nous ne partageons pas les convictions d'un grand nombre de nos concitoyens, nous rendons cependant hommage à leur modération, et de concert avec eux, nous repousserons avec énergie les menées turbulentes de tous les politiciens sans lest, véritables hannetons bourdonnant dans un tambour, qui inconsciemment peut-être, parviendraient à jeter le trouble dans notre cité.

Comme par le passé, nous eussions répondu par un dédaigneux silence à la dernière élucubration du *Progrès*, s'il ne s'était permis de dénaturer nos paroles et de nous attribuer des intentions et des sentiments que nous repoussons avec indignation, en notre nom et en celui de la rédaction du *Normand* et de nos lecteurs.

Le samedi suivant, 30 janvier 1892, en première page du journal *Le Normand*, M. Guérin répond aux attaques de Henry Chéron.

que jamais, M. Guérin devient un notable lexovien. Membre, depuis 1869, du Cercle littéraire, il apporte régulièrement son concours au journal conservateur et monarchiste de Lisieux, Le Normand. *En octobre 1891, Henry Chéron, son ancien stagiaire, écrit dans le journal radical qu'il a fondé,* Le Progrès lexovien, *un article particulièrement injurieux à l'égard de Léon XIII. C'en est trop ! M. Guérin riposte violemment et se lance à fond dans la bataille.* Le Normand *est prêt à sombrer ? Il décide de le renflouer financièrement et accepte d'en rédiger régulièrement l'éditorial. Une tâche qu'il assume jusqu'en 1896. Les nombreux articles signés de lui (soixante-quatorze pour la seule année 1893) abordent toute la gamme des problèmes que soulèvent la situation intérieure de la France et les événements internationaux. Sans devenir vraiment « démocrate », M. Guérin accepte néanmoins les directives de Léon XIII sur le ralliement des catholiques français à la République. Il résume en ces termes l'enseignement du pape : « Acceptez franchement, loyalement, sans arrière-pensée, la forme de gouvernement établie, mais combattez par tous les moyens légaux la législation antichrétienne. » Le polémiste n'en oublie pas pour autant les devoirs et les joies du foyer. L'été, M. et Mme Guérin sont heureux de partir pour La Musse avec leurs deux filles, leurs deux nièces, Léonie et Céline, et M. Martin, leur beau-frère, qui terminera d'ailleurs ses jours là-bas le 29 juillet 1894. Le 1er octobre 1890, Jeanne Guérin, l'aînée de leurs filles, a épousé Francis La Néele, pharmacien à Caen et docteur en médecine. Le foyer n'aura pas d'enfants. Le 15 août 1895, Marie, la seconde, rejoindra ses cousines au carmel de Lisieux et y prendra le nom de sœur Marie de l'Eucharistie.*

Quand le père Alexis arrive le jeudi 8 octobre 1891 au carmel de Lisieux pour y donner la retraite annuelle, Thérèse s'attend au pire : la réputation du franciscain n'est pas fameuse. Il s'y entend fort bien, dit-on, pour convertir les grands pécheurs, mais il semble beaucoup moins qualifié pour comprendre les contemplatives.

Thérèse redoute d'autant plus son enseignement qu'elle est très impressionnée depuis plusieurs mois par une parole entendue au cours d'un sermon : « Personne ne sait s'il est digne d'amour ou de haine. » Les instructions du père franciscain ne risquent-elles pas de réveiller ses scrupules ? Pour y échapper, Thérèse se prépare à cette retraite par une neuvaine de prières. Et elle se rend au confessionnal avec l'idée bien arrêtée de ne pas dire grand-chose au père Alexis : elle a tant de mal à exprimer ses « dispositions intimes ».

Or, contre toute attente, Thérèse se sent comprise et même devinée : « Mon âme était comme un livre dans lequel le Père lisait mieux que moi-même... Il me lança à pleines voiles sur les flots de la confiance et de l'amour qui m'attiraient si fort mais sur lesquels je n'osais avancer... Il me dit que mes fautes ne faisaient pas de peine au bon Dieu, que, tenant sa place, il me disait de sa part qu'Il était très content de moi. »

Du coup, pour la première fois de sa vie, Thérèse a grande envie d'aller revoir le prédicateur avant le deuxième tour des confessions.

L'usage était en effet que les carmélites se confessent deux fois : en début de retraite et vers la fin. Elles avaient en outre la possibilité de le rencontrer au cours de la semaine. Malheureusement, mère Marie de Gonzague conseille à ses sœurs de ne pas aller consulter un religieux qui semble ne pas bien comprendre la vie carmélitaine ! Thérèse obéit à la lettre à la recommandation — injustifiée — de sa prieure. Obéissance d'autant plus méritoire que, seconde

Photo de fin mars-début avril 1896

Thérèse avait sans doute ce regard étonné lorsque le père Alexis lui parlait.

sacristine, elle entend le prédicateur aller et venir dans la sacristie extérieure, tout en récitant son bréviaire. Il attend la visite éventuelle d'une religieuse. Elle n'aurait qu'un mot à dire pour rejoindre le père au confessionnal. Elle ne le fait pas.

Nous savons néanmoins qu'à la fin de la retraite, lorsque vint son tour de rencontrer une seconde fois le prédicateur — c'était pendant le repas de 11 heures — Thérèse ne se priva pas de rester longtemps au confessionnal. La mère prieure ne pouvait pas le lui interdire ! Sœur Agnès eut beau l'avertir qu'au réfectoire mère Marie de Gonzague semblait s'impatienter de la voir s'attarder si longuement au confessionnal, Thérèse prit tout son temps pour dialoguer avec celui qui la comprenait si bien.

*Quand parut en 1898 la première édition de l'*Histoire d'une âme, *le père Alexis — devenu supérieur du couvent de Caen — en reçut un exemplaire. Délicatement, mère Agnès de Jésus avait coché en marge les passages où, sans qu'il fût nommé, il était question de lui.*

Le père apprécia le livre, mais ne fit jamais la moindre allusion à l'influence qu'il avait exercée sur la vie spirituelle de la carmélite. Quand on lui disait qu'il avait dû la rencontrer, il se contentait de répondre : « C'est la plus sainte âme que j'aie jamais vue, c'est certainement une grande sainte ! » Volontiers il ajoutait : « Ah ! la pauvre petite, comme elle s'illusionnait sur mon compte ! »

A peine entrée
dans le confessionnal,
je sentis mon âme se dilater

Le père Alexis Prou (1844-1914)

Originaire du diocèse de Nantes, le jeune Alexis est toujours le premier de sa classe au Petit Séminaire. Au Grand Séminaire, on le choisit pour la solennelle soutenance de thèse en fin d'année. A vingt-cinq ans, il entre chez les franciscains — les récollets, comme on disait alors. Ordonné prêtre le 29 juin 1871 en la cathédrale de Bayeux, il exerce son ministère sur un triple plan : missions paroissiales, prédication aux communautés religieuses, animation des Fraternités franciscaines. De 1887 à 1898, il écrit maints articles pour les *Annales du Tiers-Ordre* : il y parle souvent de la confiance et de l'abandon que l'enfant de Dieu doit avoir vis-à-vis de son Père.
Pendant un quart de siècle, il évangélise la Bretagne et la Normandie : ses sermons sont minutieusement préparés, intégralement écrits, souvent remis sur le chantier. Son émotion, ordinairement contenue, se donne libre cours lorsqu'à la suite du Poverello il parle de l'Amour qui n'est pas aimé. Alors, on dit de lui : « Il prêche à feu et à sang. »

vos inquiétudes. Dieu le veut
& je l'ordonne. Croyez moi
sur parole : Jamais, jamais,
Jamais vous n'avez fait un seul
péché mortel. Allez vite vous
prosterner devant le Tabernacle pour remercier N.S.
Endormez-vous tranquille et
sereine entre les bras de Jésus.

Il arrivera encore à Thérèse
d'être en proie à des scrupules,
témoin cette lettre que le père Pichon
lui adresse le 20 janvier 1893,
plus d'un an après sa rencontre libératrice
avec le père Prou

Durant l'hiver très rigoureux de 1891-1892, la mort s'abat sur le carmel. C'est d'abord mère Geneviève de Sainte-Thérèse qui décède à quatre-vingt-sept ans, le 5 décembre 1891, après une dure agonie. La fondatrice venait de fêter ses soixante ans de vie consacrée. Dès son entrée, Thérèse avait été frappée par la sérénité de cette religieuse de quatre-vingt-trois ans. Elle avait noté sur un cahier les souvenirs qu'elle avait recueillis d'elle. « C'est une grâce inappréciable, écrit-elle, d'avoir connu notre sainte Mère Geneviève et de vivre avec une sainte, non point inimitable, mais une sainte sanctifiée par des vertus cachées et ordinaires. Jésus vivait en elle et la faisait agir et parler. Ah ! cette sainteté-là me paraît la plus vraie, la plus sainte, et c'est celle que je désire, car il ne s'y rencontre aucune illusion. » Cette mort, la première à laquelle elle assiste au carmel, lui paraît ravissante. *A la dérobée, Thérèse recueille la dernière larme de celle dont elle veut suivre les traces. Quelque temps plus tard, elle rêve que mère Geneviève lui dit : « A vous, je laisse mon cœur ! »*

Portrait de mère Geneviève peint par Céline en 1888

Le cœur de mère Geneviève

Pendant trois semaines, les carmélites de Lisieux vécurent dans la crainte qu'on ne les autorisât point à inhumer leur fondatrice dans leur chapelle (voir p. 185). Aussi demandèrent-elles au Dr de Cornière de prélever le cœur de mère Geneviève pour qu'elles puissent, en tout état de cause, vénérer une relique insigne de celle qu'elles considéraient toutes comme une sainte.

A l'âge de 17 ans M.G. alla pour la première fois au
Carmel, je ne sais si c'était pour parler de sa vocation
mais ce n'était pas certainement pour demander à entrer je crois
que c'était afin de remercier Mr Dulys de sa protection. Elle
vit plusieurs Mères, je crois que c'est au tour et non pas au
parloir. L'une d'elle lui dit Mademoiselle quel âge avez-vous.
— O madame je suis bien vieille j'ai 17 ans.
M. Geneviève devait avoir environ 20 ans quand son entrée fut décidée

Le dernier des vingt-quatre feuillets sur lesquels Thérèse a noté les souvenirs de mère Geneviève.
Ici, elle raconte les premiers contacts qu'elle avait pris, à l'âge de dix-sept ans, avec le carmel de Poitiers.

Le bon Dieu a voulu que je vive avec une sainte sanctifiée par des vertus cachées et ordinaires

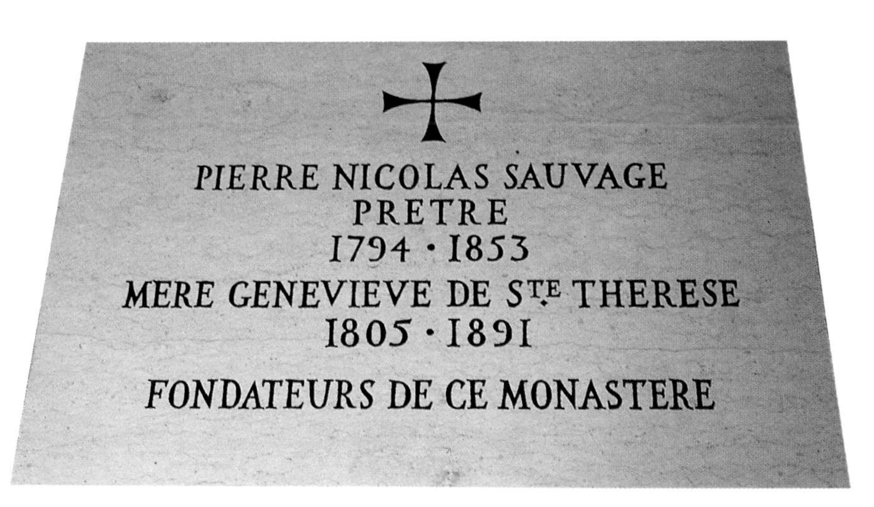

Pierre tombale qui se trouve dans le sanctuaire du carmel

Sous la Troisième République, les municipalités n'accordaient qu'à titre exceptionnel les inhumations en clôture. La dernière en date au carmel de Lisieux s'était faite en 1877. Il fallut une intervention de Paul-Louis Target, député du Calvados et collaborateur de M. Guérin au journal *Le Normand*, pour enterrer la fondatrice du carmel aux côtés de l'abbé Sauvage, constructeur de la chapelle (voir p. 100). L'autorisation mit du temps à parvenir : l'inhumation de la fondatrice du carmel ne put se faire que le 23.

Mère Geneviève, fondatrice du carmel de Lisieux, vient de mourir. Thérèse est chargée de disposer auprès du cercueil de la défunte les bouquets de fleurs qui arrivent de toutes parts.
Sœur Saint-Vincent-de-Paul, qui la regarde depuis un moment, s'écrie soudain : « Vous savez bien mettre au premier rang les couronnes envoyées par votre famille et vous mettez en arrière les bouquets des pauvres. » Sans doute avait-elle aperçu parmi ceux-ci le bouquet offert par son frère aîné, Louis, qui travaillait alors à la construction du bâtiment des sœurs tourières. Très doucement, Thérèse lui répond : « Je vous remercie, ma sœur, vous avez raison. Je vais mettre en avant la croix de mousse envoyée par les ouvriers. C'est là qu'elle va bien faire. Je n'y pensais pas ! »

A peine mère Geneviève est-elle enterrée que l'influenza, qui ravage alors la France, s'abat sur la communauté. Coup sur coup meurent la doyenne (quatre-vingt-deux ans) le jour des dix-neuf ans de Thérèse (2 janvier 1892), la sous-prieure (le 4) et une sœur converse qu'elle trouve morte dans sa cellule (le 7).
Toute la communauté est alitée, à l'exception de trois jeunes sœurs : Marie du Sacré-Cœur, Marthe et Thérèse. La vie commune est complètement désorganisée : plus de sonneries, plus d'offices, plus de repas en commun au réfectoire. Thérèse s'active posément : elle ensevelit les mortes, soigne les malades, prépare les enterrements. Le supérieur, M. Delatroëtte, est obligé de constater la force d'âme avec laquelle la benjamine fait face à la situation. « Elle est, dit-il désormais, une grande espérance pour la communauté. »
Il n'est plus question ces jours-là d'aller sans cesse déranger la prieure pour lui demander une permission. Thérèse en profite pour communier tous les jours. L'un de ses grands désirs !

Jésus est là dans le tabernacle exprès pour toi

Sœur Fébronie de la Sainte-Enfance (1819-1892)

Née à Paris, Marie-Julie Malville perd sa mère à l'âge de cinq ans. Son père est tailleur. Il se remarie et s'installe à Lisieux. La jeune fille est reçue au carmel par la fondatrice, mère Élisabeth, alors que celle-ci se meurt. C'est mère Geneviève qui l'accueille en clôture le 15 janvier 1842.
Avec ses soixante-huit ans passés, mère Fébronie fait figure d'ancienne à l'entrée de Thérèse. Elle est alors sous-prieure, une charge qu'elle occupera jusqu'à sa mort. La sous-prieure a tôt fait de voir clair dans l'âme de la postulante, témoin ce dialogue rapporté par Thérèse elle-même. Celle-ci éprouve alors de la difficulté à s'ouvrir à sœur Marie des Anges, sa maîtresse des novices : « Une bonne vieille mère comprit un jour ce que je ressentais ; elle me dit en riant à la récréation : Ma petite fille, il me semble que vous ne devez pas avoir grand-chose à dire à vos supérieurs. — Pourquoi, ma Mère, dites-vous cela ? — Parce que votre âme est extrêmement simple, mais quand vous serez parfaite, vous serez encore plus simple ; plus on s'approche du bon Dieu, plus on se simplifie. »
Sous-prieure, sœur Fébronie avait le souci que les religieuses de la communauté suivent parfaitement la Règle. Elle était d'ailleurs elle-même un modèle de silence et de piété. Et elle pensait qu'à force d'exalter la miséricorde du Seigneur, la jeune sœur Thérèse oubliait un peu trop sa justice. Un jour, elles se mirent à en discuter entre elles. A bout d'arguments, Thérèse finit par lui dire : « Ma sœur, vous voulez de la Justice de Dieu, vous aurez de la Justice de Dieu. L'âme reçoit exactement ce qu'elle attend de Dieu. »
Sœur Fébronie fut atteinte par l'influenza de l'hiver 1891-1892. Elle mourut le 4 janvier. Le 15, elle aurait fêté le cinquantième anniversaire de son entrée au carmel.

Tabernacle qui surmontait le maître-autel du temps de Thérèse et qui se trouve aujourd'hui dans la sacristie du carmel

Chaque jour, Thérèse passe de longues heures dans la chapelle de son monastère : le tabernacle est vraiment le pôle de sa vie contemplative. Elle se montre ici encore une vraie fille de Thérèse d'Avila. Quand la Madre travaillait à l'installation d'une nouvelle communauté dans une cité espagnole, elle avait hâte que le Saint Sacrifice de la messe y fût offert. Dès que la messe avait été célébrée et le Saint-Sacrement déposé au tabernacle, elle estimait qu'un nouveau carmel était fondé.

A l'époque de Thérèse, images et sermons représentent à l'envi Jésus comme Celui qui, par amour, s'enferme derrière la porte des tabernacles. Le Divin Prisonnier attend en retour que l'âme fidèle Lui rende visite, Lui dise merci et soit heureuse de vivre, elle aussi, humble et cachée. Un idéal particulièrement cher au cœur d'une carmélite. A l'exemple de Jésus-Hostie, elle veut vivre, derrière les grilles de son monastère, en « prisonnière d'amour ».

Thérèse n'est pas celle qui reste le plus longtemps à la chapelle. La « championne » en ce domaine est une sœur du « voile blanc », sœur Saint-Vincent-de-Paul.

Jésus se voile par amour

Une chaîne relie la colombe au cœur de l'Enfant-Jésus et le cœur du chrétien au ciboire. Le fidèle est invité à penser au Divin Prisonnier du tabernacle, à L'aimer, à Le prier, mais on ne l'exhorte pas à s'approcher de la Sainte Table. Cette omission reflète bien la piété eucharistique de l'époque, qui insiste beaucoup plus sur l'adoration du Très Saint-Sacrement que sur la communion (voir p. 192).

Sœur Saint-Stanislas avait offert cette image le 15 janvier 1896, à l'occasion du cinquantième anniversaire de sa prise d'habit. En la recevant, Thérèse pensa certainement au geste qu'elle avait fait un jour où elle était chargée de nettoyer l'autel du sanctuaire. Un geste qu'avait surpris sœur Marthe qui se trouvait avec elle dans la chapelle pour l'aider dans son travail. Assise sur l'autel, elle avait frappé à la porte du tabernacle en murmurant : « Jésus, tu es là ? »
Le texte imprimé au verso de l'image présente comme modèle l'enfant qui frappe avec insistance à la porte du Divin Prisonnier pour obtenir la conversion de son père incrédule.

Sœur Saint-Vincent-de-Paul
(1841-1905)

Née à Cherbourg en 1841, la petite Zoé porte bien son nom : toute jeune, c'est une enfant pleine de vie, insouciante et espiègle. Hélas, le choléra s'abat sur la Normandie en 1832 et atteint Cherbourg en 1849. En quarante-huit heures, l'enfant perd son père et sa mère. Élevée à Caen chez les sœurs de Saint-Vincent-de-Paul, elle y devient une excellente brodeuse. Elle entre au carmel en 1863 à vingt-deux ans.
De santé fragile et de très petite taille, elle est ardente à la tâche. C'est aussi une véritable encyclopédie. On la taquine volontiers pour la tranquille assurance avec laquelle elle se croit autorisée à parler de tout. Mais sa voix est loin d'être juste : elle provoque un rire irrésistible quand elle entonne le *Gloria Patri* de sa voix tonitruante. C'est parfois en pleine séance de lessive ! En revanche, elle édifie toute la communauté par les longs moments qu'elle passe devant le Très Saint-Sacrement — coutume qu'elle a prise chez les sœurs de Saint-Vincent-de-Paul.
Quand Thérèse entre au carmel, sœur Saint-Vincent-de-Paul semble prendre un malin plaisir à humilier cette petite bourgeoise qui ne lui semble pas assez dégourdie dans les travaux manuels. « Grande biquette », la surnomme-t-elle — façon très claire de lui faire sentir qu'elle travaille trop lentement. Quand Thérèse arrive à la lessive, elle dit bien haut : « Voyez-la venir ! Elle ne se presse vraiment pas ! Quand va-t-elle commencer à travailler ? » Thérèse souffre évidemment de ces « piqûres d'épingle », mais ne fait rien paraître. C'est Jésus qui lui réclame un nouveau sacrifice. Aussi ne manque-t-elle pas de sourire à sœur Saint-Vincent-de-Paul lorsqu'elle arrive à la buanderie.
Thérèse est sans rancune. Quatre fois, sœur Saint-Vincent-de-Paul lui réclame une poésie : chaque fois Thérèse s'exécute. Connaissant la piété eucharistique de cette sœur converse, elle y exprime comment elle vit elle-même sa relation au Divin Prisonnier du tabernacle.

Je puis tout obtenir

Thérèse est convaincue de la valeur apostolique de sa prière devant le tabernacle. Elle n'oublie pas la résolution qu'elle a prise une fois pour toutes, en juillet 1887, devant une image de Jésus crucifié : se tenir en esprit au pied de la Croix, afin de recueillir précieusement le sang de Jésus et l'offrir à Dieu pour le salut des pécheurs (voir p. 77).

L'image conjugue le symbolisme de l'agneau avec celui du pélican

Du côté transpercé de l'Agneau de Dieu coulent des fleuves d'eau vive capables de purifier et de diviniser les cœurs les plus endurcis. Thérèse connaît aussi l'utilisation liturgique faite de la légende du pélican qui « se perce les flancs pour nourrir ses enfants ». Chaque fois qu'elle récite l'*Adoro te*, elle dit à Jésus qu'une seule goutte de son sang peut sauver le monde entier.

Poème eucharistique composé à la demande de sœur Saint-Vincent-de-Paul

Thérèse y chante dans la deuxième strophe la mystérieuse fécondité des heures d'oraison qu'elle passe devant le Très Saint-Sacrement. En se laissant inonder par les torrents de grâces que le Seigneur répand sur elle, elle en fait bénéficier toute l'Église.
En embrasant son cœur d'amour, Dieu lui communique aussi sa joie — un avant-goût de la joie du paradis. Le 15 mai 1897, Thérèse avouera : « Je ne vois pas bien ce que j'aurais de plus après la mort que je n'aie déjà en cette vie. Je verrai le bon Dieu, c'est vrai ! Mais pour être avec Lui, j'y suis déjà tout à fait sur la terre ». Cette joie, Thérèse la vit dans l'obscurité de la foi. Une obscurité qui est devenue depuis deux mois une véritable « épreuve ». Sœur Saint-Vincent-de-Paul ne se doute évidemment pas de l'héroïsme qui se cache derrière le sixième vers du poème. Quelques semaines avant la mort de Thérèse, elle dira encore d'elle : « C'est une gentille petite sœur, mais que pourra-t-on dire d'elle après sa mort ? Elle n'a rien fait. »

J. M. J. T.

Fête du St Sacrement 7 Juin 1896.

(Air : Dieu de paix et d'amour)

Mon Ciel à Moi !...

Pour supporter l'exil de la vallée des larmes
Il me faut le regard de mon Divin Sauveur
Ce regard plein d'amour m'a dévoilé ses charmes
Il m'a fait pressentir le Céleste bonheur
Mon Jésus me sourit quand vers Lui je soupire
Alors je ne sens plus, l'épreuve de la foi
Le Regard de mon Dieu, son ravissant Sourire
Voilà mon Ciel à moi !...

Mon Ciel est de pouvoir attirer sur les âmes
Sur l'Eglise ma mère et sur toutes mes sœurs
Les grâces de Jésus et ses Divines flammes
Qui savent embraser et réjouir les cœurs.
Je puis tout obtenir lorsque dans le mystère
Je parle cœur à cœur avec mon Divin Roi
Cette douce Oraison tout près du Sanctuaire
Voilà mon Ciel à moi !...

Mon Ciel, il est caché dans la petite Hostie
Où Jésus, mon Epoux se voile par amour
A ce Foyer Divin je vais puiser la vie
Et là mon Doux Sauveur m'écoute nuit et jour
« Oh ! quel heureux instant lorsque dans ta tendresse
« Tu viens mon Bien Aimé, me transformer en toi
« Cette union d'amour, cette ineffable ivresse
« Voilà mon Ciel à moi !... »

Mon Ciel est de sentir en moi la ressemblance
Du Dieu qui me créa de son Souffle Puissant
Mon Ciel est de rester toujours en sa présence
De l'appeler mon Père et d'être son enfant
Entre ses bras Divins, je ne crains pas l'orage
Le total abandon voilà ma seule loi
Sommeiller sur son Cœur, tout près de son Visage
Voilà mon Ciel à moi !...

Mon Ciel je l'ai trouvé dans la Trinité Sainte
Qui réside en mon cœur prisonnière d'amour
Là contemplant mon Dieu, je lui redis sans crainte
Que je veux le servir et l'aimer sans retour.
Mon Ciel est de sourire à ce Dieu que j'adore
Lorsqu'Il veut se cacher pour éprouver ma foi
Souffrir en attendant qu'Il me regarde encore
Voilà mon Ciel à moi !...

(Pensées de Son St Vincent de Paul mises en vers par sa toute petite sœur Thérèse de l'Enfant Jésus)

Tu viens me transformer en toi

Si Jésus a inventé l'Eucharistie, ce n'est pas pour rester dans un ciboire doré ; c'est, répète Thérèse, afin de se donner à nous et de nous transformer en Lui. Aussi souffre-t-elle de ne pouvoir communier que quatre fois par semaine. A la fin du siècle dernier, en effet, les religieuses devaient demander à leur supérieure la permission de communier : elles n'obtenaient pratiquement jamais la permission de la communion quotidienne, car il eût été délicat pour une prieure d'accorder ce « privilège » à certaines, tout en le refusant à d'autres. Afin de remédier à cet inconvénient, le pape Léon XIII avait transféré aux aumôniers des communautés religieuses le « pouvoir » de donner cette autorisation, quand ils la jugeaient opportune. L'abbé Youf, aumônier du carmel de Lisieux, aurait donc pu permettre à Thérèse de communier tous les jours, mais il n'a jamais osé le faire, par peur de déplaire à mère Marie de Gonzague. « Quand je pense, confia-t-il un jour au père Lemonnier, que je n'ai pas la liberté de permettre la communion quotidienne à cette religieuse si parfaite ! »

Elle aussi a passé par le martyre du scrupule mais Jésus lui a fait la grâce de communier quand même, alors même qu'elle croyait avoir fait de grands péchés... eh bien je t'assure qu'elle a reconnu que c'était le seul moyen de se débarrasser du démon, car quand il voit qu'il perd son temps il vous laisse tranquille...

Lettre de Thérèse à Marie Guérin, sa cousine (30 mai 1889)

Marie Guérin est en train de visiter Paris à l'occasion de l'Exposition qui s'y déroule du 23 au 31 mai. Elle confie à Thérèse les scrupules qui l'empêchent de communier, alors qu'elle en a le désir. Elle craint en effet d'avoir péché contre la pureté chaque fois que son regard s'est posé sur les « nus » qu'elle a forcément rencontrés dans les musées. « Comment veux-tu que je fasse la Sainte Communion demain et vendredi ? Je suis obligée de m'en abstenir. »

Avec fermeté Thérèse répond à sa cousine : « Va, n'écoute pas le démon, moque-toi de lui et va sans crainte recevoir le Jésus de la paix et de l'amour. » Et Thérèse d'invoquer son expérience personnelle : elle a connu, elle aussi, ce « martyre du scrupule », mais « Jésus lui a fait la grâce de communier quand même, alors qu'elle croyait avoir fait de grands péchés ».

Cette lettre est l'un des « arguments » que l'abbé de Teil présenta au pape Pie X, le 29 octobre 1910, pour éveiller son intérêt à la cause de sœur Thérèse de l'Enfant-Jésus. Le vice-postulateur se doutait qu'un texte aussi eucharistique ne pourrait que plaire au pape de la communion fréquente et de la communion des enfants. Il ne s'était pas trompé. Mais ce qui impressionna surtout le pape, ce fut la soumission toute récente de Marc Sangnier qui venait d'être condamné par le Vatican ; le fondateur du Sillon avait été bouleversé par la lecture d'*Une rose effeuillée*.

L'une des images préférées
de Thérèse

Tout en se préparant à l'« heureux moment » de la communion eucharistique, Thérèse ne le considère pas comme un instant où les « voiles disparaissent ». A la table de communion comme au tabernacle, Jésus reste voilé.
Du reste, le verso de l'image rappelle le mot d'Isaïe (45, 15) : « Vous êtes vraiment un Dieu caché. » Une parole que cite souvent Thérèse : « C'est le Dieu caché qui m'attire. »

Image que Thérèse avait reçue
de sœur Marie du Sacré-Cœur

Thérèse aimait cette image. Elle lui rappelait qu'au moment de communier elle avait toujours la possibilité d'accueillir Marie dans son âme afin de recevoir Jésus comme Il mérite de l'être. Au verso, elle pouvait d'ailleurs lire une prière de sainte Gertrude se préparant à communier en offrant à Jésus tout l'amour de sa Mère. Thérèse reprendra cette idée dans son ultime poème marial :

« Le trésor de la mère appartient à
[l'enfant
Et je suis ton enfant, ô ma Mère chérie,
Tes vertus, ton amour ne sont-ils pas à
[moi ?
Aussi lorsqu'en mon cœur descend la
[blanche Hostie,
Jésus, ton doux Agneau, croit reposer en
[toi. »

Photographie prise
dans la cour de Lourdes à la fin
de l'année 1894

Mère Agnès égrène son chapelet. Le regard de mère Marie de Gonzague — dont le visage est effacé — reste toujours aussi dominateur. Quant à Thérèse, elle se trouve prise entre l'enclume et le marteau. Elle est responsable du noviciat, sans en avoir la charge. Une situation délicate qui demande beaucoup de diplomatie.

Février 1892. Réduite à vingt-deux religieuses par suite de l'épidémie d'influenza qui vient de l'endeuiller trois fois, la communauté se remet lentement de ses émotions. Par suite des circonstances, les supérieurs décident de prolonger d'un an le second mandat de mère Marie de Gonzague et de son conseil qui devait prendre fin en février 1892.

Le 10 mai, M. Martin revient à Lisieux, après trente-neuf mois d'internement. Le 12, il revoit ses filles au parloir. Le premier depuis trois ans... le dernier. Ce jour-là, son esprit est lucide, mais il ne parle pas. Au moment de partir, il pointe son index vers le haut et arrive à dire, tout en pleurant : « Au Ciel ! »

Le malade est d'abord installé chez les Guérin, puis en juillet, rue Labbey, tout près d'eux, avec Léonie et Céline. Les deux sœurs sont aidées par une bonne et un domestique bien nécessaires, car les jambes de l'infirme ne le portent plus. Il faut le déplacer, le faire manger, ne pas le quitter. Céline pense toujours à la vie religieuse mais se consacre pour l'instant au service de son père.

Février 1893. Thérèse vient d'avoir vingt ans. Les religieuses doivent enfin choisir leur nouvelle prieure. Mère Marie de Gonzague, qui n'est plus rééligible, prépare les esprits à l'élection de sœur Agnès. Elle espère ainsi continuer à régner sur la communauté par personne interposée. Sœur Agnès, pense-t-elle, est un « agneau » suffisamment jeune et docile pour accepter de se laisser guider... Le 20, Pauline est élue, mais le secret du vote n'ayant pas été gardé, on apprend vite que les voix ont été très partagées. Très émue, la jeune prieure de trente et un ans et demi ne fait que pleurer au parloir où sa famille la félicite. Quant à Thérèse, elle est ravie, comme en témoigne le mot que, le soir même, elle écrit à sa nouvelle prieure.

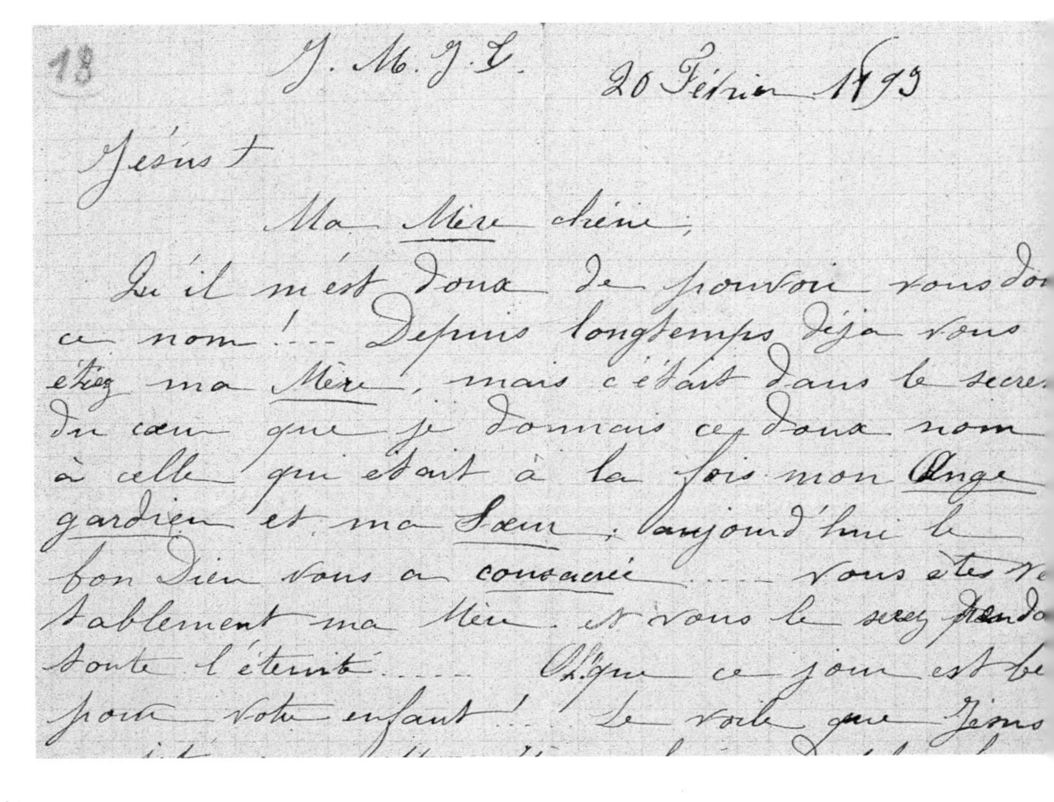

18

J. M. J. T. 20 Février 1893

Jésus †

Ma Mère chérie,

Qu'il m'est doux de pouvoir vous do
ce nom!... Depuis longtemps déjà vous
étiez ma Mère, mais c'était dans le secre
du cœur que je donnais ce doux nom
à celle qui était à la fois mon Ange
gardien et ma Sœur, aujourd'hui le
bon Dieu vous a consacrée... vous êtes vé
ritablement ma Mère et vous le serez penda
toute l'éternité.... Oh! que ce jour est be
pour votre enfant! Le voile que Jésus

Lettre adressée par Thérèse
à mère Agnès le soir même
de l'élection (20 février 1893)

Lucide, Thérèse ajoute : « Sans doute, vous souffrirez. »

Ce jour-là
Pauline devint mon Jésus vivant

Mère Agnès a du mal à s'affirmer face à la prieure sortante qui supporte difficilement de ne pas diriger, comme elle l'aurait souhaité, la nouvelle élue. Respectant la coutume de l'alternance, celle-ci nomme mère Marie de Gonzague maîtresse des novices, mais elle ose demander à sœur Thérèse de l'Enfant-Jésus de l'aider dans sa charge. Thérèse devra faire preuve de beaucoup de doigté pour ne pas heurter son ancienne prieure, toujours changeante et susceptible.

Les deux novices — deux sœurs converses — dont elle doit s'occuper ne sont pas faciles. Sœur Marthe — qu'elle connaît de longue date — a grande confiance en elle, mais la seconde, sœur Madeleine du Saint-Sacrement, arrivée depuis le 22 juillet 1892, ne s'ouvre guère : se sentant devinée par sa maîtresse des novices, elle esquive les rendez-vous que celle-ci lui propose.

La communauté réunie
en la fête du Bon-Pasteur
(28 avril 1895)

Sœur Madeleine du Saint-Sacrement

Mère Agnès tient en main la houlette du Bon-Pasteur, fleurie selon la coutume par les novices, dont c'est aussi la fête ce jour-là. En 1895, les novices sont au nombre de quatre. A la droite de Thérèse, sœur Marthe et sœur Marie de la Trinité (entrée le 16 juin 1894) ; à sa gauche, sœur Madeleine du Saint-Sacrement et sœur Geneviève (entrée le 14 septembre 1894). Celle-ci, en ce 28 avril, fête ses vingt-six ans. Dans un long poème de cinquante-cinq strophes, Thérèse invite sa sœur à s'émerveiller du regard de Jésus sans cesse posé sur elle :

« Toi dont la main soutient les mondes
Qui plantes les forêts profondes,
Toi qui d'un seul coup d'œil les rend fécondes
Tu me suis d'un regard d'amour
Toujours ! »

Ah! que je serais heureuse de pouvoir peindre!

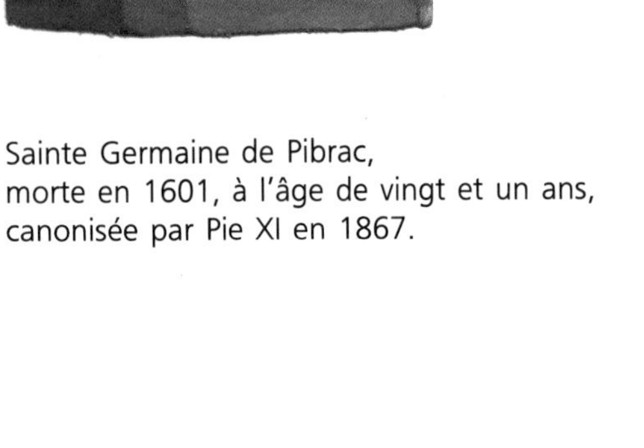

Sainte Germaine de Pibrac,
morte en 1601, à l'âge de vingt et un ans,
canonisée par Pie XI en 1867.

Chargée de s'occuper des novices, Thérèse exécute également des travaux de peinture: une « obédience » qu'elle a reçue au mois de février 1893, tout en conservant son emploi de sacristine.

Insensiblement, Thérèse commence à s'exprimer davantage en communauté. Non seulement par la peinture, mais par la poésie. Le 2 février 1893, elle a écrit son premier poème à la demande de sœur Thérèse de Saint-Augustin (voir p. 154). Bientôt, mère Agnès la chargera de composer poèmes, cantiques et saynètes de communauté, tâches qu'elle assumait jusqu'ici elle-même.

Le portrait que sœur Marie des Anges, alors sous-prieure, envoie en avril-mai 1893 à la Visitation du Mans — un parmi vingt-trois autres — exprime bien l'effet que produisait alors Thérèse sur sa communauté: « Grande et forte avec un air d'enfant, un son de voix, une expression idem, voilant en elle une sagesse, une perfection, une perspicacité de cinquante ans. Ame toujours calme et se possédant parfaitement elle-même en tout et avec toutes. Petite sainte n'y touche [sic] *à laquelle on donnerait le Bon Dieu sans confession mais dont le bonnet est plein de malice à en faire à qui en voudra. Mystique, comique, tout lui va... elle saura vous faire pleurer de dévotion et tout aussi bien vous faire pâmer de rire en nos récréations. »*

Le prophète Élie

La Piétà

Tableau que Thérèse réalisa en 1892 et qu'elle offrit à Céline. Elle prit pour modèle une image semblable qui se trouvait dans sa cellule (voir p. 119), en y ajoutant le lys d'une autre image (voir p. 154).

Détail de la pale offerte au père Roulland (voir p. 265).

Aumônières

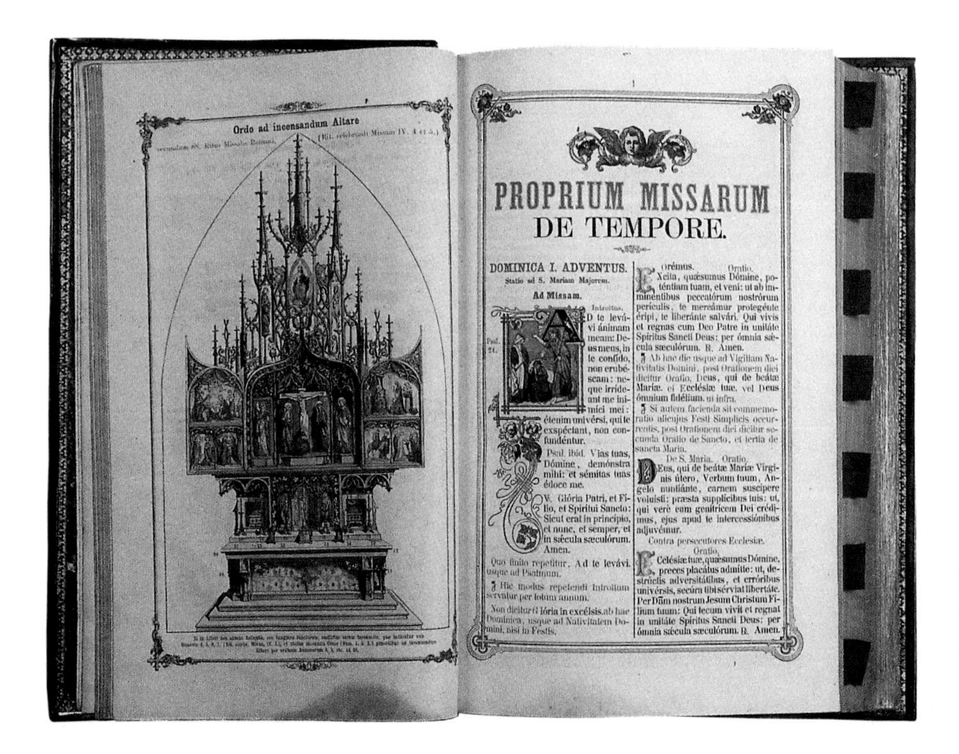

Ordo ad incensandum Altare

1

PROPRIUM MISSARUM
DE TEMPORE.

DOMINICA I. ADVENTUS.
Statio ad S. Mariam Majorem.

Ad Missam.

Introitus. Psal. 24. Ad te levávi ánimam meam: Deus meus, in te confído, non erubéscam: neque irrídeant me inimíci mei: étenim univérsi, qui te exspéctant, non confundéntur. Psal. ibid. Vias tuas, Dómine, demónstra mihi: et sémitas tuas édoce me. V. Glória Patri, et Filio, et Spirítui Sancto: Sicut erat in princípio, et nunc, et semper, et in sǽcula sæculórum. Amen.

Quo finito repetitur, Ad te levávi, usque ad Psalmum.

Hic modus repetendi Introitum servatur per totum annum.

Non dicitur Glória in excélsis, ab hac Dominica, usque ad Nativitatem Domini, nisi in Festis.

Orémus. Oratio. Excita, quǽsumus Dómine, poténtiam tuam, et veni: ut ab imminéntibus peccatórum nostrórum perículis, te mereámur protegénte éripi, te liberánte salvári. Qui vivis et regnas cum Deo Patre in unitáte Spíritus Sancti Deus: per ómnia sǽcula sæculórum. R. Amen.

Ab hac die usque ad Vigiliam Nativitatis Domini, post Orationem diei dicitur Oratio, Deus, qui de beátæ Maríæ. et Ecclésiæ tuæ. vel Deus ómnium fidélium. ut infra.

Si autem facienda sit commemoratio alicujus Festi Simplicis occurrentis, post Orationem diei dicitur secunda Oratio de Sancto, et tertia de sancta Maria.

De S. Maria. Oratio. Deus, qui de beátæ Maríæ Vírginis útero, Verbum tuum, Angelo nuntiánte, carnem suscípere voluísti: præsta supplícibus tuis: ut, qui vere eam genitrícem Dei crédimus, ejus apud te intercessiónibus adjuvémur.

Contra persecutores Ecclesiæ. Oratio. Ecclésiæ tuæ, quǽsumus Dómine, preces placátus admítte: ut, destrúctis adversitátibus, et erróribus univérsis, secúra tibi sérviat libertáte. Per Dñm nostrum Jesum Christum Filium tuum: Qui tecum vivit et regnat in unitáte Spíritus Sancti Deus: per ómnia sǽcula sæculórum. R. Amen.

Pages de missel enluminées par Thérèse

Tenture qui entourait la grille de communion (voir p. 104).

Étole

233

DOMINICA RESURRECTIONIS.

Statio ad S. Mariam Majorem.

Introitus. Psal. 138. Resurrexi, et adhuc tecum sum, allelúja: posuisti super me manum tuam, allelúja: mirábilis facta est sciéntia tua, allelúja, allelúja. Psal. ibid. Dómine probásti me, et cognovisti me: tu cognovisti sessiónem meam, et resurrectiónem meam. ℣. Glória Patri.

Oratio.

Deus, qui hodiérna die per Unigénitum tuum, æternitátis nobis áditum devícta morte reserásti: vota nostra, quæ præveniéndo adspiras, étiam adjuvándo proséquere. Per eúmdem Dóminum.

Léctio Epístolæ beáti Pauli Apóstoli ad Corínthios. 1. Cor. 5. c.

Fratres: Expurgáte vetus ferméntum, ut sitis nova conspérsio, sicut estis ázymi. Etenim Pascha nostrum immolátus est Christus. Itaque epulémur: non in ferménto véteri, neque in ferménto malítiæ, et nequítiæ: sed in ázymis sinceritátis, et veritátis.

Graduale. Ps. 117. Hæc dies, quam fecit Dóminus: exsultémus, et lætémur in ea. ℣. Confitémini Dómino, quóniam bonus: quóniam in sǽculum misericórdia ejus. Allelúja, allelúja. ℣. 1. Cor. 5. Pascha nostrum immolátus est Christus.

SEQUENTIA.

Víctimæ Pascháli laudes ímmolent Christiáni.

Agnus redémit oves: Christus innocens Patri reconciliávit peccatóres.

Mors et vita, duéllo conflixére mirándo: dux vitæ mórtuus regnat vivus.

Dic nobis María, quid vidísti in via?

Sepúlchrum Christi vivéntis: et glóriam vidi resurgéntis.

Angélicos testes, sudárium, et vestes.

Surréxit Christus spes mea: præcédet vos in Galilǽam.

Scimus Christum surrexísse a mórtuis vere: tu nobis victor Rex miserére. Amen. Allelúja.

Sequentia dicitur usque ad Sabbatum in Albis inclusive.

✠ Sequéntia sancti Evangélii secúndum Marcum. Marc. 16.

In illo témpore: María Magdaléne, et María Jacóbi, et Salóme emérunt arómata, ut veniéntes úngerent Jesum. Et valde mane una Sabbatórum véniunt ad monuméntum, orto jam sole. Et dicébant ad ínvicem: Quis revólvet nobis lápidem ab óstio monuménti? Et respiciéntes vidérunt revolútum lápidem. Erat

29

Au carmel, Thérèse a beaucoup travaillé. Elle aurait estimé ne pas être fidèle à son vœu de pauvreté en ne consacrant pas à un travail précis les moments libres dont elle disposait. La réflexion qu'elle livre quelques mois avant de mourir reflète bien sa pensée à ce sujet : « J'ai toujours besoin d'avoir de l'ouvrage de préparé ; comme cela je ne suis pas préoccupée et je ne perds jamais mon temps. »
Mais, conformément à la grande tradition monastique, Thérèse s'efforce d'accomplir sa besogne sans se laisser absorber par elle. C'est sous le regard de Dieu et pour Lui plaire qu'elle se met au travail et qu'elle le poursuit. Les conseils qu'elle donnait à ses novices allaient dans le même sens : « Vous n'êtes pas venue ici, disait-elle à sœur Geneviève, pour abattre beaucoup de besogne. Il ne faut pas non plus travailler pour réussir. Vous occupez-vous, en ce moment, de ce qui se passe dans les autres carmels ? Si les religieuses sont pressées ou non ? Leurs travaux vous empêchent-ils de prier, de faire oraison ? Eh bien, vous devez vous exiler de même de votre besogne personnelle, y employer consciencieusement le temps prescrit, mais avec dégagement de cœur. »

Image dont les anges servirent de modèle à Thérèse pour sa fresque de l'Oratoire

La tunique du Christ vénérée à Argenteuil

On aperçoit le quadrillé réalisé par Thérèse sur l'image afin de faciliter la reproduction des deux anges. On les retrouve en bas de la fresque tenant une inscription : « Si vous connaissiez le don de Dieu. »

Juin 1893. Thérèse est chargée de peindre une fresque sur le mur de l'Oratoire des malades, situé à gauche du sanctuaire. La fresque de Thérèse entoure le tabernacle où l'aumônier déposait l'ostensoir les jours d'adoration du Très Saint-Sacrement. C'est devant cette fresque que sœur Marie de la Trinité prononcera son acte d'offrande à l'Amour miséricordieux, aux côtés de Thérèse, le 1er décembre 1895.

La fresque de l'Oratoire

Deux fois retouchée par Céline, la fresque actuelle est assez semblable à celle que Thérèse réalisa en 1893.

Sainte Cécile et saint Valérien couronnés par un ange
Image utilisant la reproduction photographique du tableau du Dominiquin conservé dans la sacristie de la basilique Sainte-Cécile à Rome. La photographie avait été envoyée en janvier 1897 par un ami de la famille Martin, le frère Siméon, des Écoles chrétiennes

La légende raconte qu'après son baptême Valérien retrouva Cécile, son épouse, en train de prier. A ses côtés se tenait un ange tenant en main deux couronnes. L'ange offrit l'une à Cécile et l'autre à Valérien, en leur disant qu'elles ne pourraient être vues que par ceux qui vivraient comme eux dans la chasteté. Thérèse aimait comparer son amitié pour Céline à celle qui unissait Cécile et Valérien. Aussi appelait-elle volontiers sa sœur : « Mon petit Valérien ».

Depuis l'été 1893, Thérèse est chargée d'aider sœur Saint-Raphaël à la porterie. Un emploi où les occasions d'exercer sa patience ne manquent pas. Mais Thérèse n'oublie pas la fécondité de ces petits riens que l'on rencontre inévitablement dans une vie communautaire. Comme elle l'écrit à Céline, si nous restons fidèles à « Lui faire plaisir dans les petites choses, Lui se trouvera obligé de t'aider dans les grandes ». On est en avril 1894. Les jours de M. Martin sont comptés. L'heure va bientôt sonner pour Céline de se consacrer à Dieu. Thérèse exhorte vivement sa sœur à rester fidèle à sa vocation.

Sœur Saint-Raphaël du Cœur-de-Marie (1840-1918)

On ignore presque tout de l'enfance et de la jeunesse de Stéphanie Gayat. On sait seulement que son père, originaire de Honfleur, avait été tourneur sur bois avant d'être tonnelier et que sa mère était rempailleuse de chaises à Ingouville, la commune qui surplombait alors le port du Havre tout enserré dans ses remparts. Quand elle entre au carmel de Lisieux à vingt-huit ans, on achève le bâtiment dit « du Cœur-de-Marie » (voir p. 286). Sa dot arrive à point : elle permet d'éponger en partie les factures de la construction. Et l'on imagine aisément la jeune novice heureuse d'ajouter ce vocable marial à son nom angélique.
Quand Thérèse est nommée « seconde portière » à l'été 1893, elle doit déployer des trésors de patience à l'égard de sœur Saint-

La redondance de l'adjectif n'est pas signe de mièvrerie, mais l'expression de la « grande » découverte que Thérèse est en train de faire (voir p. 230). Il faut expérimenter et accepter sa petitesse, si l'on veut bénéficier de toutes les libéralités du Seigneur. En lui envoyant cette image, Thérèse écrit à sa sœur : « Voilà bien le caractère de Jésus : Il donne en Dieu, mais Il veut l'humilité du cœur. » Au centre de l'image qu'elle a dessinée et calligraphiée, Thérèse a collé un sujet qu'elle affectionne : l'Enfant-Jésus apparaît à Thérèse d'Avila en lui disant : « Je suis le Jésus de Thérèse » (voir p. 132). Le même jour Thérèse offre à sa sœur un poème qu'elle a composé en l'honneur de sainte Cécile, sa « sainte de prédilection ». En elle sont réunis les privilèges que Thérèse estime le plus : virginité, zèle apostolique, martyre. Mais, par-dessus tout, Cécile s'est abandonnée avec une entière confiance entre les mains du Seigneur. Elle a osé espérer que ses désirs les plus intimes seraient exaucés : « Valérien, que je viens d'épouser, se convertira et respectera mon vœu de virginité. »

Image minuscule (4,6 × 6,9 cm) offerte par Thérèse à Céline pour son vingt-cinquième anniversaire (28 avril 1894)

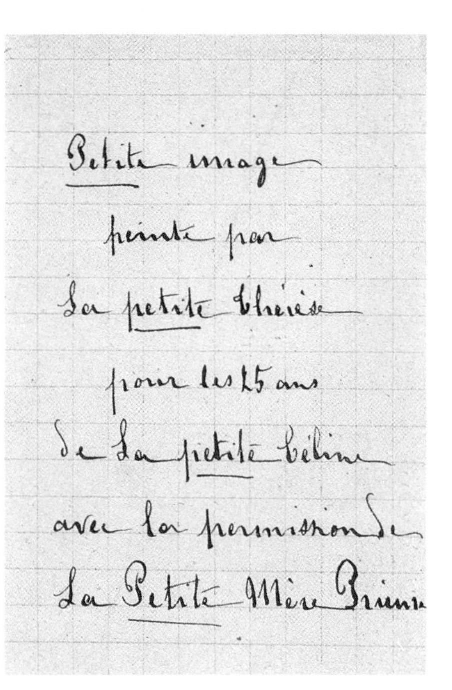
Petite image
peinte par
la petite thérèse
pour les 25 ans
de la petite Céline
avec la permission de
la Petite Mère Prieure

Lui faire plaisir dans les petites choses

Raphaël qui dirige l'office de la porterie. « Il faut tout faire d'une certaine manière et ne pas se presser, poser le balai comme ceci, un papier comme cela, une boîte ainsi sur le côté, cette autre toujours à plat. » Pendant trois ans, jusqu'en mars 1896, Thérèse supporte avec le sourire ces manies innocentes. Trois hivers de suite, elle accepte aussi les soins que sa « première d'emploi » entreprend de lui donner. Pour guérir ses engelures, sœur Saint-Raphaël croit bon d'entourer d'ouate tous ses doigts. A un moment, Thérèse se retrouve avec les doigts tellement enveloppés que seul le bout du petit doigt émerge de toutes ces « poupées » !

Sœur Saint-Raphaël — élue troisième conseillère de la communauté en février 1893 — fait un jour remarquer « qu'on perdait la santé de cette enfant-là en ne la servant pas suffisamment au réfectoire ». Mais, ô ironie, dans le même temps, elle s'adjuge innocemment la petite bouteille de cidre — à peine deux verres — placée entre elle et Thérèse. Celle-ci se prive de boire pour ne pas contrister sa voisine diabétique.

Un jour, sœur Marie de la Trinité vient se plaindre auprès de sa maîtresse des novices : elle est horripilée par les discours « édifiants » de sœur Saint-Raphaël. « Il faut adoucir votre cœur d'avance, lui répond Thérèse. Après cela on pratique la patience comme naturellement. » Thérèse exhortait ses novices à ne pas oublier le diabète dont elle souffrait. « Soyez bien douce avec elle, disait-elle, elle est malade. »

Après la mort de Thérèse s'amorce chez elle un affaiblissement mental qui la fait retomber peu à peu en enfance. Une sorte de paralysie des jambes freine son activité. En août 1918, une crise grave l'oblige à s'aliter. Elle meurt quelques jours plus tard.

Le 16 juin 1894, Marie-Louise Castel, la plus jeune novice dont se soit occupée Thérèse, arrive au carmel. Née en 1874 à Saint-Pierre-sur-Dives, dans le Calvados, elle avait passé sa jeunesse à Paris où son père, ancien instituteur, s'était mis à la disposition de l'abbé Roussel pour faire connaître par des conférences l'Œuvre qu'il avait fondée en faveur des enfants abandonnés de la capitale — œuvre qui sera reprise et développée en 1923 par le père Brottier. Marie-Louise avait déjà fait un essai de vie religieuse à Paris, au carmel de l'avenue de Messine; elle y avait pris l'habit sous le nom de sœur Marie-Agnès de la Sainte-Face, mais sa santé l'avait obligée à quitter le monastère en 1893. L'année suivante, elle est acceptée à Lisieux. Thérèse est tout heureuse de son arrivée. Enfin une novice plus jeune qu'elle! Mais son intégration dans la communauté de Lisieux est difficile. Ses allures délurées de « petite Parisienne » ne font pas très sérieux. La veille de son entrée rue de Livarot, n'est-elle pas allée faire un tour de manège à la foire de Lisieux! La nouvelle novice a beaucoup de mal à acquérir cette modestie du regard et des gestes que l'on considère alors comme l'une des marques distinctives d'une carmélite. Loin de garder les yeux baissés au réfectoire ou dans ses déplacements, elle aime fureter. Thérèse ne ménage pas sa peine pour aider sa novice à progresser; elle sait aussi plaider sa cause auprès des sœurs de la communauté qui supportent difficilement son tempérament impétueux. « Que de bon cœur je donnerais ma vie, lui dit-elle souvent, pour que vous soyez carmélite! »

Je donnerais ma vie pour que vous soyez carmélite!

Thérèse et sa plus jeune novice, sœur Marie de la Trinité et de la Sainte-Face

Photographie prise le 17 mars 1896, jour de la prise de voile de sœur Geneviève (voir p. 254), six semaines avant la profession de sœur Marie de la Trinité (30 avril).

Son visage est bien celui d'une extravertie: yeux grands ouverts, nez retroussé, pommettes saillantes. On comprend qu'elle ait enregistré les moindres faits et gestes de sa maîtresse des novices et qu'après la mort de Thérèse on ait accordé une grande importance à son témoignage.

Marie-Louise Castel avait repris à Lisieux le nom qu'elle portait à Paris, au carmel de l'avenue de Messine, celui de sœur Marie-Agnès de la Sainte-Face. Mais deux mois avant sa profession, il est décidé qu'elle s'appellera désormais sœur Marie de la Trinité et de la Sainte-Face. Pourquoi ce changement? Tout simplement parce que la prononciation locale ne fait guère de distinction entre « Marie-Agnès » et « mère Agnès » (qu'une Normande a tendance à prononcer « mâre-Agnès »). Pour éviter tout risque de confusion entre la future professe et la prieure, il vaut mieux donner à sœur Marie-Agnès un autre nom, celui que l'on avait envisagé un moment pour Céline. Marie-Louise avait, comme Thérèse, une grande dévotion à la Sainte Face.
Parce que sœur Marie de la Trinité avait fait prier Thérèse pour l'Œuvre fondée par l'abbé Roussel, le père Brottier lui demanda de devenir la marraine des Orphelins-Apprentis d'Auteuil. Dans leur chapelle, le « monument de l'adoption » la représente en train d'amener deux enfants à Thérèse (voir p. 320).

Image de bréviaire (17,8 × 12,3 cm), confectionnée à partir d'une reproduction photographique de l'Enfant-Jésus d'Ittenbach, dit « de Messine », parce qu'il avait été apporté par sœur Marie de la Trinité de son carmel de Paris, avenue de Messine

Quand Thérèse est prise trois fois en photographie le 7 juin 1897, elle tient en main les deux images qui résument sa spiritualité : la Sainte Face de Tours et l'Enfant-Jésus de Messine. Deux images qu'elle gardera devant elle à l'infirmerie.

Le 25 juillet 1897, Thérèse confiera ses sentiments quant à cette image. En levant la main droite vers le Ciel, Jésus semble lui dire : « Tu viendras avec moi dans le paradis, c'est moi qui te le dis ».

Photographie prise en 1892, rue Labbey. De gauche à droite : Marie Guérin, Léonie, Céline (entourée de deux domestiques), M. Martin, M. Guérin, Mme Guérin et une amie

Le 29 juillet de l'année dernière, le bon Dieu rompait les liens de son incomparable serviteur

Depuis son retour de Caen en mai 1892, M. Martin vit avec Léonie et Céline rue Labbey, à Lisieux, dans une maison toute proche de celle des Guérin. C'est là qu'il passe les deux dernières années de sa vie. Il meurt au château de La Musse où son beau-frère a tenu à l'emmener en juillet 1894.

Peu après la mort de son père, Thérèse dessine la Sainte Face sur une chasuble. Tout autour, sous forme de roses et de lys, elle représente M. et Mme Martin et leurs enfants. Une façon d'affirmer que l'épreuve de son père ne peut être comprise que dans la contemplation de la Sainte Face du Sauveur. Remarquable est d'ailleurs la ressemblance, quant à la forme du visage, entre la figure de M. Martin et celle de la Sainte Face.

Ego sum merces IHS **tua magna nimis**
(*Gen.* XV, I.)

Ne fallait-il pas que le Christ souffrît et que par là, il entrât dans la gloire ! (*N.-S. aux disciples d'Emmaüs*)

O Face adorable qui remplirez les justes de joie pendant l'éternité, abaissez sur nous vos regards divins !

SOUVENEZ-VOUS DEVANT DIEU
de son très fidèle Serviteur
LOUIS-JOSEPH-STANISLAS MARTIN
pieusement endormi dans la paix du Seigneur
le 29 Juillet 1894
A L'AGE DE SOIXANTE-ET-ONZE ANS

Seigneur, cachez-le dans le secret de votre Face !

Chasuble peinte par Thérèse et confectionnée dans une robe ayant appartenu à Mme Martin

Les deux roses du bas représentent M. et Mme Martin. Les cinq lys qui entourent la Sainte Face sont les cinq filles Martin (Thérèse s'identifiait au lys à demi caché à gauche par le voile de Véronique). Les quatre boutons symbolisent les quatre petits frères et sœurs morts en bas âge. Pour peindre cette chasuble, Thérèse a pris pour modèle la miniature sur parchemin peinte par Pauline en avril 1890 et offerte à Céline à l'occasion de ses vingt et un ans (voir p. 149). Celle-ci y était déjà évoquée sous la forme du lys qui se trouvait juste au-dessous de la Sainte Face, car Thérèse avait appelé sa sœur, au début de l'année 1889, Marie de la Sainte-Face. C'est le nom que Céline portera à son entrée au carmel.

Céline Martin

Céline a été beaucoup courtisée, notamment par Henry Maudelonde, neveu de Mme Guérin. Dans les dîners de famille, il s'arrangeait toujours pour se trouver près d'elle. Le repas à peine terminé, il la faisait valser. La tentation était forte, confiera-t-elle plus tard, d'abandonner son projet de vie consacrée : « Je n'avais qu'un mot à dire, un regard ! »
Lassé d'attendre, Henry épousa Marie Asseline le 20 avril 1892. C'est au cours de cette soirée de mariage que Céline se trouva subitement incapable de danser avec un cavalier qui, rouge de confusion, quitta le bal. Thérèse avait supplié le Seigneur à cette intention. Elle désirait tant que Céline reste fidèle à sa vocation.

La mort de M. Martin devrait permettre à Céline de réaliser un désir qu'elle porte en elle depuis longtemps : devenir carmélite comme ses sœurs. Mais le père Pichon a pensé à autre chose pour elle. Pourquoi ne viendrait-elle pas au Canada l'aider dans son apostolat ? Le carmel, se dit le père spirituel de Thérèse, n'admettra certainement pas en clôture une quatrième fille Martin. Autant envisager tout de suite une autre éventualité.
Thérèse ne l'entend pas de cette oreille. Dès qu'elle apprend, au début du mois d'août, la manœuvre — jusque-là tenue secrète — du père Pichon, elle s'indigne... et réagit ! Elle est intimement persuadée que la place de Céline est au carmel. Non pas qu'elle désire reprendre avec elle les longues conversations qu'elles avaient jadis aux Buissonnets. Mais Thérèse pense en toute simplicité avoir beaucoup de choses à faire découvrir à sa sœur.

Sœur Aimée de Jésus (1851-1930)

La religieuse qui s'opposa longtemps à l'entrée de Céline au Carmel.

Née dans la Manche de parents cultivateurs, Léopoldine Marie-Cécile Féron était la deuxième d'une famille de sept enfants. En octobre 1871, elle est accueillie au carmel de Lisieux par mère Geneviève et reçoit l'année suivante le nom de sœur Aimée de Jésus du Cœur-de-Marie.
Elle cachait de réelles qualités de cœur et une solide piété sous une rudesse de formes qu'elle tenait de son milieu rural. Elle ne refusait jamais un service. On mettait facilement à contribution sa robustesse quand il fallait soulever une malade. Thérèse elle-même proposa un jour de la faire venir à l'infirmerie pour l'aider à changer de lit. Ce fut elle qui soigna avec beaucoup de délicatesse mère Geneviève dans les dernières années de sa vie. Devenue aveugle, la fondatrice du carmel avait alors besoin d'une aide quasi permanente.
Mais sœur Aimée faisait souffrir son monde par sa propension à compliquer les choses simples. Elle éprouvait beaucoup de difficultés à s'exprimer : dans le meilleur des cas, on s'amusait de ses sentences. Elle répétait par exemple à tout propos : « Mes habitudes sont invariables et ne changent jamais ! »
Sœur Aimée de Jésus était au carmel depuis plus de seize ans lorsque Thérèse y entra. Leurs relations n'étaient pas des plus intimes ! Les filles Martin l'agaçaient par leurs manières de « petites bourgeoises ». Aussi s'opposa-t-elle de toutes ses forces en 1894 à l'entrée de Céline : « Le carmel n'a pas besoin d'artistes, proclamait-elle bien haut. Il a beaucoup plus besoin de bonnes infirmières et de bonnes lingères ! » Ne visant qu'au pratique, cette fille de la campagne aurait même voulu que l'on plantât des pommes de terre autour du calvaire du cloître. A quoi bon des rosiers ?
Thérèse raconte elle-même comment l'opposition de sœur Aimée de Jésus à l'entrée de Céline cessa subitement à la suite d'une Eucharistie. Thérèse avait demandé ce « signe » au Seigneur pour être sûre que son père était allé droit au Ciel. D'abord très opposée à l'idée que l'on puisse canoniser une sœur qui n'avait rien fait d'extraordinaire, sœur Aimée de Jésus finit par reconnaître que Thérèse était d'une humilité remarquable et que, si elle avait vécu plus longtemps, elle aurait pu être une excellente prieure.

Lettre à Céline du 19 août 1894

Thérèse encourage sa sœur à ne pas se laisser impressionner par les réflexions qu'on lui fait : « Pourquoi, mademoiselle, aller vous enfermer dans un cloître ? Le bon Dieu ne demande pas tant de sacrifices ni tant de prières. Vous feriez mieux de rester dans le monde et d'y être utile. » Thérèse en appelle à l'Évangile : en répondant à la critique de Marthe contre l'attitude paisible de sa sœur, en acceptant au cours d'un repas le parfum de grand prix répandu sur ses pieds par Marie de Béthanie, Jésus a proclamé pour toujours la légitimité de la vocation contemplative.

fut embaumée de la liqueur, mais
les apôtres murmurèrent contre Madeleine...
C'est bien comme pour nous, les chrétiens
les plus fervents, les prêtres trouvent que nous
sommes exagérées que nous devrions servir
avec Marthe au lieu de consacrer à Jésus
les vases de nos vies avec les parfums qui
y sont renfermés.... Et cependant qu'importe
que nos vases soient brisés puisque Jésus
est consolé et que malgré lui le monde
est obligé de sentir les parfums qui
s'en exhalent et qui servent à purifier
l'air empoisonné qu'il ne cesse de respirer

Le plus intime de mes désirs... l'entrée de ma Céline chérie dans le même carmel

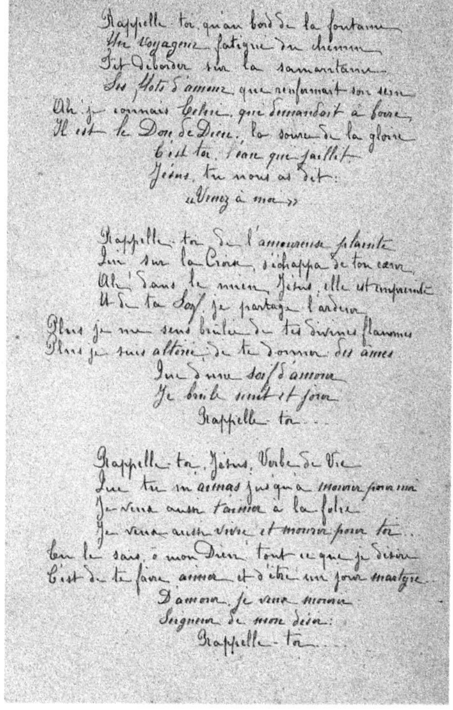

Rappelle-toi qu'au bord de la fontaine
Un voyageur fatigué du chemin
Fit déborder sur la samaritaine
Les flots d'amour que renfermait son sein.
Ah! je connais Celui qui demandait à boire
Il est le Don de Dieu, la source de la gloire
C'est toi, l'eau qui jaillit
Jésus, tu nous as dit :
« Venez à moi »

Rappelle-toi de l'amoureuse plainte
Que sur la Croix, s'échappa de ton cœur.
Ah! dans le mien, Jésus, elle est imprimée
Et de ta soif je partage l'ardeur
Plus je me sens brûler de tes divines flammes
Plus je suis altérée de te donner des âmes
D'une soif d'amour
Je brûle nuit et jour
Rappelle-toi...

Rappelle-toi, Jésus, Verbe de Vie
Que tu m'aimas jusqu'à mourir pour moi
Je veux aussi t'aimer à la folie
Je veux aussi vivre et mourir pour toi.
Tu le sais, ô mon Dieu! tout ce que je désire
C'est de te faire aimer et d'être un jour martyre.
D'amour je veux mourir
Seigneur, de mon désir :
Rappelle-toi...

Image offerte par Thérèse à Céline
Elle utilise une reproduction photographique faite par celle-ci du tableau de Guido Reni

Thérèse ne s'arrête pas aux douleurs du Christ. Elle voit en Lui le Fils de l'homme revenant dans sa gloire. Elle s'émerveille de l'Amour inouï que sa Passion nous révèle. Hérode a traité Jésus de « fou ». Il avait raison ! pense Thérèse. « Il était fou, notre Bien-Aimé, de venir sur la terre chercher des pécheurs pour en faire ses amis, ses intimes, ses semblables, Lui qui était parfaitement heureux avec les deux adorables Personnes de la Trinité... Nous ne pourrons jamais faire pour Lui les folies qu'Il a faites pour nous. » Voilà ce qu'elle écrit à Céline le 19 août 1894, juste avant son entrée au carmel. Elle le lui redit l'année suivante en composant à son intention le poème « Rappelle-toi », qu'elle a copié au verso d'une image (voir p. 77).

Lie-la à tes doigts, écris-la sur les tables
de ton cœur. Dis à la Sagesse : ma sœur ;
et la prudence appelle-la ton amie. Apprenez
ô tout petits, la finesse.

Moi, Sagesse, j'aime ceux qui m'aiment, et ceux qui dès le matin veillent
pour me chercher me trouveront. Celui qui
m'aura trouvé aura trouvé la vie et puisera
le salut dans le Seigneur.

Si quelqu'un est tout petit qu'il
vienne à moi.

Le principe de la Sagesse est la
crainte du Seigneur ; et la science des saints

Un carnet de Céline (13 × 8,5 cm)

En entrant au carmel, Céline y apporte un carnet sur lequel elle a recopié des passages de l'Ancien Testament. Thérèse y découvrira bientôt le verset du livre des Proverbes (9, 4) qui l'encouragera à poursuivre sa marche vers la sainteté, malgré sa conscience d'être toute petite devant le Seigneur.
Sur un autre carnet, Céline a transcrit des pages entières de différents auteurs, notamment des poèmes et des maximes de saint Jean de la Croix. Un mot de celui-ci retient davantage l'attention de Thérèse : « Plus Dieu veut donner, plus Il augmente nos désirs. » Cette affirmation l'aidera à prendre plus tard très au sérieux son désir de passer son ciel à faire du bien sur la terre.

L'appareil de photographie de Céline

Avec l'autorisation de mère Agnès, Céline apporte au carmel son appareil photographique : une chambre 13 × 18, objectif Darlot.

Première photo de famille (fin 1894)

Céline a endossé pour la circonstance son costume de novice qu'elle ne prendra officiellement que le 5 février suivant. Seules ont revêtu leur manteau de chœur mère Agnès, prieure en exercice, et mère Marie de Gonzague, l'ancienne prieure. Au centre, sœur Marie du Sacré-Cœur, l'aînée des quatre sœurs Martin carmélites.

Sœur Geneviève s'inspirera de ce cliché pour peindre, en 1899, le portrait de « Thérèse en ovale ». Le père Marie-Bernard, de la Grande Trappe, le prendra également comme modèle pour modeler sa statue de Thérèse assise.

Le siècle de Thérèse redécouvrit Jeanne d'Arc. En 1841, Jules Michelet consacre la plus grande partie du cinquième volume de son Histoire de France *à présenter l'épopée de la Pucelle d'Orléans sous un jour très favorable. De 1841 à 1849, Jules Quicherat publie une édition critique de ses procès. Les hommes d'Église commencent eux aussi à s'y intéresser sérieusement. Entre autres, Mgr Dupanloup qui travaille d'arrache-pied à la glorification de celle qui avait, le 8 mai 1429, libéré la ville dont il était devenu évêque en 1849. Ses efforts sont couronnés de succès, puisqu'en 1869 Pie IX fait entamer la procédure de préparation du procès de canonisation.*

La défaite de 1870 donne un nouvel élan à l'intérêt des Français pour la figure de Jeanne. Elle apparaît subitement comme le symbole de la revanche que le pays désire prendre sur l'Allemagne. De nombreuses pièces de théâtre lui sont consacrées et, en 1877, l'historien Henri Wallon fait paraître un volume de cinq cent soixante-six pages fort bien documenté consacré à Jeanne. L'année 1894 marque une étape importante dans la montée de la gloire de Jeanne. Le 27 janvier, Léon XIII autorise l'introduction de sa cause de béatification. Celle-ci reçoit, par le fait même, le titre de « vénérable ». Il est désormais permis de l'honorer et de la prier publiquement. En France, une commission parlementaire présidée par Henri Wallon dépose un projet de loi visant à faire du 8 mai — fête de la délivrance d'Orléans — la fête nationale du patriotisme. Le projet recueille facilement l'unanimité des suffrages. Les républicains anticléricaux la présentent comme l'ancêtre des libres penseurs : n'a-t-elle pas fait valoir les droits de sa conscience face aux juges de l'Inquisition ? Quant aux catholiques, ils la considèrent évidemment comme le parfait modèle à imiter : sous sa bannière, ils sont heureux de chanter leur cri de ralliement : « Catholiques et Français toujours ! »

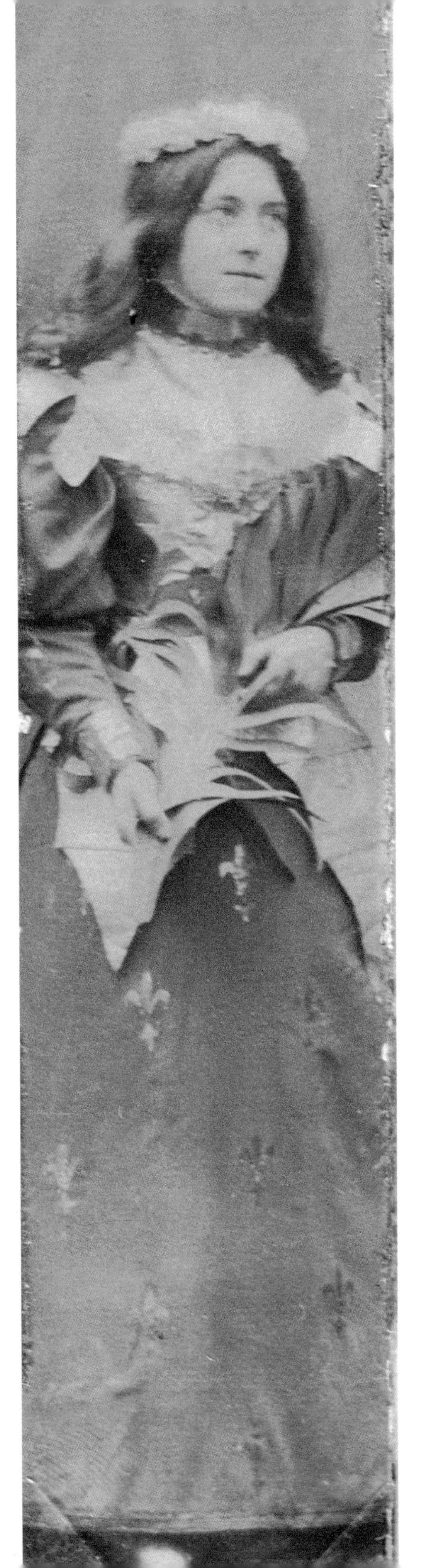

Je pensais que j'étais née pour la gloire

Tant et si bien qu'un peu partout en France on s'apprête à célébrer le 8 mai de grandes fêtes en l'honneur de Jeanne. A Lisieux, le curé de Saint-Pierre crée le 21 avril un comité de jeunes filles pour préparer la célébration. Céline Martin en est l'un des membres les plus actifs. Avec Marie Guérin et ses amies, elle confectionne douze grandes oriflammes blanches semées de fleurs de lys pour orner l'édifice. Elles mesuraient 6,50 m ! Le 8 mai, cinq mille personnes se pressent dans la cathédrale. Quelques jours plus tard, dans les colonnes du journal Le Normand, *l'oncle Guérin est obligé de déplorer l'allure de kermesse qu'avait pris la cérémonie.*

Fête de Jeanne d'Arc

Nous rappelons que c'est mardi prochain 8 Mai, qu'aura lieu à 8 heures du soir, en l'Eglise Cathédrale Saint-Pierre la solennité en l'honneur de JEANNE D'ARC. Cette fête, aussi patriotique que religieuse, s'annonce comme devant être particulièrement touchante. L'église sera brillamment illuminée. Un riche étendard de la glorieuse Libératrice sera bénit pour être placé dans la chapelle expiatoire. Des artistes amateurs et la Musique municipale prêteront leur bienveillant concours. Une invitation a été adressée à MM. les Officiers et soldats de la garnison de notre ville. Une cantate à Jeanne d'Arc, un *Te Deum* solennel et des morceaux religieux seront entendus pendant la cérémonie et le Salut. M. le Curé de Saint-Pierre prononcera une allocution de circonstance et le produit de la quête qui sera faite par les Membres du Comité de Demoiselles sera attribué aux pauvres de la ville et partagé entre MM. les Curés de Lisieux.

Le Normand, samedi 5 mai 1894

Image qui faisait partie de la collection personnelle de Thérèse

Le recto et le verso de l'image à dentelles annoncent en quelque sorte les deux pièces composées par Thérèse en l'honneur de Jeanne :

— La première, *La Mission de Jeanne d'Arc*, jouée le 21 janvier 1894, présente la réponse de la bergère de Domrémy à ses voix.

— La seconde, *Jeanne d'Arc accomplissant sa mission*, jouée le 21 janvier 1895, présente la prise d'Orléans, le sacre de Charles VII, mais surtout sa mort sur le bûcher, qui constitue, selon Thérèse, le sommet de sa mission.

A Domrémy, comme ailleurs, sainte Catherine d'Alexandrie était une martyre très honorée au XVe siècle — l'une des sœurs de Jeanne portait ce nom. Son culte était associé à celui de sainte Marguerite, une autre martyre. De l'une et de l'autre, on racontait qu'elles avaient reçu de Dieu avant leur mort la promesse d'exaucer toutes les demandes qui leur seraient adressées. D'où leur popularité. Tout en réunissant dans une même vénération les deux voix, Jeanne préférait Catherine, qui jouait un rôle plus actif dans ses révélations. Au moment où elle se préparait à partir pour Orléans, elle envoya chercher une épée au sanctuaire de Sainte-Catherine-de-Fierbois (à 40 kilomètres à l'est de Chinon). Sur ses indications, on la trouva en creusant un peu derrière l'autel.

Selon la légende, saint Michel était apparu à Catherine pour l'encourager dans son combat, et elle avait résisté victorieusement aux questions insidieuses des philosophes païens qui voulaient lui faire perdre la foi. A Rouen, devant ses juges, Jeanne connaîtra un combat du même ordre.

J.M.J.T. 8 Mai 1894

Cantique pour obtenir la Canonisation de Jeanne d'Arc.

Dieu des armées, l'Église tout entière
Voudrait bientôt honorer sur l'autel
Une martyre, une vierge guerrière
Dont le doux nom retentit dans le Ciel.

Refrain
Par ta Puissance
O Roi du Ciel!
Donne à Jeanne de France } bis
L'auréole et l'Autel!...

Un conquérant pour la France coupable
Non ce n'est pas l'objet de son désir
De la sauver Jeanne seule est capable,
Tous les héros pèsent moins qu'un martyr!...

Jeanne, Seigneur, est ton œuvre splendide
Un cœur de feu, une âme de guerrier
Tu les donnas à la Vierge timide
Que tu voulais couronner de laurier.

Jeanne entendit dans son humble prairie
Des voix du Ciel l'appeler au combat
Elle partit pour sauver la Patrie
Sa douce voix à l'armée commanda.

Des fiers guerriers, Jeanne gagna les âmes
L'éclat divin de l'Envoyée des cieux —
Son pur regard... ses paroles de flammes
Surent courber, les fronts audacieux!!! —

Par un prodige unique dans l'histoire
On vit alors un monarque tremblant
Reconquérir sa couronne et sa gloire
Par le moyen d'un faible bras d'enfant!

Ce ne sont pas de Jeanne les victoires
Que nous voulons célébrer en ce jour
Nous le savons ses véritables gloires
Ce sont mon Dieu ses vertus, son amour.

En combattant Jeanne sauva la France
Mais il fallait que ses grandes vertus
Fussent marquées du sceau de la souffrance
Du sceau divin, de son époux Jésus...

Cantique que Thérèse compose spontanément à l'occasion de la première fête nationale du 8 mai (voir p. 216)

Thérèse s'associe étroitement aux fêtes célébrées à travers la France en l'honneur de Jeanne d'Arc. Il s'agit moins pour elle de chanter l'« illustre guerrière » que d'honorer la « martyre », car ses « véritables gloires » sont ses « vertus, son amour ». Thérèse signe la copie originale de son cantique : « Un soldat français, défenseur de l'Église, admirateur de Jeanne d'Arc. » Et elle le dédie à sa sœur, le « valeureux chevalier C. Martin ».

Épisodes de l'histoire de Charles VII
et de Jeanne d'Arc
Manuscrit fr. n° 5054, daté de 1484
à la Bibliothèque nationale
Miniatures des Vigiles du roi Charles VII
(H. Wallon, *Jeanne d'Arc*,
Firmin-Didot, 1876, p. 52)

1. Seul, dans son oratoire, Charles VII demande à Dieu de lui garder son royaume. C'est cette prière connue de Dieu seul que Jeanne rappelle plus tard au dauphin.
2. La Pucelle est conduite au château de Chinon pour rencontrer le roi. Elle est suivie de ses deux fidèles compagnons de route, Jean de Metz et Bertrand de Poulengy.
3. Jeanne donne l'ordre de jeter des fagots dans le fossé qui entoure les murailles de Paris pour pouvoir s'emparer de la ville.

Derrière les grilles de son monastère, Thérèse voudrait aider ses sœurs carmélites à célébrer le mieux possible l'héroïne qu'elle admire depuis son enfance. C'est même en lisant la vie de Jeanne qu'elle reçut l'une des plus grandes grâces de sa vie, écrira-t-elle l'année suivante. En étudiant ses exploits, elle sentit monter dans son cœur un « grand désir de les imiter », elle pensa qu'elle aussi était « née pour la gloire », mais Dieu lui fit comprendre que sa gloire à elle « ne paraîtrait pas aux yeux des mortels, qu'elle consisterait à devenir une grande Sainte ». Désormais Jeanne sera pour Thérèse une « sœur chérie ». Mourir à dix-neuf ans en murmurant le doux nom de Jésus. Quelle grâce !
C'est Jeanne que Thérèse adopte comme sujet de sa première composition dramatique. La Mission de Jeanne d'Arc *est jouée au carmel le 21 janvier 1894 — première fête priorale de mère Agnès de Jésus —, quelques jours avant que Léon XIII ne déclare « vénérable » la petite bergère lorraine. Pour créer son personnage — dont elle jouera le rôle —, elle commence par étudier le volume d'Henri Wallon que son oncle a offert au carmel. Mais elle projette évidemment sur la figure de Jeanne son propre idéal de carmélite. Elle présente la petite paysanne comme une « enfant faible et timide », attirée par la solitude, le silence, l'intimité avec Marie, et ne prêtant guère attention aux nouvelles du pays. Ce faisant, Thérèse nous présente, sans l'avoir tellement cherché, une Jeanne d'Arc très proche de la réalité historique, car les documents nous apprennent que, de treize à dix-sept ans, la paroisienne de Domrémy n'avait rien d'une aventurière.*
Le 8 mai, Thérèse associe le carmel à la fête nationale en composant un « Cantique pour obtenir la canonisation de Jeanne d'Arc ».
Durant l'été, elle prépare une nouvelle pièce qui sera jouée le 21 janvier 1895 : Jeanne d'Arc accomplissant sa mission. *C'est la pièce dans laquelle Thérèse s'est le plus investie — c'est la plus longue de son répertoire —, et c'est aussi celle où elle fut le plus applaudie par sa communauté : elle joua à merveille le rôle de sa « sœur chérie ». Tout le monde avait admiré la rigueur de l'information historique ainsi que la variété des costumes et des décors.*

H. Wallon, *Jeanne d'Arc*, frontispice

H. Wallon, *Jeanne d'Arc*, p. 346

Pour composer sa seconde pièce sur Jeanne, Thérèse étudie de près le volume de cinq cent cinquante pages publié par Henri Wallon, l'historien-député qui fit voter par l'Assemblée nationale la loi instituant la fête nationale du 8 mai en l'honneur de Jeanne d'Arc.
L'ouvrage présentait un certain nombre d'illustrations.

Arrivée de Jeanne d'Arc au château de Chinon le 6 mars 1428 (H. Wallon, *Jeanne d'Arc*, p. 48), Tapisserie d'origine allemande exécutée du temps même de la Pucelle (musée d'Orléans)

Thérèse dans le rôle de Jeanne d'Arc
(début 1895)
C'est à cette époque que Thérèse
écrit sur le drapeau de son cahier :
« Vive le Dieu des Francs »
(voir p. 8)

« Je veux combattre pour Jésus
Lui gagner des âmes sans nombre
Je veux L'aimer de plus en plus ! »

H. Wallon, *Jeanne d'Arc*, p. 424

Quelque temps après la représentation de sa seconde pièce en l'honneur de Jeanne, Thérèse est prise en photo dans la cour de la sacristie, à côté d'une statue ancienne de bois polychrome, Notre-Dame de la Providence. Thérèse porte une perruque noire par-dessus sa toque (la pièce de toile blanche dont les carmélites entourent leur tête) et des fleurs de lys en papier cousues sur sa bure.

C'est ce costume qui a failli brûler vers la fin de la représentation. Les réchauds à alcool destinés à figurer le bûcher de Rouen mettent le feu au paravent derrière lequel se tient Thérèse. Mère Agnès lui intime l'ordre de ne pas bouger, tandis que l'on éteint ce début d'incendie. Thérèse ne bronche pas... Mais l'incident la marque profondément : le thème du feu prendra une place de plus en plus grande dans ses écrits. Le 9 juin suivant, elle s'offrira comme victime d'holocauste au Feu consumant de l'Amour miséricordieux.

Thérèse et sa sœur Geneviève
dans les rôles respectifs de Jeanne
et de sainte Catherine

En relisant au mois de juin 1897 sa seconde pièce sur Jeanne, Thérèse est heureuse d'y trouver déjà exprimé ce qu'elle ressent profondément à l'approche de sa mort. Avec le livre de la Sagesse dont elle a largement utilisé le chapitre quatrième, elle croit de toute son âme que sa mort prématurée, loin d'être une malédiction, est une véritable bénédiction du Seigneur. Comme Jeanne, elle n'a pas besoin de rester de longues années sur la terre pour réaliser sa mission.

« Jeanne : Je ne suis encore qu'au printemps de ma vie; quelle récompense puis-je attendre après un passage aussi court sur la terre ?

« Sainte Catherine : Jeanne, écoute les paroles de la Sagesse incréée. C'est Elle qui va t'instruire de ce que tu désires savoir ; quand le juste, dit-elle, mourrait d'une mort prématurée, il se trouverait dans le repos, parce que ce qui rend la vieillesse vénérable n'est pas la longueur de la vie ni le nombre des années ; mais la prudence du juste lui tient lieu de cheveux blancs et la vie sans tache est une heureuse vieillesse. [...] Ayant peu vécu, il a rempli la course d'une longue vie, car son âme était agréable à Dieu ».

Thérèse dans le rôle de Jeanne en prison
A l'extrême droite, sur un tas de pierres, se trouve posé le « casque » de Jeanne
C'est l'une des plus belles photos de Thérèse

En relisant sa pièce deux ans plus tard, Thérèse prendra de plus en plus conscience des ressemblances entre sa vie et celle de Jeanne. Continuellement dérangée par des sœurs qui croient bien faire en venant causer avec elle à l'infirmerie, elle avoue : « On me harcèle de questions : cela me fait penser à Jeanne d'Arc devant son tribunal. Il me semble que je réponds avec la même sincérité. »
Une semaine plus tard, elle demande à mère Agnès de ne pas se décourager quand elle rencontrera des difficultés pour la publication de ses écrits autobiographiques. « Je dis comme Jeanne d'Arc : "Et la volonté de Dieu s'accomplira malgré la jalousie des hommes." »
Thérèse ne cite pas ici une phrase authentique de Jeanne, comme elle a pu en lire dans le livre de Henri Wallon. Elle se cite, reprenant ce jour-là à son compte une phrase qu'elle a mise sur les lèvres de son héroïne en janvier 1895.

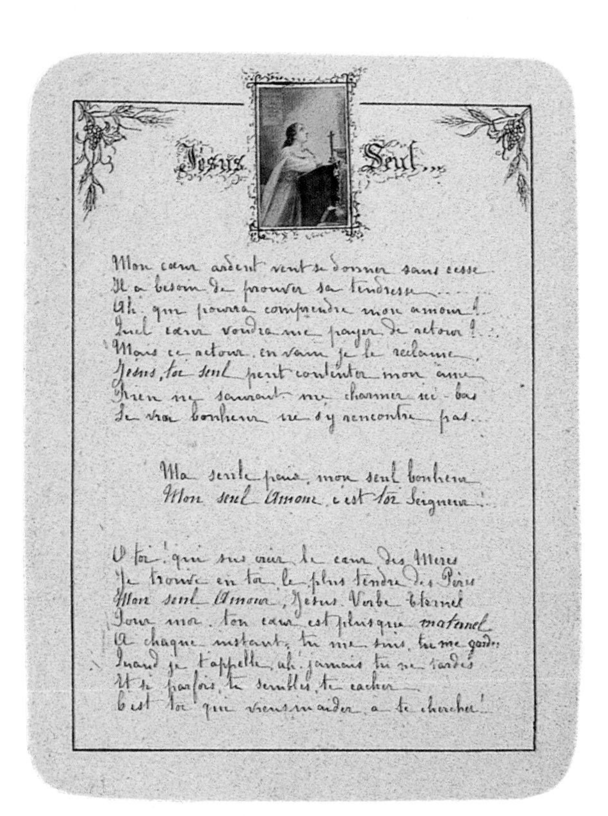

Jésus Seul...

Mon cœur ardent veut se donner sans cesse
Il a besoin de prouver sa tendresse...
Ah ! qui pourra comprendre mon amour !...
Quel cœur voudra me payer de retour ?...
Mais ce retour en vain je le réclame
Jésus, toi seul peut contenter mon âme
Rien ne saurait me charmer ici-bas
Le vrai bonheur ne s'y rencontre pas...

Ma seule paix, mon seul bonheur
Mon seul Amour, c'est toi Seigneur !...

Ô toi ! qui sus créer le cœur des Mères
Je trouve en toi le plus tendre des Pères
Mon seul Amour, Jésus, Verbe Éternel
Pour moi, ton cœur est plus que maternel
À chaque instant, tu me suis, tu me gardes
Quand je t'appelle, ah ! jamais tu ne tardes
Et si parfois, tu sembles te cacher
C'est toi qui viens m'aider à te chercher.

C'est à toi seul, Jésus que je m'attache
C'est en tes bras que j'accours et me cache
Je veux t'aimer comme un petit enfant
Je veux lutter comme un guerrier vaillant
Comme un enfant plein de délicatesses
Je veux, Seigneur, te combler de caresses
Et dans le champ de mon apostolat
Comme un guerrier je m'élance au combat.

Toi qui conserve et qui rends l'innocence
Tu ne saurais tromper ma confiance
En toi, Seigneur, repose mon espoir
Après l'exil au Ciel j'irai te voir...
Lorsqu'en mon cœur s'élève la tempête
Vers toi, Jésus, je relève la tête
En ton regard miséricordieux
Je lis : « Enfant, pour toi j'ai fait les Cieux. »

Je le sais bien, mes soupirs et mes larmes
Sont devant toi, tout rayonnants de charmes.
Les séraphins au Ciel forment ta cour
Et cependant tu mendies mon amour !
Je veux mon cœur, Jésus, je te le donne
Tous mes désirs je te les abandonne
Et ceux que j'aime, ô mon Époux, mon Roi !
Je ne veux plus les aimer que pour toi !!!

Le titre primitif de ce poème du 15 août 1896 était « Mon seul Amour »

Je veux t'aimer comme un petit enfant Je veux lutter comme un guerrier vaillant

Simple, Thérèse n'est jamais simpliste. Sa personnalité offre de merveilleux contrastes. Son âme guerrière ne l'empêche pas d'avoir un cœur d'enfant. L'année même où elle prépare sa seconde pièce sur Jeanne, elle découvre de mieux en mieux la tendresse maternelle de Dieu et la vérité du mot de Jésus : « Si vous ne devenez pas comme des petits enfants, vous n'entrerez pas dans le Royaume des cieux. » Quand elle songe à l'héroïsme de la Pucelle d'Orléans, elle se sent bien petite, mais, loin de l'effrayer, cette petitesse la réjouit. Si elle accepte pleinement sa faiblesse, Jésus sera obligé de la porter. Telle est la Petite Voie qu'elle enseigne à ses novices et que, bientôt, elle aura le désir de faire connaître à la « légion des petites âmes » qui trop souvent se découragent à la vue de leur misère.

Cet esprit d'enfance, Thérèse le chante dans un poème composé le 15 août 1896 à l'intention de Marie Guérin, sa cousine, pour le premier anniversaire de son entrée au carmel. L'une des plus belles poésies de Thérèse :

« Je veux t'aimer comme un petit [enfant
Je veux lutter comme un guerrier [vaillant. »

Thérèse dans le rôle de Jeanne d'Arc couronnée

Vers la fin de la pièce, Jeanne est couronnée dans le Ciel par sainte Marguerite. Mais dans son éternité « la fille de Dieu, la fille au grand cœur », n'a qu'un seul désir, celui de sauver de nouveau la France. « Oh ! ma France chérie ! c'est avec bonheur que j'obéis à mes voix qui m'invitent à voler encore à ton secours !... » En jouant cette pièce, Thérèse pense donc déjà que la joie des saints dans le Ciel est de faire du bien sur la terre...

Mais la carmélite appelle aussi de tous ses vœux le jour où la Pucelle d'Orléans sera glorifiée par l'Église. Si, le 27 janvier 1894, le pape Léon XIII l'a déclarée « vénérable », il reste bien du chemin à parcourir pour qu'elle soit canonisée. Thérèse aspire à ce « couronnement » définitif de Jeanne. La canonisation n'adviendra qu'en 1920.

Thérèse est loin de se douter que Pie XI la présenterait elle-même un jour comme une « nouvelle Jeanne d'Arc » (18 mai 1925) et qu'aux jours sombres de la Seconde Guerre mondiale, Pie XII la déclarerait « patronne secondaire de toute la France » à l'égal de Jeanne (3 mai 1944).

Je suis trop petite pour monter le rude escalier de la perfection

L'une des images préférées de Thérèse. Elle en possédait plusieurs exemplaires.
Celui-ci (5 × 8,5 cm), en couleurs, lui avait été donné dans son enfance

Thérèse s'identifiait spontanément à l'enfant qui grimpe sur les genoux de Jésus et qui Le caresse sans rien craindre. « L'autre petit ne me plaît pas tant. Il se tient comme une grande personne : on lui a dit quelque chose... Il sait qu'on doit du respect à Jésus. » C'est aussi l'une des façons dont Thérèse se représentait le Ciel : nous serons l'une et l'autre, disait-elle à Céline, « sur les genoux du bon Dieu ».

A partir de février 1895, Thérèse signe ses lettres « la toute petite *Thérèse »; elle vient de découvrir plus profondément à quel point le Seigneur est miséricordieux, combien il se plaît à transformer ses créatures, lorsque celles-ci reconnaissent vraiment leur petitesse, leur impuissance radicale à parvenir par leurs propres forces à la sainteté. Jusque-là, Thérèse utilisait le vocabulaire de la petitesse pour exprimer son désir de rester cachée aux yeux du monde, de ne pas rechercher l'estime et les félicitations de ses sœurs; elle l'emploie désormais pour exprimer sa joyeuse espérance: plus elle se sentira petite devant Dieu, plus elle sera l'objet de sa condescendance. Son impuissance radicale dans le domaine spirituel devient le gage de l'intervention divine dans son cœur, puisque « le propre de l'Amour est de s'abaisser ».*

Thérèse aimait beaucoup le psaume 22. Elle le cite longuement au début de son premier manuscrit: « Le Seigneur est mon pasteur, je ne manquerai de rien. » C'est encore ce psaume qu'elle commente quand elle écrit au père Pichon pour la dernière fois. « J'y ai fait passer toute mon âme », avoue-t-elle. Malheureusement, le père Pichon détruisit cette lettre, comme il avait détruit toutes les autres missives de sa petite « dirigée » de Lisieux.
Thérèse pensait peut-être à cette image lorsqu'elle écrit: « L'ascenseur qui doit m'élever jusqu'au Ciel, ce sont vos bras, ô Jésus. Pour cela, je n'ai pas besoin de grandir; au contraire, il faut que je reste petite, que je le devienne de plus en plus. »

escalier, chez les riches un ascenseur le remplace avantageusement. Moi je voudrais aussi trouver un ascenseur pour m'élever jusqu'à Jésus, car je suis trop petite pour monter le rude escalier de la perfection. Alors j'ai recherché dans les livres saints l'indication de l'ascenseur objet de mon désir et j'ai lu ces mots sortis de la bouche de la Sagesse Eternelle: Si quelqu'un est *tout petit* qu'il vienne à moi. Alors je suis venue, devinant que j'avais trouvé ce que je cherchais et voulant savoir, ô mon Dieu! ce que vous feriez au tout petit qui répondrait à votre appel j'ai continué mes recherches et voici ce que j'ai trouvé: — Comme une mère caresse son enfant, ainsi je vous consolerai, je vous porterai sur mon sein et je vous balancerai sur mes genoux! Ah jamais paroles plus tendres plus mélodieuses ne sont venues réjouir mon âme. L'ascenseur qui doit m'élever jusqu'au Ciel, ce sont vos bras, ô Jésus! Pour cela je n'ai pas besoin de grandir, au contraire il faut que je reste petite, que je le devienne de plus en plus. O mon Dieu, vous avez dépassé mon attente et moi je veux chanter vos miséricordes. Vous m'avez instruite dès ma

Il vaut mieux prendre l'ascenseur!

Dans son troisième manuscrit, Thérèse confie sa découverte. Pour devenir une sainte, elle doit consentir à rester toute petite. Alors, Jésus la portera dans ses bras.

Si quelqu'un est tout petit, qu'il vienne à moi !... (Prov.)
Quiconque se fera petit comme un enfant sera le plus grand dans le royaume du Ciel.... (Ev.)

Le Seigneur rassemblera les petits Agneaux et les prendra sur son sein.
Comme une mère caresse son enfant ainsi je vous consolerai, je vous porterai sur mon sein et je vous caresserai sur mes genoux. (Isaïe)

Comme un père a de la tendresse pour ses enfants ainsi le Seigneur a compassion de nous ; autant que le levant est éloigné du couchant, autant il éloigne de nous les péchés dont nous sommes coupables. Le Seigneur est compatissant et rempli de douceur : il est lent à punir et abondant en miséricorde. (Ps. CII.)
Celui qui fait la volonté de mon Père, est ma sœur, mon frère et ma Mère. (Ev.)

« O mon Père ! ceux que vous m'avez donnés, vous les avez aimés comme vous m'avez aimé Moi-Même. (Ev.)

L'adoration des bergers. Photographie d'un tableau réalisé par Céline en 1892 et inspiré par une œuvre de Müller

De même que Thérèse parlait volontiers de Dieu en disant « Papa le bon Dieu », elle appelait souvent la Sainte Vierge « Maman » (témoignage de sœur Marie du Sacré-Cœur).
En recopiant ses textes bibliques préférés au verso de cette image — qu'elle offre à sœur Marie de l'Eucharistie —, Thérèse manifeste clairement le lien qu'elle établit entre le mystère de Noël et l'esprit d'enfance. Le Fils de Dieu s'est fait tout petit dans le sein de la Vierge Marie. A son exemple, nous devons le devenir : plus nous le serons, plus le Seigneur nous portera avec une tendresse toute maternelle.

Thérèse a conscience d'avoir découvert une voie toute nouvelle pour aller à Dieu — découverte dont elle discernera de plus en plus l'importance en l'exposant à ses novices et à ses frères spirituels. Elle parle de Petite Voie pour désigner sa doctrine. C'est mère Agnès qui, en 1907, emploiera pour la première fois l'expression de « voie d'enfance spirituelle » pour caractériser la spiritualité de sa sœur, expression qui sera reprise le 14 août 1921 par Benoît XV lors de la promulgation du décret sur l'héroïcité de ses vertus. De fait, Thérèse a beaucoup médité les textes bibliques où Dieu proclame son amour de prédilection pour ceux qui ont un cœur d'enfant. Elle les recopie au verso d'images qu'elle glisse dans son bréviaire afin de pouvoir y penser durant la récitation de l'office.

Dieu nous appelle tous à la sainteté

Petite Voie signifie d'abord pour Thérèse un chemin que tout le monde peut suivre, une existence qui n'implique ni extases, ni pénitences particulières. Fascinée dès son jeune âge par la figure de Jeanne d'Arc, habitée par le désir de devenir elle aussi une grande sainte, Thérèse comprend vite que, « pour y parvenir, il n'est pas nécessaire de faire des œuvres éclatantes, mais de se cacher et de pratiquer la vertu en sorte que la main gauche ignore ce que fait la droite ».
Elle comprend surtout que, pour s'unir à Dieu en vérité, il s'agit d'abord de se laisser rejoindre par Lui, aimer et façonner par Lui. Son amour est gratuit, celui d'un père pour ses enfants. C'est toujours Lui qui nous aime le premier.

Dieu nous aime gratuitement

Thérèse avait un sens aigu de la gratuité absolue de l'amour du Seigneur pour les hommes. Comme Luther, elle méditait souvent les passages de l'Épître aux Romains où saint Paul affirme que nous ne pouvons pas conquérir le salut à la force des poignets : « Dieu a pitié de qui Il veut et Il fait miséricorde à qui Il veut faire miséricorde. Ce n'est donc pas l'ouvrage de celui qui veut ni de

Image de bréviaire composée par Thérèse durant le second semestre 1896 en souvenir de ses frères et sœurs morts en bas âge Thérèse en avait offert une autre, identique, à sœur Geneviève

Laissez venir à moi les petits enfants le Royaume des cieux leur appartient...... Leurs Anges voient continuellement la Face de mon Père Céleste....
.... Quiconque se fera petit comme un enfant sera le plus grand dans le royaume du Ciel.
Jésus embrassait les enfants après les avoir bénis...
(Evangile)

Heureux ceux que Dieu tient pour justes sans les œuvres, car à l'égard de ceux qui font les œuvres la récompense n'est point regardée comme une grâce, mais comme une chose due..........
C'est donc gratuitement que ceux qui ne font pas les œuvres sont justifiés, par la grâce en vertu de la rédemption dont Jésus-Christ est l'auteur.
(St Paul aux Romains)

Le Seigneur conduira son troupeau dans les pâturages, Il rassemblera les Petits Agneaux et les prendra sur son sein...
Isaïe ch. XL

J'entendis une voix qui venait du Ciel et cette voix imitait le son des harpes touchées par des joueurs d'instruments. On chantait comme un Cantique nouveau devant le trône de Dieu et personne ne pouvait dire ce cantique excepté les Vierges... Ils suivent l'Agneau partout où il va... Ils ont été rachetés d'entre les hommes comme des Prémices pour Dieu et pour l'Agneau. Il n'est point sorti de mensonge de leur bouche, aussi se trouvent-ils sans tache devant le trône de Dieu!
(Apoc. ch. XIV.)

Pour Thérèse, ces enfants décédés prématurément sont, comme les Saints Innocents, des « voleurs du Ciel ». Ils sont entrés dans le paradis sans l'avoir mérité. Cela est vrai pour tous, affirme saint Paul : Dieu nous sauve gratuitement.

celui qui court, mais de Dieu qui fait miséricorde » (9, 5-6).

On comprend que le pasteur Marc Boegner ait pu dire à l'évêque de Bayeux, durant le concile Vatican II, que Thérèse était la sainte du calendrier catholique qui avait ses préférences. « Nous sommes les mendiants de Dieu », disait Luther avant de mourir. Je veux me présenter devant le Seigneur « les mains vides », affirme Thérèse. Avancer sur la Petite Voie, c'est se laisser porter tout au long du chemin dans les bras de Jésus. L'enfant est trop faible pour réaliser par ses propres forces ce que le Seigneur attend de lui.

L'esprit d'enfance ne consiste donc pas pour Thérèse à redevenir « innocent » comme un enfant. Elle connaît trop bien sa condition de pécheur pour commettre pareille erreur. Quand elle prononce le mot « Innocents », elle pense aussitôt à ces enfants qui entrent au paradis sans l'avoir aucunement mérité : les « Saints Innocents », massacrés sur l'ordre d'Hérode, ses quatre frères et sœurs morts en bas âge. C'est ainsi qu'elle désire parvenir elle-même au Ciel : les « mains vides » de tout mérite, de façon absolument gratuite.

Est-ce à dire que Thérèse ait fini par penser qu'elle devait éliminer de son univers spirituel toute idée de mérite*? Absolument pas. Toute sa vie, elle s'enthousiasme à la pensée qu'au Dernier Jour, lorsqu'Il reviendra dans sa gloire, le Dieu reconnaissant s'écriera : « Maintenant, mon tour ! Je leur dois ma substance éternelle et infinie. » Une expression qu'elle avait découverte en 1887 dans les* Conférences *du chanoine Arminjon et dont elle se sert pour supporter avec patience toutes ses souffrances.*

Autrement dit, si Thérèse veut travailler seulement « pour faire plaisir à Dieu », et non pour avoir une plus belle couronne dans le ciel, si elle attend de Lui seul son bonheur éternel, elle sait aussi qu'elle doit « gagner » la vie de ses enfants, obtenir leur conversion par la fidélité de son amour. Elle va même jusqu'à dire : « Il faudra que le bon Dieu fasse toutes mes volontés au Ciel, parce que je n'ai jamais fait ma volonté sur la terre. »

Admirable équilibre de cette spiritualité.

Marie consolant sainte Marie-Madeleine (chambre de M. Martin aux Buissonnets)

Le 16 juin 1888, Céline monte au Belvédère des Buissonnets pour montrer à son père la toile qu'elle vient d'achever. M. Martin est dans l'admiration. Il voudrait que sa fille prenne des leçons de peinture à Paris dans l'atelier d'un grand maître : « J'ai déjà loué une villa à Auteuil, Céline, pour que tu puisses t'y rendre régulièrement. — Merci, papa ! Mais je vais te confier aujourd'hui un grand secret : je désire devenir religieuse, moi aussi ! »
Très ému de cette réponse, M. Martin presse Céline sur son cœur et lui dit : « Viens, allons ensemble auprès du Saint-Sacrement pour remercier le bon Dieu de l'honneur qu'Il me fait en me demandant tous mes enfants. » Céline n'entrera que six ans plus tard au carmel, six années qu'elle passera à soigner son père. Céline a cédé ici à la mode iconographique du temps, selon laquelle Marie-Madeleine doit se tordre de douleur au souvenir de ses fautes passées. Thérèse n'appréciait guère ce genre de « contorsions », surtout lorsqu'elles étaient attribuées à la Vierge Marie au pied de la Croix. Céline reconnaîtra plus tard que son tableau était une « superbe croûte ».

L'amour fut son seul bourreau.
Mais il la pressait sans relache de souffrir avec Celui qui avait tant souffert pour elle !...

J'imite la conduite de Madeleine : son amoureuse audace charme le cœur de Jésus

Selon l'habitude de l'époque, Thérèse identifie Marie de Magdala avec Marie de Béthanie et la pécheresse qui arrosa de ses pleurs les pieds de Jésus (Lc 7, 47). Thérèse aime beaucoup sainte Marie-Madeleine. Elle est pour elle le modèle de tous les pécheurs qui, ayant compris la miséricorde du Seigneur, s'approchent de Lui avec une « amoureuse audace » : « Lorsque je vois Madeleine, écrit-elle à l'abbé Bellière, s'avancer devant les nombreux convives, arroser de ses larmes les pieds de son Maître adoré, qu'elle touche pour la première fois, je sens que son cœur a compris les abîmes d'amour et de miséricorde du Cœur de Jésus, et que, toute pécheresse qu'elle est, ce Cœur d'amour est non seulement disposé à lui pardonner, mais encore à lui prodiguer les bienfaits de son intimité divine, à l'élever jusqu'aux plus hauts sommets de la contemplation. »
*Les auteurs spirituels de son temps ne partageaient pas tous ce point de vue. L'abbé Émile Bougaud, auteur de l'*Histoire de sainte Jeanne de Chantal et des origines de la Visitation *(Paris, 1865), affirmait par exemple que les âmes innocentes ont avec Dieu une intimité et une familiarité dont ne pourront jamais jouir les âmes pénitentes : celles-ci doivent se contenter de se tenir aux pieds du Seigneur, comme Marie-Madeleine, tandis que celles-là peuvent, comme saint Jean, reposer sur sa poitrine. Thérèse a dû sursauter en écoutant au réfectoire, en 1893, la lecture de ce passage, puisque la présence même de Marie-Madeleine au pied de la croix, avec la Vierge Marie, rappelle aux plus grands pécheurs qu'ils sont tous appelés à rester, leur vie durant, aux pieds du Seigneur, émerveillés du pardon reçu. « Nous ne sommes pas des saintes qui pleurons nos péchés, osait dire Thérèse à l'une de ses novices ; nous nous réjouissons de ce qu'ils servent à glorifier la miséricorde du bon Dieu. »*

de le punir par un baiser, je ne crois pas que le cœur de l'heureux père puisse résister à la confiance filiale de son enfant dont il connaît la sincérité et l'amour. Il n'ignore pas cependant que plus d'une fois son fils retombera dans les mêmes fautes mais il est disposé à lui pardonner toujours, si toujours son fils le prend par le cœur....

Lettre à l'abbé Bellière (18 juillet 1897)

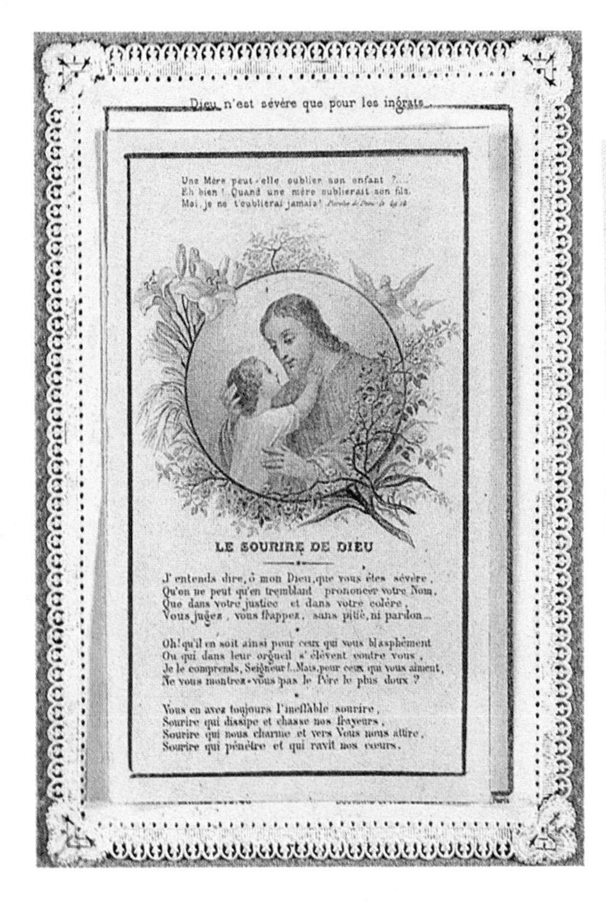

Voici un enfant qui ose s'approcher du Seigneur avec confiance. Il n'est pas pour lui un juge sévère dont il faut avoir peur, mais un père plein de bonté, heureux de prendre son enfant dans ses bras et de lui sourire.
Thérèse pensait peut-être à cette image lorsqu'elle expliquait à Léonie ou à l'abbé Bellière la façon de « prendre Jésus par le cœur ». Quand un enfant commet quelque bêtise, il lui arrive d'aller bouder dans son coin et de pleurer à l'avance la punition à venir ; mais il peut aussi se précipiter dans les bras de son père avec confiance en lui demandant « de le punir par un baiser ». C'est ainsi, explique-t-elle, que nous devons toujours agir avec Dieu. « Avant la venue de Notre-Seigneur, le prophète Isaïe disait déjà, parlant au nom du Roi des cieux : une mère peut-elle oublier son enfant ? Eh bien ! quand même une mère oublierait son enfant, Moi, je ne vous oublierai jamais » (Is 49, 15).
Thérèse pensait souvent au sourire de Jésus posé sur elle : « Le regard de mon Dieu, son ravissant sourire, Voilà mon Ciel à moi. »

Intérieur de l'image intitulée « Le Sourire de Dieu »

Thérèse a conscience d'avoir été « préservée » de certaines faiblesses par une grâce toute spéciale du Seigneur. Sa reconnaissance envers Lui peut donc être aussi grande que celle de Marie-Madeleine.

« Ses nombreux péchés lui sont remis parce qu'elle a beaucoup aimé » (Lc 7, 47). Cette affirmation de Jésus occupe une grande place dans la pensée de Thérèse. Elle exprime si bien sa conviction : il ne faut jamais désespérer au vu de sa misère, mais avoir une confiance folle en la miséricorde du Seigneur. Il n'est pas venu pour les justes, mais pour les pécheurs.
Thérèse s'insurge néanmoins contre l'interprétation qu'elle entend souvent donner de ce verset d'Évangile : on ne rencontre pas d'âme pure aimant davantage qu'une âme repentante ! « Que je voudrais faire mentir cette parole ! » écrit-elle. Elle invente même une parabole pour faire comprendre sa pensée sur la question. Pour elle, la toute petite Thérèse, Dieu a agi comme ce médecin qui pourrait manifester son amour envers un enfant en le soignant pour des blessures consécutives à une chute, mais qui préfère prévenir l'accident en retirant en secret la pierre sur laquelle il risquait de buter. En la préservant de fautes graves, pense Thérèse, Dieu lui a remis plus *qu'à Marie-Madeleine. Elle peut donc L'aimer autant que les plus grands pécheurs. « Il veut que je L'aime parce qu'Il m'a remis, non pas beaucoup, mais TOUT. Il n'a pas attendu que je L'aime beaucoup comme sainte Madeleine, mais Il a voulu que JE SACHE comment Il m'avait aimée d'un amour d'ineffable prévoyance, afin que maintenant je L'aime à la* folie *! »*

Un soir du mois de janvier 1895, les sœurs Martin en récréation au chauffoir devisent joyeusement. Avec son talent habituel de conteuse, la plus jeune évoque quelques souvenirs des Buissonnets. Soudain, sa marraine s'adresse à la prieure : « Est-il possible que vous lui laissiez faire des petites poésies pour faire plaisir aux unes et aux autres et qu'elle ne nous écrive rien de ses souvenirs d'enfance ? » Mère Agnès hésite. Une carmélite risque de se replier sur elle-même en écrivant ses mémoires. Marie du Sacré-Cœur insiste tant que mère Agnès convoque sa petite sœur dans son bureau et lui ordonne d'écrire. A la fin de janvier 1895, Thérèse se met à l'œuvre, généralement le soir, après les complies, et les jours de fête. Elle s'est procuré un petit cahier d'écolier à 0,50 centimes d'une trentaine de pages. Dans sa cellule, assise sur son petit banc, l'écritoire posée sur les genoux, elle écrit au fil de la plume et de l'inspiration, sans plan, sans ratures ni brouillon.

Avant de commencer, elle s'est agenouillée dans l'antichambre de sa cellule devant la « Vierge du sourire » en la suppliant de l'empêcher de tracer une seule ligne qui ne lui soit agréable. Ensuite, elle a ouvert l'Évangile. Ses yeux sont tombés sur ces mots : « Jésus étant monté sur une montagne, Il appela à Lui ceux qu'il lui plut. » Thérèse y voit une invitation à relire tous les événements de son existence à la lumière de cette miséricorde divine dont elle sonde, en 1895, toute la richesse.

Tout au long de ses six petits cahiers — car le premier sera vite rempli —, elle va chanter son Magnificat *personnel. Comme sa patronne, Thérèse ne prend la plume que pour célébrer les miséricordes du Seigneur à son égard.*

Le 20 janvier 1896, aux premières vêpres de la fête de sainte Agnès, Thérèse dépose le manuscrit sur la stalle de sa prieure : celle-ci ne se rend pas compte qu'elle reçoit alors, comme cadeau de fête, le best-seller religieux du siècle suivant. Elle l'enfouit dans un tiroir et attend plusieurs mois avant de l'ouvrir. Durant tout ce temps, Thérèse ne cherche pas à connaître les réactions de sa sœur. Elle sait qu'en obéissant simplement à l'ordre de sa prieure, elle a fait plaisir à Jésus. Cela lui suffit.

j'aurais voulu pouvoir lui dire que j'étais guérie, mais je lui avais
fait assez de fausses joies, ce n'était pas mes désirs qui pouvaient fa
un miracle, car il en fallait un pour me guérir... Il fallait un
miracle et ce fut Notre Dame des Victoires qui le fit. Un Diman
(pendant la neuvaine de messes) Marie sortit dans le jardin me laissa
avec Léonie qui lisait auprès de la fenêtre, au bout de quelques min
je me mis à appeler presque tout bas : « Maman... Maman » Léonie étan
habituée à m'entendre toujours appeler ainsi, ne fit pas attention à m
Ceci dura longtemps, alors j'appelai plus fort et enfin Marie revint, j
vis parfaitement entrer, mais je ne pouvais dire que je la reconnaissais e
continuais d'appeler toujours plus fort : « Maman... » Je souffrais beau
de cette lutte forcée et inexplicable, et Marie en souffrait peut être encore p
que moi, après de vains efforts pour me montrer qu'elle était auprès
moi, elle se mit à genoux auprès de mon lit avec Léonie et Céline pu
tournant vers la Sainte Vierge et la priant avec la ferveur d'une Mère
demande la vie de son enfant, Marie obtint ce qu'elle désirait...

Ne trouvant aucun secours sur la terre, la pauvre petite Thérèse s'étai
tournée vers sa Mère du Ciel, elle la priait de tout son cœur d'avoir enfi
d'elle..... Tout à coup la Sainte Vierge me parut belle, si belle q
jamais je n'avais vu rien de si beau, son visage respirait une bonté
une tendresse ineffable, mais ce qui me pénétra jusqu'au fond de l'â
ce fut le « ravissant sourire de la Ste Vierge » Alors toutes mes peines
nouirent, deux grosses larmes jaillirent de mes paupières et coulèrent si
ensement sur mes joues, mais c'étaient des larmes d'une joie sans mélang
Ah ! pensai-je, la Ste Vierge m'a souri que je suis heureuse...

Photographie prise le samedi 20 avril 1895 dans l'allée des Marronniers (deuxième pose)

La page où Thérèse raconte sa guérison du 13 mai 1883 (voir p. 52)

Sœur Geneviève estimait que cette photo était la plus ressemblante de toutes celles qu'elle avait prises de sa sœur. « Vous la voyez telle qu'elle était », disait-elle. Ce regard que Thérèse tourne vers la gauche nous fait penser à ce qu'elle écrit au début de son premier manuscrit : « Je me trouve à une époque de mon existence où je puis jeter un regard sur le passé. Mon âme s'est mûrie dans le creuset des épreuves extérieures et intérieures ; maintenant, comme la fleur fortifiée par l'orage, je relève la tête. [...] Toujours le Seigneur a été pour moi compatissant et rempli de douceur... lent à punir et abondant en miséricordes !... »

Je vais écrire mes pensées sur les grâces que le bon Dieu a daigné m'accorder

Mon Dieu, n'y aura-t-il que votre justice

En découvrant de mieux en mieux à quel point le Seigneur n'est qu'amour et miséricorde, Thérèse allait être amenée à contester radicalement la conception que les religieuses de son temps se faisaient de la sainteté.

Pour sauver le monde, les âmes consacrées étaient en effet invitées à s'offrir comme victimes à la justice de Dieu, afin de détourner sur elles-mêmes la colère du Dieu trois fois saint, prête à s'abattre sur les pécheurs. En acceptant de recevoir les foudres de Dieu, elles étaient heureuses de jouer en quelque sorte le rôle bénéfique de paratonnerre. Tel était l'idéal proposé par l'ouvrage qui servait alors à la formation des novices : Trésor du Carmel ou Souvenirs de l'ancien Carmel de France. *« La fin de l'Ordre du Carmel, y lisait-on, est d'honorer l'Incarnation et les anéantissements du Sauveur, de s'unir plus étroitement au Verbe fait chair, et de glorifier Dieu par l'imitation de sa vie cachée, souffrante et immolée. C'est encore de prier pour les pécheurs, de s'offrir pour eux à la justice divine et de suppléer par les rigueurs d'une vie austère et crucifiée à la pénitence qu'ils ne font pas [...] Cet Ordre demande donc des âmes généreuses... mortifiées... zélées, qui se renoncent elles-mêmes et se substituent courageusement comme des victimes à la place de notre divin Maître devenu impassible, pour être immolées comme lui à la gloire de son Père et au salut des âmes. »*

Plusieurs carmélites de Lisieux avaient eu la générosité de s'offrir ainsi à la justice divine et Thérèse avait eu souvent l'occasion d'entendre exalter leurs mérites. Au milieu du XIXe siècle, sœur Marie de la Croix s'était offerte comme victime pour obtenir la proclamation du dogme de l'Immaculée Conception. Quelques mois plus tard, en 1849, elle perdait la raison et la communauté avait vu dans cette épreuve le signe que Dieu avait ratifié son offrande. Sœur Marie de la Croix vécut encore trente-trois ans : elle mourut en 1882, l'année où Pauline entrait au carmel.

Sœur Geneviève de Sainte-Thérèse, cofondatrice du carmel de Lisieux, ne s'était pas offerte comme victime avant de tomber gravement malade, mais vingt mois avant sa mort, le soir du vendredi saint 1890, une voix intérieure la poussa à réaliser cette démarche : « Ma fille, il en est temps, offre-toi comme victime. » Bientôt, ses souffrances redoublèrent. Le jour de ses funérailles, l'abbé Rohée, curé de Saint-Pierre, ne manqua pas de souligner le lien entre son offrande et ses terribles souffrances.

Périodiquement, Thérèse entendait lire au réfectoire le récit de religieuses qui s'étaient offertes à la justice divine pour obtenir la conversion des pécheurs. En écoutant la Vie de Monsieur Olier *par M. Faillon (Paris, 1873, 3 vol.), elle apprenait la façon dont Agnès de Langeac avait obtenu la transformation spirituelle du fondateur de Saint-Sulpice : en s'immolant comme une victime à la justice de Dieu, en mortifiant son corps par toutes sortes de pénitences (flagellations, port de cilices et de ceintures de fer). Monsieur Olier ne cessait plus tard de remercier le Seigneur d'avoir*

qui recevra des âmes s'immolant en victimes ?

Dieu s'apprête à frapper la France pour la punir de ses fautes. Heureusement, au bas de l'image, la Vierge présente à Dieu son Enfant pour apaiser sa justice.
La prière imprimée au verso de l'image exprime bien cette conception d'un Dieu vengeur, dont il faut apaiser le courroux par l'offrande du Christ : « Père saint, regardez ce Fils unique, objet de vos éternelles complaisances et, pour l'amour de Lui, sauvez-nous malgré nos crimes... Regardez Jésus et Marie... et la foudre tombera de vos mains divines. »

« déchargé sa colère » sur cette moniale au lieu de le faire sur lui-même. Thérèse dut être d'autant plus frappée par cette lecture que la dominicaine du XVIIe *siècle portait en religion le même nom que Pauline, sa propre sœur : mère Agnès de Jésus.*

La veille même de son offrande à l'Amour miséricordieux, le 8 juin 1895, était arrivée à Lisieux la circulaire nécrologique de sœur Marie de Jésus, une carmélite de Luçon qui s'était « bien souvent offerte comme victime à la justice divine ». Son agonie, le Vendredi saint 1895, avait été terrible. La mourante avait laissé échapper ce cri d'angoisse : « Je porte les rigueurs de la Justice divine... la Justice divine ! la Justice divine !... » Et encore : « Je n'ai pas assez de mérites, il faut en acquérir. » Une fois de plus, Thérèse est impressionnée par l'exemple d'une âme qui s'offre en victime à la justice de Dieu, mais le lendemain c'est au Feu consumant de l'Amour divin qu'elle désire se livrer.

La communauté dans la cour de Lourdes (15 avril 1895)

A l'extrême-gauche, sœur Saint-Jean-Baptiste, la religieuse qui reprochait à Thérèse de ne pas accorder assez d'importance à la Justice divine

Plusieurs sœurs ont bougé et leurs visages sont flous. Thérèse et les deux novices qui l'entourent (sœur Marie de la Trinité, à sa droite, et sœur Marthe, à sa gauche) regardent vers le Ciel. Mère Agnès pose la main sur l'épaule d'une autre novice, sœur Marie-Madeleine du Saint-Sacrement. Au centre de la photo, sœur Marie de l'Incarnation, sœur converse en voile blanc, fait mine de parler avec mère Hermance du Cœur-de-Jésus, ancienne prieure du carmel de Coutances. A sa droite, debout au milieu d'un autre groupe, sœur Thérèse de Saint-Augustin. A l'extrême gauche de la photo, sœur Saint-Jean-Baptiste semble bien pensive. Sa spiritualité était à l'opposé de celle de Thérèse ; toujours sérieuse, elle voulait conquérir la sainteté à la force des poignets, en multipliant prières et pénitences. Elle trouvait que Thérèse s'appuyait trop sur la miséricorde de Dieu et finissait par oublier sa justice. Thérèse dira un jour que sœur Saint-Jean-Baptiste était pour elle l'« image de la sévérité du bon Dieu ». De belle prestance, admirable brodeuse, sœur Saint-Jean-Baptiste nourrissait le secret espoir de devenir un jour prieure comme on le lui avait fait pressentir. Or, en 1893, à quarante-six ans, elle était encore à la lingerie. Elle admettait difficilement que l'on ait pu confier à Thérèse, si jeune, le soin des novices. « Moi, disait-elle, si j'étais maîtresse des novices, je ne souffrirais pas un seul poil noir sur la toison de mes agneaux. » Elle estimait que Thérèse n'était pas assez sévère... et le lui dit un jour en récréation : « Vous auriez plus besoin de vous diriger vous-même que de diriger les autres ! » Avec sa douceur coutumière, Thérèse lui répondit : « Ah ! ma sœur, vous avez bien raison, je suis encore bien plus imparfaite que vous ne le croyez. »

Thérèse ne méprise absolument pas les âmes « qui s'offrent ainsi comme victimes à la justice de Dieu ». Cette offrande lui semble même « grande et généreuse », mais elle ne se sent pas portée à la faire. Et, puisqu'« il y a plusieurs demeures en la Maison du Père » (Jn 14, 2) — un passage d'Évangile auquel elle recourt volontiers pour légitimer l'originalité de sa Petite Voie —, elle n'hésite pas à se livrer à Dieu, tel qu'Il lui apparaît de plus en plus en cette année 1895 : une réserve inépuisable de tendresse et de miséricorde. Nul orgueil dans cette attitude, mais docilité parfaite à une inspiration de l'Esprit-Saint qui va lui être donnée en la fête de la Sainte Trinité, le 9 juin 1895. Soulignons néanmoins l'audace de cette jeune professe. Elle ose ne pas suivre l'exemple de mère Geneviève, qu'elle considérait pourtant comme une sainte et dont elle avait recueilli avec émotion la dernière larme.

Image offerte par sœur Saint-Jean-Baptiste à l'occasion de la prise de voile de Thérèse (24 septembre 1890)

La dédicace du verso est tout à fait dans la ligne de la spiritualité « tendue » de celle qui la rédige : « Pour élever l'âme à la sainteté, Dieu l'élève sur la croix, et pour la conduire à la vie, Il la conduit à la mort. » La signature ne manque pas de gentillesse : « Votre bien affectueuse petite sœur en Jésus, sœur Saint-Jean-Baptiste. »
Dans le portrait qu'elle brosse d'elle en 1893 (voir p. 196), sœur Marie des Anges ne manque pas de souligner son caractère « sévère » : « Saint anachorète qui ne vivrait bien comme son saint Patron que de sauterelles et de miel sauvage. Grande mystique, toujours planant dans les hauteurs... Sainte émule de Monseigneur de Bérulle !... »

Je m'offre comme victime d'holocauste à votre Amour miséricordieux

*9 juin 1895. On est arrivé au terme des Quatre-Temps de Pentecôte. Pendant toute une semaine, les carmélites ont supplié le Seigneur de poursuivre dans son Église l'effusion de l'Esprit-Saint. Hier, la liturgie rappelait le mot de l'apôtre Paul : « L'amour de Dieu a été répandu dans nos cœurs par l'Esprit-Saint qui nous a été donné » (*Rm, *5,5).*

Et voici qu'en ce dimanche de la Trinité, au cours de la messe, Thérèse reçoit une lumière aveuglante. Dieu est une Fontaine intarissable d'amour, mais Il est obligé de « comprimer les flots d'infinies tendresses » qui sont en Lui, si les hommes ne s'ouvrent pas à ce débordement. Imprégnée par la pensée de saint Jean de la Croix, Thérèse comprend de mieux en mieux que Dieu, « Vive Flamme d'amour », ne demande qu'à embraser les cœurs qui se livrent à cette fournaise... « O mon Jésus ! s'écrie Thérèse. Que ce soit moi, cette heureuse victime ! Consumez votre holocauste par le feu de votre Divin Amour !... »

A peine sortie de la chapelle, elle entraîne Céline, étonnée, à la suite de mère Agnès qui se dirige vers le tour. Le visage empourpré, elle balbutie qu'elle voudrait s'offrir comme victime à l'Amour miséricordieux du Seigneur.

La prieure ne se rend absolument pas compte de l'importance que représente l'intuition qui vient d'envahir le cœur de sa petite sœur... « Bien sûr ! » répond-elle.

Ravie, Thérèse explique rapidement à Céline de quoi il s'agit. Elle se met à rédiger son acte d'offrande. Le mardi 11, agenouillée dans l'antichambre de sa cellule, avec Céline devant « la Vierge du sourire », elle le prononce du fond du cœur...

En écrivant « victime d'holocauste », Thérèse exprime son désir le plus profond, celui d'être totalement « consumée » par la fournaise de l'amour divin. C'est pourquoi elle utilise le terme d'holocauste : à la différence des autres offrandes de l'Ancienne Alliance, la victime offerte en holocauste était entièrement brûlée sur l'autel des sacrifices. Thérèse désire être totalement plongée dans le feu de l'amour.

Il y a cinq mois, le 21 janvier 1895, en jouant le rôle de Jeanne d'Arc, elle avait failli être brûlée vive : par suite d'une imprudence, les modestes décors de la scène se mirent à brûler au contact de la flamme du réchaud censée représenter le bûcher de Rouen. Thérèse resta calme et immobile au milieu de ce début d'incendie. Aujourd'hui, elle désire être consumée tout entière — et pour de vrai — par les flammes de l'amour divin. Sa vie pourra devenir ainsi un « acte de parfait amour ».

Verso de l'acte d'offrande écrit par Thérèse sur papier quadrillé, les 9-11 juin 1895

Jauni, plié en quatre et usé à la marque des plis, Thérèse l'a consolidé avec du papier collant. En haut à droite, une trace de brûlure. Chargé d'examiner le texte, le père Lemonnier, missionnaire à la Délivrande, l'approcha trop près d'une bougie et l'endommagea.

A la fin de son premier manuscrit, Thérèse confie la grâce de lumière dont elle a bénéficié le dimanche 9 juin 1895

Thérèse ne se sent nullement poussée à s'offrir comme victime à la justice de Dieu. Car c'est son Amour miséricordieux qu'Il est surtout heureux de « décharger » sur le monde.

Cette année le 9 Juin fête de la Sainte Trinité, j'ai reçu la grâce de
comprendre plus que jamais combien Jésus désire être aimé.
Je pensais aux âmes qui s'offrent comme victimes à la Justice de Dieu afin
de détourner et d'attirer sur elles les châtiments réservés aux coupables, cette offrande me semblait grande et généreuse, mais j'étais loin de me sentir portée à
la faire. Ah! mon Dieu! m'écriai-je au fond de mon cœur, n'y aura-t-il que
votre Justice qui recevra des âmes s'immolant en victimes!... Votre Amour Miséricordieux n'en a-t-il pas besoin lui aussi?... De toutes parts il est méconnu,
rejeté; les cœurs auxquels vous désirez le prodiguer se tournent vers les créatures leur demandant le bonheur avec leur misérable affection, au lieu de
se jeter dans vos bras et d'accepter votre Amour infini... O mon Dieu! votre
Amour méprisé va-t-il rester en votre cœur? Il me semble que si vous
trouviez des âmes s'offrant en Victimes d'holocauste à votre Amour, vous les con-
sumeriez rapidement; il me semble que vous seriez heureux de ne point comprimer les flots d'infinies tendresses qui sont en vous... Si votre Justice aime
à se décharger, elle qui ne s'étend que sur la terre, combien plus votre Amour
Miséricordieux désire-t-il embraser les âmes, puisque votre Miséricorde s'élève
jusqu'aux cieux.... O mon Jésus! que ce soit moi cette heureuse victime,
consumez votre holocauste par le feu de votre Divin Amour!... »

Afin de vivre dans un acte de parfait Amour, je m'offre comme
Victime d'Holocauste à votre Amour miséricordieux, vous
suppliant de me consumer sans cesse, laissant déborder en mon
âme les flots de tendresse infinie qui sont renfermés en vous et qu'ainsi je
devienne Martyre de votre Amour ô mon Dieu!...
Que ce martyre après m'avoir préparée à paraître devant vous
me fasse enfin mourir et que mon âme s'élance sans retard
dans l'Éternel embrassement de Votre Miséricordieux Amour!
Je veux ô mon Bien Aimé, à chaque battement de mon cœur
vous renouveler cette offrande un nombre infini de fois, jusqu'à
ce que les ombres déclinent et qu'alors je puisse vous redire mon
Amour dans un Face à Face éternel!...

Sr Thérèse de l'Enfant Jésus de la Ste Face
rel. carm. ind.

Fête de la Très Sainte Trinité.
Dimanche 9 Juin 1895

Dans la semaine, probablement le vendredi 14 juin, en faisant un chemin de croix privé dans le chœur, Thérèse est « prise d'un si violent amour pour le bon Dieu » qu'elle se croit tout entière plongée dans le feu. « Je brûlais d'amour et je sentais qu'une minute, une seconde de plus, je n'aurais pu supporter cette ardeur sans mourir. » Elle y voit le signe que Dieu a bel et bien accepté son offrande.

Elle croit prudent d'en avertir mère Agnès. Celle-ci fait mine de n'y prêter aucune attention. Elle craint tellement que sa sœur ne s'engage dans des voies extraordinaires. Même sentiment chez mère Marie de Gonzague qui écrit à Thérèse que les blessures provenant de la vie communautaire ne présentent pas les mêmes risques d'erreur que les prétendues blessures causées chez certaines carmélites par un dard mystique. Ce qu'elle préfère chez Thérèse d'Avila, ce sont sa gaieté et sa simplicité : « Vive son tambour et son turlututu ! » Thérèse n'a aucun mal à ratifier ces propos, elle qui aime tant contempler la vie de foi qui fut celle de Marie à Nazareth. Elle n'échangerait pas les trois années pénibles qu'elle a connues lors de la maladie mentale de son père pour toutes les extases des saints.

Thérèse ne fait aucune allusion à cette « blessure d'amour » dans son autobiographie. Néanmoins, à la demande explicite de mère Agnès, elle en reparlera le 7 juillet 1897, la veille du jour où on la descendit à l'infirmerie.

Photographie sur le perron
(lundi de Pâques 15 avril 1895)

La transverbération
de sainte Thérèse d'Avila
Image de bréviaire
(13,5 × 9 cm)

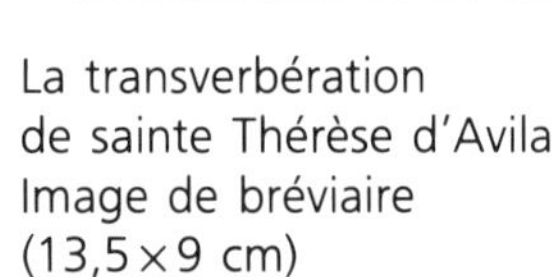

Couloir situé derrière le chœur
des carmélites

Thérèse y confia à mère Agnès, le 14 juin 1895, la grâce qu'elle venait de recevoir en faisant son chemin de croix. C'est là aussi qu'elle lui avait demandé le 9 juin la permission de s'offrir à l'Amour miséricordieux.

Thérèse connaissait suffisamment la Bible pour savoir qu'elle ne devait jamais s'en tenir aux apparences : « L'homme s'arrête au visage, mais Dieu, c'est le cœur qu'Il regarde. »
Mais elle avait compris également que « la charité ne doit point rester enfermée dans le fond du cœur ». Jésus nous le demande, le flambeau de notre charité doit « éclairer, réjouir tous ceux qui sont dans la maison ». C'est pourquoi, disait-elle à ses novices, nous devons essayer d'avoir toujours un visage souriant. « Le visage est le reflet de l'âme », disait-elle à sœur Marie de la Trinité.

Photographie prise
le lundi de Pâques (15 avril 1895)

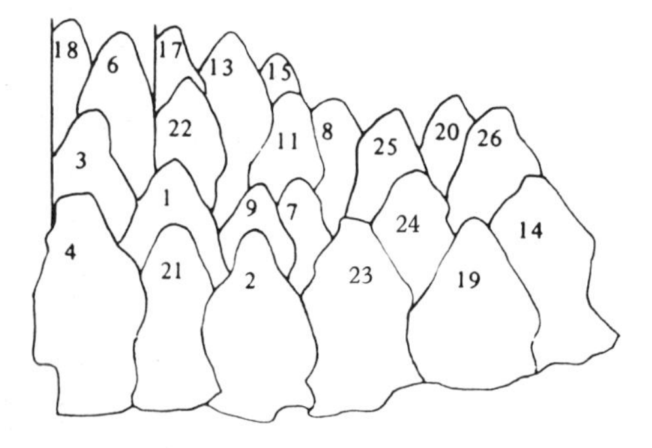

Le carmel de Lisieux en 1895

1 Sr Thérèse de l'Enfant-Jésus.
2 Sr Marie du Sacré-Cœur (Marie).
3 Révérende Mère Agnès de Jésus (Pauline).
4 Sr Geneviève de la Sainte-Face (Céline).
5 Sr Marie de l'Eucharistie (Marie Guérin).
6 Révérende Marie de Gonzague.

Dans l'ordre de profession :

7 Sr Saint-Stanislas.
8 Mère Hermance du Cœur de Jésus.
9 Sr Marie des Anges.
10 Sr Saint-Raphaël.
11 Sr Saint-Jean-Baptiste.
12 Sr Aimée de Jésus.
13 Sr Thérèse de Jésus.
14 Sr Marguerite-Marie.
15 Sr Thérèse de Saint-Augustin.
16 Sr Saint-Jean de la Croix.
17 Sr Marie-Emmanuel.
18 Sr Marie de Saint-Joseph.
19 Sr Marie de Jésus.
20 Sr Marie-Philomène.
21 Sr Marie de la Trinité.
22 Sr Anne du Sacré-Cœur (du carmel de Saigon).

Converses :

23 Sr Marie de l'Incarnation.
24 Sr Saint-Vincent de Paul.
25 Sr Marthe de Jésus.
26 Sr Marie-Madeleine.

Quatre sœurs de la communauté ne figurent pas sur la photo, notamment sœur Saint-Pierre qui se trouve à l'infirmerie. Quant à sœur Marie de l'Eucharistie, elle n'entrera au carmel que le 15 août 1895.

L'amour ne se paie que par l'amour

Se laisser aimer et pardonner par le Seigneur, s'ouvrir aux torrents d'infinies tendresses qui coulent de son cœur, se laisser consumer par le feu de son amour, tout cela est fondamental dans la pensée de Thérèse. Mais on mutilerait gravement sa Petite Voie si l'on oubliait son désir de rendre au Seigneur « amour pour amour ». « L'amour ne se paie que par l'amour. » Ce sont les seuls mots qu'elle ait écrits en dessous de ses armoiries, à la fin de son premier manuscrit. Autrement dit, Thérèse ne se présente pas toujours devant Dieu les mains vides. Elle a tout autant le souci de se présenter devant Lui les mains chargées des fleurs de son amour : « Dans l'unique but de lui faire plaisir et de lui sauver des âmes », comme elle le dit dans son acte d'offrande. Jusqu'à la fin de sa vie, elle se considère chargée de gagner *la vie de ses enfants, les pauvres pécheurs. Elle est leur* sœur, *assise à leur table, appelant sur eux comme sur elle le même déferlement des torrents de la miséricorde divine ; mais elle est aussi leur* mère, *chargée de gagner leur salut par son amour sans défaillance.*

Lorsque, le 6 août 1897, Thérèse commente elle-même, à la demande de mère Agnès, ce que signifie pour elle vivre comme une enfant devant Dieu, elle commence par dire que c'est « reconnaître son néant, attendre tout du bon Dieu, comme un petit enfant attend tout de son père, se sentir incapable de gagner sa vie, la vie éternelle du Ciel », mais l'enfant, ajoute-t-elle, est aussi celui qui « n'a d'autre occupation que celle de cueillir des fleurs, les fleurs de l'amour et du sacrifice, et de les offrir au bon Dieu pour son plaisir ».

Thérèse devine déjà que l'on risque de mal interpréter sa Petite Voie en méconnaissant la place du « combat spirituel » dans la vie chrétienne : « Bien des âmes disent : "Je n'ai pas la force d'accomplir tel sacrifice." Mais qu'elles fassent des efforts ! Le bon Dieu ne refuse jamais la première grâce qui donne le courage d'agir », dira-t-elle deux jours plus tard.

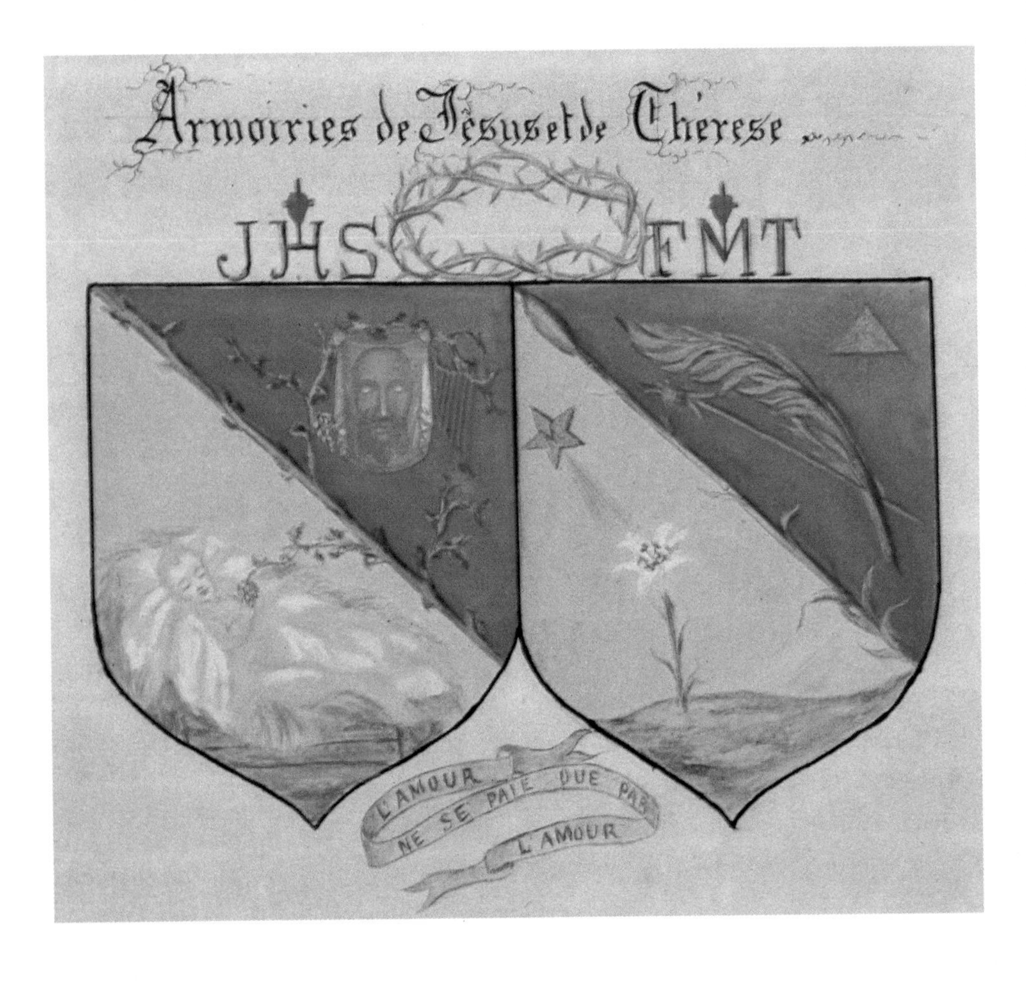

Armoiries dessinées par Thérèse à la fin de son premier manuscrit

Nous avons donné plus haut (p. 157) le commentaire qu'a fait Thérèse du blason de gauche. Voici, en résumé, la façon dont elle explique celui de droite :

FMT (Marie-Françoise-Thérèse) est une petite fleur qui s'expose aux rayons bienfaisants de la Vierge Marie, la douce Étoile du matin. Transplantée sur la montagne du Carmel, elle aspire à la palme du martyre, alors qu'elle n'est qu'un faible roseau. « Le triangle lumineux représente l'Adorable Trinité qui ne cesse de répandre ses dons inestimables sur l'âme de la pauvre petite Thérèse. » Quant au dard qui sépare les deux parties du blason, c'est « le dard enflammé de l'amour » dont elle veut brûler pour son Dieu : en le dessinant, Thérèse a certainement pensé à la blessure d'amour qu'elle a reçue au mois de juin 1895 (voir p. 240).

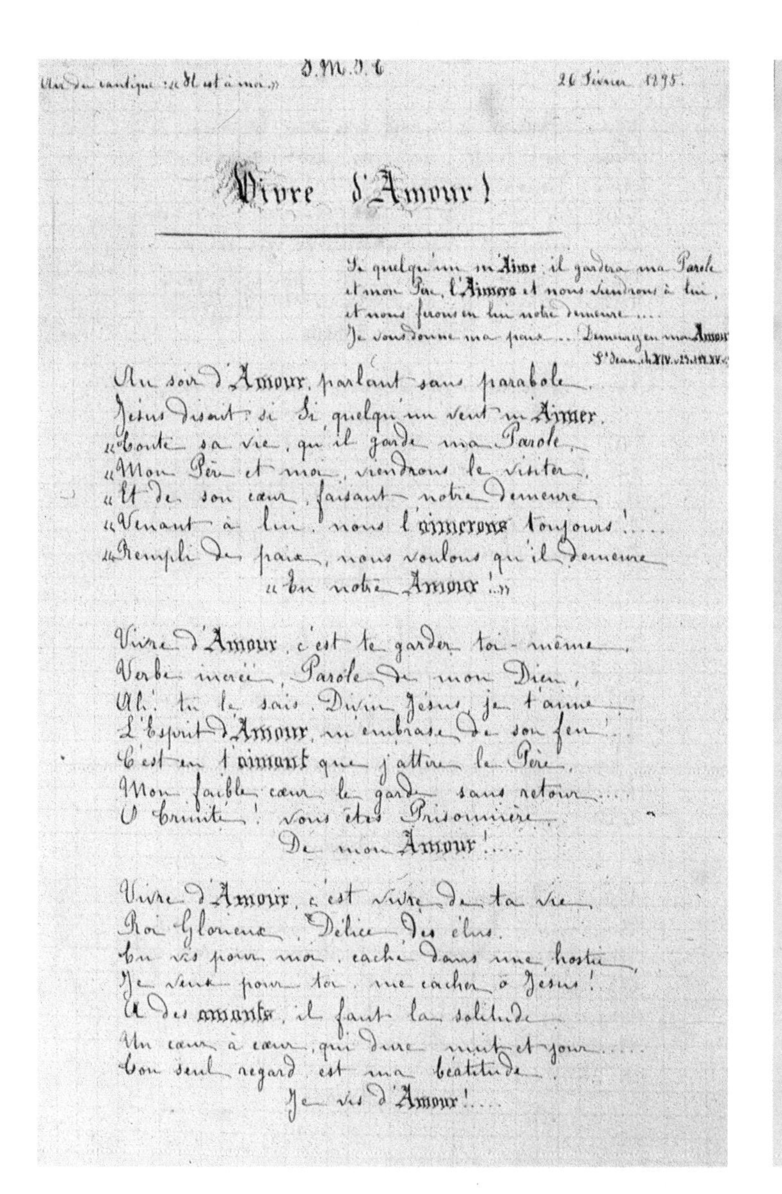

Air du cantique : « Il est à moi » J.M.J.T 26 février 1895.

Vivre d'Amour !

Si quelqu'un m'Aime, il gardera ma Parole
et mon Père l'Aimera et nous viendrons à lui,
et nous ferons en lui notre demeure....
Je vous donne ma paix... Demeurez en mon Amour
St Jean ch XIV. 23. ch. XV.

Au soir d'Amour, parlant sans parabole
Jésus disait : Si quelqu'un veut m'Aimer,
« Toute sa vie, qu'il garde ma Parole,
« Mon Père et moi, viendrons le visiter.
« Et de son cœur, faisant notre demeure,
« Venant à lui, nous l'aimerons toujours !....
« Rempli de paix, nous voulons qu'il demeure
« En notre Amour !... »

Vivre d'Amour, c'est te garder toi-même
Verbe incréé, Parole de mon Dieu,
Ah ! tu le sais, Divin Jésus, je t'aime
L'Esprit d'Amour m'embrase de son feu !
C'est en t'aimant que j'attire le Père
Mon faible cœur le garde sans retour....
O Trinité ! vous êtes Prisonnière
De mon Amour !...

Vivre d'Amour, c'est vivre de ta vie
Roi Glorieux, Délice des élus.
Tu vis pour moi, caché dans une hostie
Je veux pour toi, me cacher ô Jésus !
A des amants, il faut la solitude
Un cœur à cœur, qui dure nuit et jour....
Ton seul regard est ma béatitude
Je vis d'Amour !...

Vivre d'Amour, ce n'est pas sur la terre
Fixer sa tente au sommet du Thabor
Avec Jésus, c'est gravir le Calvaire,
C'est regarder la croix comme un trésor !
Au Ciel, je dois vivre de jouissance
Alors l'épreuve aura fui pour toujours
Mais exilée, je veux dans la souffrance
Vivre d'Amour

Vivre d'Amour, c'est donner sans mesure
Sans réclamer de salaire ici-bas...
Ah ! sans compter je donne étant bien sûre
Que lorsqu'on aime on ne calcule pas.
Au Cœur Divin, débordant de tendresse
J'ai tout donné... légèrement je cours !
Je n'ai plus rien que ma seule richesse :
Vivre d'Amour !...

Vivre d'Amour, c'est bannir toute crainte
Tout souvenir des fautes du passé.
De mes péchés, je ne vois nulle empreinte,
En un moment l'Amour a tout brûlé...
Flamme divine, ô très douce Fournaise !
En ton foyer, je fixe mon séjour.
C'est en tes feux que je chante à mon aise
Je vis d'Amour.

Vivre d'Amour, c'est garder en soi-même
Un grand trésor en un vase mortel.
Mon Bien-Aimé, ma faiblesse est extrême,
Ah ! je suis loin d'être un ange du Ciel !
Mais si je tombe à chaque heure qui passe
Me relevant, tu viens à mon secours,
A chaque instant tu me donnes ta grâce
Je vis d'Amour...

Avant l'ouverture du carême, les religieuses priaient trois jours devant le Très Saint-Sacrement exposé. C'est ce que l'on appelait l'adoration des quarante heures. En 1895, le soir du Mardi gras (26 février), Thérèse écrit de mémoire les couplets qu'elle a composés sans brouillon durant la journée : c'est donc le fruit de sa méditation eucharistique qu'elle nous livre ici. Le poème fut envoyé de son vivant à différentes communautés religieuses. Elle le copia notamment en février-mars 1897 dans un cahier destiné à l'abbé Maurice Bellière, où elle a copié dix-huit de ses poèmes.

La tempête apaisée

A la différence de ce que font les apôtres lorsqu'ils sont surpris par la tempête, Thérèse ne veut pas réveiller Jésus, lorsque Celui-ci semble dormir, lorsqu'Il ne paraît pas s'inquiéter de ce qui arrive à son épouse. « Oh moi, je veux Le laisser dormir », dit-elle un jour à Céline en commentant ce tableau.
On devine la joie de Thérèse quand elle reçut de sœur Geneviève cette image. Elle correspondait bien à ce qu'elle avait chanté dans une strophe de son poème « Vivre d'amour ».

Thérèse connaissait des fragments de la vie et des œuvres du bienheureux Henri Suso grâce à une copie que Céline en avait faite. Elle avait lu notamment avec plaisir qu'un ange avait expliqué un jour au religieux dominicain la supériorité du combat spirituel sur les pénitences corporelles auxquelles il s'était livré jusque-là. Ces dernières avaient fait de lui un soldat ; le combat spirituel ferait de lui un chevalier.

Cette anecdote aidait Thérèse à accepter les adoucissements qu'on lui demandait d'apporter à sa vie de malade. Au cours de l'hiver 1896-1897, mère Marie de Gonzague avait exigé qu'elle se serve d'une chaufferette afin de disposer toujours d'une paire d'« alpargates » chaudes — c'était le nom des sandales de corde utilisées alors dans les carmels. Mais Thérèse en laisse mourir la braise quand elle estime qu'il ne fait pas assez froid. « Les autres se présenteront au Ciel avec leurs instruments de pénitence, dit-elle un jour à sœur Geneviève, et moi avec une chaufferette ! Mais c'est l'amour et l'obéissance qui, seuls, comptent ! »

Image offerte à Thérèse par sœur Marie des Anges, sa maîtresse des novices

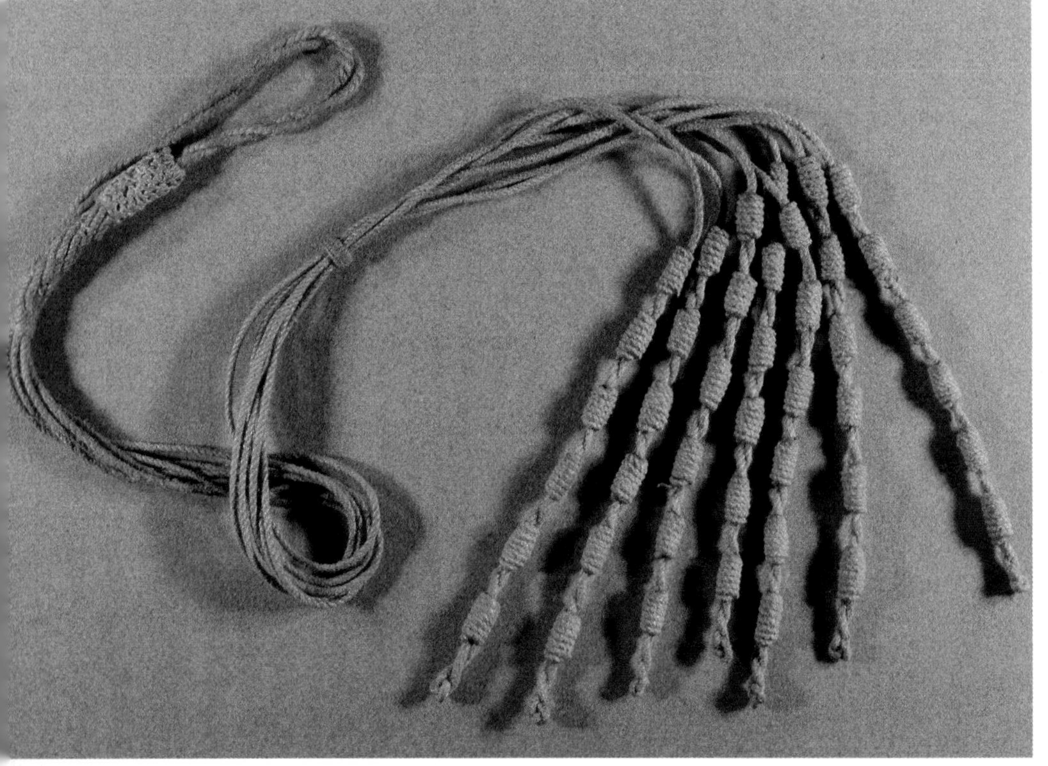

Instruments de pénitence utilisés par Thérèse

Quand Thérèse se donnait la discipline, elle s'efforçait de conserver le sourire pour manifester à Jésus qu'elle était heureuse de souffrir en union avec Lui et de Lui sauver des âmes.

La croix de fer portée par Thérèse (12,3 × 8,5 cm)

Thérèse devint malade pour avoir porté trop longtemps cette croix de fer. Pendant le repos qu'elle dut prendre à la suite de ce malaise, elle comprit qu'elle ne devait pas s'adonner à ce genre de pénitences corporelles. Elle avait du reste remarqué que les religieuses les plus portées aux austérités sanglantes péchaient facilement par amour-propre.

Dès sa jeunesse, Thérèse avait appris à monnayer son amour de Dieu par de multiples gestes de charité fraternelle. La nuit de sa conversion, elle franchit une nouvelle étape en découvrant la joie de s'oublier vraiment pour les autres. Cette joie va sans cesse s'approfondir. En étudiant la Règle et les Constitutions de son Ordre, elle s'aperçoit de l'importance donnée par Thérèse d'Avila à l'exercice quotidien de la délicatesse fraternelle : « Considérez-vous toujours comme étant la servante de toutes les autres et regardez en chacune d'elles Notre-Seigneur Jésus-Christ ».

Novice, Thérèse se propose pour conduire au réfectoire sœur Saint-Pierre, une religieuse dont les membres sont douloureusement déformés par la goutte. En écrivant ses souvenirs, elle reconnaît avec simplicité qu'elle réussit à gagner totalement ses bonnes grâces le jour où elle s'aperçut du tout petit service qu'elle pouvait lui rendre avant de la quitter : couper son pain et en arranger soigneusement les morceaux dans son godet. La vieille infirme était surtout émerveillée — mais Thérèse ne le sut que plus tard — du sourire avec lequel la novice lui disait toujours bonsoir.

Il y eut en revanche des sourires que Thérèse eut beaucoup de mal à donner. Ceux qu'elle adressa jusqu'à la fin de sa vie à sœur Thérèse de Saint-Augustin, qui avait « le talent de lui déplaire en toutes choses ». Parfois la tentation est si grande de lui être désagréable que Thérèse quitte la pièce où elle est en train de travailler pour ne plus être à ses côtés. Mais Thérèse ne s'arrête pas à cette antipathie. Elle s'oblige à se mettre près d'elle en récréation et à lui rendre tous les services possibles. Elle s'efforce aussi de lui faire toujours son plus beau sourire. Un sourire qui n'est pas hypocrite, puisqu'il est l'expression d'un amour authentique. Thérèse « aime » du fond du cœur sœur Thérèse de Saint-Augustin. Elle rejoint en elle « Jésus caché au fond de son âme ». Ce qu'elle chante dans « Vivre d'amour », elle le vit :

« Vivre d'amour, c'est naviguer sans [cesse
Semant la paix, la joie dans tous les [cœurs
Pilote aimé, la Charité me presse
Car je te vois dans les âmes mes [sœurs. »

Pilote aimé, la Charité me presse
Car je te vois dans les âmes, mes sœurs

Sœur Thérèse de Saint-Augustin
(1856-1929)

Fille unique de M. et Mme Leroyer, Julia était née au château de la Cressonnière, près d'Orbec, où ses parents étaient respectivement domestique et femme de chambre. A quatorze ans, le désir du carmel naît dans son cœur, mais elle n'y entre qu'à dix-neuf ans, après la mort de son père, frappé par la petite vérole.

Sœur Thérèse de Saint-Augustin édifie la communauté par son recueillement, mais il y a chez elle quelque chose de guindé qui agace passablement Thérèse. Elle lui fait penser à un « lys en pot », confie-t-elle un jour à l'une de ses sœurs. Mais jamais sœur Thérèse de Saint-Augustin ne s'aperçoit des actes de patience qu'elle impose à Thérèse. Elle s'imagine même compter parmi ses préférées. Thérèse ne lui a-t-elle pas dédié sa première poésie ? Ne recherche-t-elle pas son voisinage en récréation ?

Plus tard, quand elle lira l'*Histoire d'une âme*, elle ira jusqu'à se demander qui pouvait bien être la religieuse vis-à-vis de laquelle Thérèse éprouvait une si vive antipathie. En déposant au procès en 1915, elle apporte candidement le témoignage suivant : « Lorsque la servante de Dieu rencontrait une sœur pour laquelle sa nature éprouvait un peu d'éloignement, elle priait pour elle et offrait au bon Dieu les vertus qu'elle remarquait en elle. »

C'est seulement un mois avant de mourir, le 9 juin 1929, qu'elle découvre à sa plus grande confusion combien elle a été fatigante pour ses sœurs et notamment pour Thérèse. Mais elle jette son fardeau dans le brasier de l'amour miséricordieux. Thérèse lui a tellement redit qu'elle ne devait pas craindre le purgatoire.

Léonie

Juillet 1893. Léonie, qui vient d'avoir trente ans, recommence à la Visitation de Caen un troisième essai de vie religieuse. Elle multiplie les efforts pour suivre de son mieux toutes les observances de la Règle, mais elle s'essouffle vite. Elle revêt néanmoins le voile de novice le 6 avril 1894, sous le nom de sœur Thérèse-Dosithée. Hélas ! la coiffe qu'elle porte jour et nuit provoque un eczéma qui se répand sur toute la tête et lui donne de terribles démangeaisons. Par de multiples lettres pleines d'affection, Thérèse encourage sa sœur à persévérer dans sa vocation, mais sa santé toujours chancelante et son caractère encore instable l'obligent à quitter le monastère le 20 juillet 1895.

Juillet 1895. Sœur Thérèse de l'Enfant-Jésus est en pleine période d'épanouissement spirituel. Un mois plus tôt, le 9 juin, en la fête de la Sainte-Trinité, elle a compris à quel point le Seigneur désire faire déborder sur le monde les torrents de sa miséricorde. Elle s'est offerte elle-même au déferlement de ces torrents. En apprenant, le 20 juillet, que Léonie est de nouveau sortie de la Visitation de Caen, Thérèse éprouve une grande peine. Elle qui, depuis quelques mois, connaît la grande joie d'initier Céline aux secrets de la Petite Voie qu'elle est en train de découvrir, elle qui est en train de chanter, en écrivant ses souvenirs d'enfance, toutes les miséricordes du Seigneur à son égard, voici qu'elle est obligée de constater que ses prières n'ont pas obtenu pour Léonie la grâce de persévérer dans son nouvel essai de vie religieuse : c'est son troisième échec de vie conventuelle. Elle a trente-deux ans.

Dans la lettre qu'elle écrit le jour même à M. et Mme Guérin — qui recueillent Léonie chez eux —, Thérèse ose comparer sa souffrance à celle de l'agonie du Christ. La seule prière qu'elle puisse faire, écrit-elle, est celle de Notre-Seigneur sur la Croix : « Mon Dieu, mon Dieu, pourquoi ? » Un pourquoi d'autant plus douloureux que huit jours plus tard, le 28 juillet, la famille s'apprête à célébrer le premier anniversaire de la mort de M. Martin. Sa

Il y a bien plus de différence entre les âmes qu'il n'y en a entre les visages

Marie Guérin

Le 24 septembre 1890, en assistant à la prise de voile de Thérèse, Marie — qui vient d'avoir vingt ans — se sent intérieurement confirmée dans sa vocation. Elle décide d'être carmélite comme sa jeune cousine. En entrant au carmel le 15 août 1895, elle apporte tout un répertoire de chansons à la mode qui serviront de support musical aux poésies de Thérèse. Marie jouait fort bien du piano et avait elle-même une très jolie voix.

prière céleste n'a donc pas obtenu non plus la persévérance de Léonie. Que se passe-t-il ?
Quinze jours plus tard, le 15 août 1895, c'est Marie Guérin qui entre au carmel de Lisieux pour y rejoindre ses quatre cousines. Pourquoi Dieu permet-il de telles différences entre les membres d'une même famille ? Pourquoi Léonie ne reçoit-elle pas apparemment les mêmes grâces ?
Thérèse ne se trouble pas. Depuis qu'elle s'occupe des novices, elle ratifie pleinement le mot du père Pichon : « Il y a bien plus de différence entre les âmes qu'il n'y en a entre les visages. » Dieu lui a fait comprendre « qu'il y a des âmes que sa miséricorde ne se lasse pas d'attendre, auxquelles Il ne donne sa lumière que par degré ».

En fait, Léonie sera peut-être, de toutes les sœurs Martin, celle qui assimilera le mieux la Petite Voie. Le 28 janvier 1899, elle entrera de nouveau à la Visitation de Caen et y mettra merveilleusement en pratique les encouragements que sa petite sœur n'avait cessé de lui prodiguer : « Je t'assure que le bon Dieu est bien meilleur que tu ne le crois. Il se contente d'un regard, d'un soupir d'amour... Pour moi, je trouve la perfection bien facile à pratiquer, parce que j'ai compris qu'il n'y a qu'à prendre Jésus par le Cœur. » Et nous savons ce que Thérèse entendait par là : après chaque faute, il faut, comme un enfant, aller dire à Jésus : « Embrasse-moi, je ne recommencerai plus ! »

Céline et Marie Guérin dans le parc du château de la Musse

Depuis 1889, Marie Guérin s'était souvent rendue avec ses parents, sa sœur Jeanne et son beau-frère, le Dr La Néele, au château de la Musse.
Elle y avait organisé avec Céline beaucoup de jeux. En juillet 1894, quelques semaines avant que M. Martin n'y meure, les deux cousines avaient même monté toute une série de « tableaux vivants » — Le Voyage excentrique à la Cordillière des Andes — *que Céline avait photographiés.*

Mon cher petit frère...

Maurice Bellière (1874-1907)

Séminariste en octobre 1894, il s'embarque le 29 septembre 1897 pour le noviciat des Pères blancs à Alger. Il y prend l'habit quelques jours après la mort de Thérèse. Ordonné prêtre en 1901, il exerce son apostolat au Nyassa de 1902 à 1904. Sa mauvaise santé l'oblige à revenir en France en 1906 et il meurt à Caen, sa ville natale, l'année suivante.

Le 17 octobre 1895, mère Agnès reçoit la lettre d'un séminariste demandant qu'une carmélite l'aide à persévérer dans sa vocation et prenne spécialement en charge son apostolat quand il sera ordonné prêtre. La prieure pense immédiatement à Thérèse. Elle va la chercher à la lessive et lui confie ce séminariste. Il s'appelle l'abbé Maurice Bellière.

Deux jours plus tôt, on vient de célébrer la fête de sainte Thérèse d'Avila. Thérèse ne peut s'empêcher de voir dans cette coïncidence un magnifique cadeau de sa sainte patronne. Elle a toujours rêvé d'avoir un frère prêtre. Rêve impossible, puisque ses deux frères sont morts tout jeunes. Et voilà qu'à vingt-deux ans elle reçoit du Ciel un frère de son âge, futur prêtre et, qui plus est, futur missionnaire. « Jamais depuis des années je n'avais goûté ce genre de bonheur. Je sentais que de ce côté mon âme était neuve. C'était comme si l'on avait touché pour la première fois des cordes musicales restées jusque-là dans l'oubli. »

La prière qu'elle compose alors commence par ces mots : « O mon Jésus, je vous remercie de combler un de mes plus grands désirs, celui d'avoir un frère, prêtre et apôtre. » Elle redouble d'ardeur, offrant pour lui toutes ses prières et tous ses actes de renoncement. Quant au jeune abbé, il n'encombre pas de courrier sa petite sœur carmélite. Il se contente de lui envoyer une carte en novembre, pour l'avertir de son départ pour le service militaire. C'est seulement au mois de juillet suivant qu'il reprendra contact avec elle. Dans les longues lettres qu'elle lui adresse en réponse aux siennes, Thérèse n'hésite pas à l'appeler « Mon cher petit frère ».

Cachet remis par l'abbé Bellière
à Thérèse le 23 octobre 1895

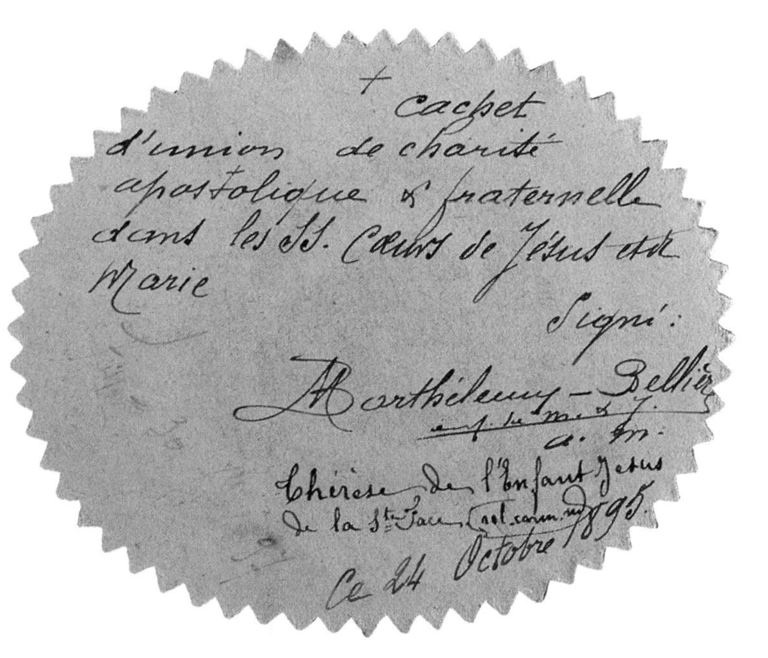

Né le 10 juin 1874, Maurice perd sa mère huit jours plus tard. Son père, teinturier à Caen, se retrouve veuf à vingt-six ans, un an après son mariage. Il se remarie et laisse sa belle-sœur, Mme Barthélemy, s'occuper du bébé. Elle l'élève seule, après la mort de son mari (marin) l'année suivante. Vers l'âge de onze ans, le petit Barthélemy découvre brusquement qu'il est né Bellière. Son père reprend alors contact avec lui. Il signe désormais Barthélemy-Bellière. Il ajoute ici, de façon abrégée : « Enfant de Marie et Joseph, aspirant missionnaire. » Blessé par sa situation familiale, l'abbé Bellière n'a jamais osé la confier à Thérèse : celle-ci le croyait seulement orphelin de père et de mère.

Dernière image peinte par Thérèse
et offerte par elle à l'abbé Bellière
(lettre du 10 août 1897)

Au verso, la dédicace d'une écriture tremblée : « Dernier souvenir d'une âme sœur de la vôtre. » Pour composer son image, Thérèse a utilisé la photographie d'une image à dentelles qu'elle appréciait (voir p. 274). Les deux mains du prêtre tenant la Sainte Hostie expriment bien ce qu'elle souhaite à l'abbé Bellière : qu'il soit plus tard un prêtre plein d'amour pour Jésus ! Quant au texte qu'elle a calligraphié, il proclame une dernière fois la confiance sans limites qu'elle voudrait voir se développer dans le cœur de son cher petit frère.

Au moment de sa propre profession, Thérèse s'était amusée à composer une « Lettre d'invitation aux noces de sœur Thérèse de l'Enfant-Jésus de la Sainte-Face » avec le Roi des rois et Seigneur des seigneurs. L'idée lui en était venue en lisant le faire-part de mariage de sa cousine Jeanne Guérin avec le Dr Francis La Néele (1er octobre 1890). Elle reprend et développe cette idée à l'approche de la profession de sœur Geneviève. Elle rédige un contrat dans lequel le « Chevalier Jésus » rappelle à son épouse bien-aimée les exigences et la fécondité de l'union nuptiale qu'Il contracte avec elle. Sœur Geneviève — qui aimait encore plus que sa sœur les histoires de chevalerie — se représentait volontiers Jésus comme son chevalier. Il était d'ailleurs d'usage, une veille de profession, de prier au chœur jusqu'à minuit — à la façon des hommes du Moyen Age qui passaient la nuit en prière avant d'être armés chevaliers.

Trois semaines après sa profession (24 février 1896), le jour de sa prise de voile (17 mars 1896), sœur Geneviève est photographiée avec sa sœur au pied du crucifix du cloître

Mère Agnès, la prieure en exercice, n'est pas sur la photo, comme on aurait pu s'y attendre. Délicatesse oblige ! Mère Marie de Gonzague aurait voulu « retarder » de quelques semaines la profession de sœur Geneviève, afin qu'elle ait lieu « sous son gouvernement », car elle espère bien redevenir prieure aux prochaines élections fixées au 21 mars suivant. Thérèse a réagi très vivement au désir totalement injustifié de mère Marie de Gonzague : il n'y a aucune raison de reculer la profession de sa sœur Céline. « Il y a des épreuves qu'on ne doit pas donner », s'est-elle permis de dire à la buanderie un jour de janvier, tandis que les sœurs discutaient de cette affaire.

Mère Agnès n'a pas voulu paraître sur la photo : il ne fallait surtout pas donner à cette journée l'allure d'un triomphe du « clan Martin-Guérin » sur le « clan Marie de Gonzague ». Tout en étant professes, Thérèse et sœur Geneviève ne participeront d'ailleurs jamais aux votes, puisque deux sœurs Martin avaient déjà « voix au chapitre ».

Quant à Thérèse, elle est déjà bien malade. La première hémoptysie va se produire dans quinze jours, en la nuit du 3 au 4 avril.

Je n'ai pas de cadeau de noces à donner à ma Céline, mais...

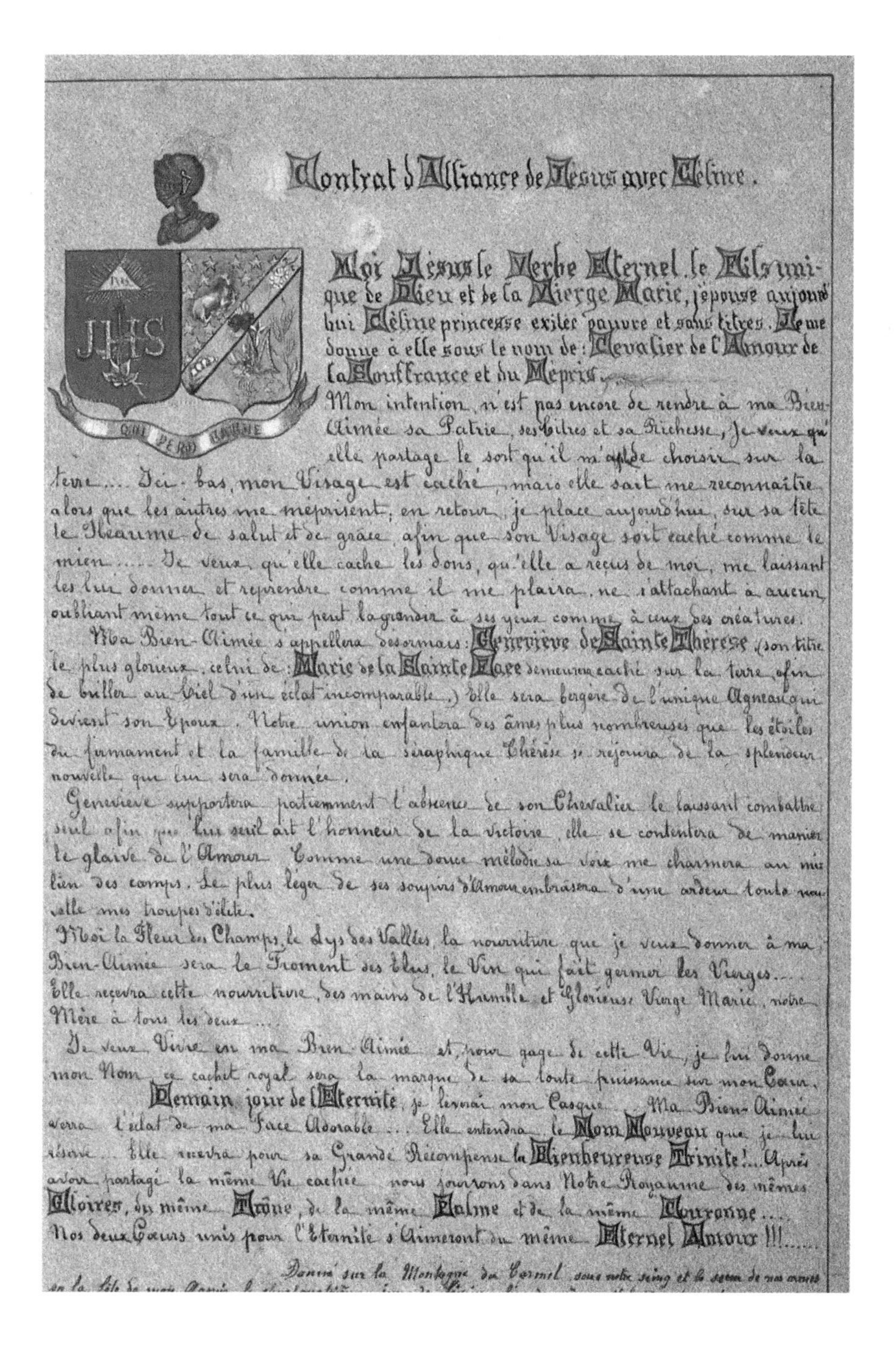

Contrat d'Alliance de Jésus avec Céline.

QUI PERD GAGNE

Moi Jésus le Verbe Eternel le Fils unique de Dieu et de la Vierge Marie, j'épouse aujourd'hui Céline princesse exilée pauvre et sans titres. Je me donne à elle sous le nom de : Chevalier de l'Amour de la Souffrance et du Mépris.

Mon intention, n'est pas encore de rendre à ma Bien-Aimée sa Patrie, ses titres et sa Richesse, je veux qu'elle partage le sort qu'il m'a plu de choisir sur la terre... Ici-bas, mon Visage est caché, mais elle sait me reconnaître alors que les autres me méprisent; en retour, je place aujourd'hui, sur sa tête le Heaume de salut et de grâce afin que son Visage soit caché comme le mien..... Je veux, qu'elle cache les dons, qu'elle a reçus de moi, me laissant les lui donner et reprendre comme il me plaira, ne s'attachant à aucun oubliant même tout ce qui peut la grandir à ses yeux comme à ceux des créatures.

Ma Bien-Aimée s'appellera désormais : Geneviève de Sainte Thérèse (son titre le plus glorieux, celui de : Marie de la Sainte Face demeurera caché sur la terre afin de briller au Ciel d'un éclat incomparable.) Elle sera bergère de l'unique Agneau qui devient son Epoux. Notre union enfantera des âmes plus nombreuses que les étoiles du firmament et la famille de la séraphique Thérèse se réjouira de la splendeur nouvelle qui lui sera donnée.

Geneviève supportera patiemment l'absence de son Chevalier le laissant combattre seul afin que lui seul ait l'honneur de la victoire, elle se contentera de manier le glaive de l'Amour. Comme une douce mélodie sa voix me charmera au milieu des camps. Le plus léger de ses soupirs d'Amour embrâsera d'une ardeur toute nouvelle mes troupes d'élite.

Moi la Fleur des Champs, le Lys des Vallées, la nourriture que je veux donner à ma Bien-Aimée sera le Froment des Elus, le Vin qui fait germer les Vierges.... Elle recevra cette nourriture, des mains de l'Humble et Glorieuse Vierge Marie, notre Mère à tous les deux....

Je veux Vivre en ma Bien-Aimée et, pour gage de cette Vie, je lui donne mon Nom ce cachet royal sera la marque de sa toute puissance sur mon Cœur.

Demain jour de l'Eternité, je lèverai mon Casque... Ma Bien-Aimée verra l'éclat de ma Face Adorable... Elle entendra le Nom Nouveau que je lui réserve... Elle recevra pour sa Grande Récompense la Bienheureuse Trinité!... Après avoir partagé la même Vie cachée nous jouirons dans Notre Royaume des mêmes Gloires, du même Trône, de la même Palme et de la même Couronne... Nos deux Cœurs unis pour l'Eternité s'Aimeront du même Eternel Amour!!!.....

Donné sur la Montagne du Carmel sous notre seing et le sceau de nos armes

Qui perd gagne ! La devise avait été suggérée par sœur Geneviève elle-même. Au début du contrat, Jésus invite son épouse à vivre cachée à l'exemple de son Chevalier, dont le Visage est resté caché tout au long de sa vie terrestre, caché comme sous un heaume. C'est seulement dans le Ciel qu'il lèvera son casque et que sa bien-aimée verra l'éclat de sa Face adorable.

Vers le milieu de la page, on peut lire le nom que Céline aurait dû porter au carmel : sœur Marie de la Sainte-Face. Mais à la fin du mois de janvier 1895, M. Delatroëtte exprima le souhait que le nom de la fondatrice, décédée en décembre 1891, mère Geneviève de Sainte-Thérèse, fût perpétué. C'est donc sous ce nom que Céline devint novice en février 1895 et qu'elle fit profession l'année suivante.

Le matin du 17 mars 1896, Céline reçoit le voile noir au cours de la messe. L'après-midi, devant une assistance très nombreuse, Marie Guérin reçoit l'habit du carmel sous le nom de sœur Marie de l'Eucharistie. Avant la cérémonie, sœur Geneviève, la nouvelle professe, pose avec sa cousine. Celle-ci a revêtu, selon l'usage, une robe de jeune mariée. Entrer au noviciat, n'est-ce pas se préparer à devenir l'épouse du Seigneur ?

Image offerte à Thérèse
par sa cousine Marie Guérin à l'occasion
de sa prise d'habit

L'image exprime l'un des grands désirs de Thérèse : aller se reposer sur le cœur de Jésus, tout en Lui permettant de trouver en elle « le lieu de son repos ».

« Sommeiller sur son cœur, tout près de son visage,
Voilà mon Ciel à moi. »

Une photo de famille

Elle a été réalisée après le 17 mars 1896 (date à laquelle Marie Guérin a pris l'habit du carmel) et avant l'éclatement du printemps (on ne voit pas de feuilles sur les arbres). A-t-elle été prise juste avant la réélection de mère Marie de Gonzague le 21 mars ? C'est probable.

Le samedi 21 mars 1896, veille du dimanche de la Passion, ont lieu les élections de la communauté. Les seize capitulantes se réunissent au chœur pour voter. Les huit autres prient... Mère Agnès, prieure depuis trois ans, va-t-elle être réélue ou mère Marie de Gonzague va-t-elle reprendre possession de cette charge ? Il faut sept tours de scrutin pour les départager... La plus âgée, soixante-deux ans, est enfin élue de justesse. La cloche sonne pour appeler les huit sœurs en attente.
En entrant au chœur, Thérèse voit mère Marie de Gonzague occupant la stalle de la prieure. « Frappée de stupeur », elle se garde bien de manifester sa déception, encore moins d'en parler. Avec la même foi qu'il y a trois ans, elle regarde sa nouvelle prieure comme son « Jésus vivant ».

Ce matin, à 8 heures et demie, Mademoiselle Céline Martin, entourée de trois de ses sœurs qui l'ont précédée dans la vie monastique, a prononcé ses derniers vœux et pris le voile des professes.

Monseigneur l'Evêque de Bayeux et Lisieux a daigné présider cette imposante cérémonie dont M. l'abbé Ducellier, doyen de Trévières, a dans une émouvante et éloquente allocution retracé la haute et religieuse signification.

Ce soir, à trois heures, Mademoiselle Marie Guérin, accomplit la première partie de son noviciat et revêt l'habit du Carmel. Dans quelques mois, elle aussi viendra prendre, au même lieu, les plus définitifs et solennels engagements.

Monseigneur préside encore cette seconde cérémonie, à laquelle un ami de M. Guérin, M. l'abbé Levasseur, curé de Saint Germain-de-Navarre-lès-Evreux, prête le concours de sa pieuse et savante parole.

Matin et soir, la chapelle a été remplie d'une foule de personnes qui sont venues témoigner de leurs vives sympathies pour ces jeunes filles, pour cette famille honorée, sur laquelle Dieu se plaît à répandre de si grandes et nombreuses bénédictions.

Un article du *Normand* décrit le jour même la double cérémonie présidée par Mgr Hugonin

Le soir du Jeudi saint 2 avril, Thérèse a veillé au chœur jusqu'à minuit. A peine couchée, elle sent comme un flot qui monte en bouillonnant jusqu'à ses lèvres. Sa lampe étant soufflée, elle ne cherche pas à vérifier si c'est bien du sang qu'elle vient de vomir. Elle s'endort. Au réveil, elle entrouvre le volet : son mouchoir est plein de sang. Quelle joie ! Elle est intimement persuadée que Jésus, au jour anniversaire de sa mort, l'invite à Le rejoindre.
Thérèse met sa prieure au courant, tout en ajoutant : « Je ne souffre pas, ma Mère, et je vous supplie de me laisser continuer mon carême jusqu'au bout. » Mère Marie de Gonzague ne comprend pas la gravité de la situation. Elle autorise Thérèse à travailler comme si de rien n'était. Celle-ci poursuit donc son jeûne et nettoie les vitres des portes du cloître, debout sur un escabeau, dans les courants d'air. « L'espoir d'aller au Ciel, écrira Thérèse l'année suivante, me transportait d'allégresse. »
Sœur Marie de la Trinité, aide-

De la fenêtre de sa cellule
Thérèse voyait le cloître et le campanile

Le jour du Vendredi saint, Jésus voulut me donner l'espoir d'aller bientôt le voir au ciel

Quatrième strophe
de la poésie « Vivre d'amour »
composée le 26 février 1895
(voir p. 245)

Vivre d'Amour, ce n'est pas sur la terre
Fixer sa tente au sommet du Thabor
Avec Jésus, c'est gravir le Calvaire,
C'est regarder la Croix comme un trésor !
Au Ciel, je dois vivre de jouissance
Alors l'épreuve aura fui pour toujours
Mais exilée, je veux dans la souffrance
Vivre d'Amour

infirmière, est mise dans la confidence, mais Thérèse lui demande de ne rien dire à mère Agnès. La nuit suivante, nouvelle hémoptysie. Cette fois, le doute n'est plus possible : le Ciel est tout proche. Le Dr La Néele examine enfin sa cousine. Pressée de questions, elle avoue avoir eu très faim tous les soirs pendant le carême. Une grosse glande au cou atteste sa faiblesse. Pour pouvoir l'ausculter, Francis La Néele demande à Thérèse de passer la tête par la petite ouverture de la grille de l'oratoire. A la suite de cet examen sommaire, il pense que le saignement provient d'un vaisseau rompu dans la gorge. Il prescrit de la créosote à la cuillère, des vaporisations dans la gorge et des frictions à l'huile camphrée. Thérèse ne se fait guère d'illusions sur l'efficacité de ces remèdes. Mais sa joie demeure : le Seigneur va bientôt venir la chercher.
C'est seulement l'année suivante qu'à la suite d'un examen plus complet de la malade, à l'infirmerie, le Dr La Néele diagnostiquera la tuberculose.

Grimpée sur le socle de la croix, Thérèse dépose une branche de lys sur les pieds de Jésus (photographie de juillet 1896)

Chaque soir, après complies, Thérèse se retrouve avec ses novices au pied de la Croix. On recueille des pétales de roses — il y a une vingtaine de rosiers dans le jardin — et on les lance vers le crucifix. C'est à qui les lancera le plus haut, tout près du Visage de Jésus. Mais il ne s'agit pas de ramasser des pétales fanés, car c'est la fraîcheur d'une vie remplie d'amour qu'il faut offrir au Seigneur ! Thérèse ne change pas d'avis en avril 1896. Le corps ravagé par la tuberculose, l'esprit envahi par des doutes sur l'existence du Ciel, elle veut, à toute heure du jour, offrir à son Bien-Aimé les fleurs de son amour. Plus que jamais elle souscrit au poème qu'elle a composé l'année précédente et qu'elle recopie en ce mois de juillet pour l'envoyer au père Roulland qui s'apprête à partir pour la Chine :

« Vivre d'amour, ce n'est pas sur la terre
Fixer sa tente au sommet du Thabor.
Avec Jésus, c'est gravir le Calvaire,
C'est regarder la Croix comme un trésor !

Au Ciel je dois vivre de jouissance
Alors l'épreuve aura fui pour toujours
Mais exilée je veux dans la souffrance
Vivre d'amour. »

Aux jours si joyeux du temps pascal, Jésus m'a fait sentir qu'il y a véritablement des âmes qui n'ont pas la foi

tout à coup les brouillards qui m'environnent deviennent plus épais ils pénètrent dans mon âme et l'enveloppent de telle sorte qu'il ne m'est plus possible de retrouver en elle l'image si douce de ma Patrie, tout a disparu! Lorsque je veux reposer mon cœur fatigué des ténèbres qui l'entourent par le souvenir du pays lumineux vers lequel j'aspire, mon tourment redouble, il me semble que les ténèbres empruntant la voix des pécheurs me disent en se moquant de moi: — Tu rêves la lumière, une patrie embaumée des plus suaves parfums, tu rêves la possession éternelle du Créateur de toutes ces merveilles, tu crois sortir un jour des brouillards qui t'environnent! avance, avance, réjouis toi de la mort qui te donnera non ce que tu espères, mais une nuit plus profonde encore la nuit du néant. »

Dans son dernier manuscrit, Thérèse confie à sa prieure les pensées qui obsédent son esprit : mourir, n'est-ce pas tomber définitivement dans la nuit du néant ? Elle ajoute : « Je ne veux pas en écrire plus long, je craindrais de blasphémer. »

Thérèse a vécu le triduum pascal dans une très grande joie. Son désir d'aller à la rencontre de son Bien-Aimé va bientôt se réaliser. « Je jouissais alors d'une foi si vive, si claire que la pensée du Ciel faisait tout mon bonheur, je ne pouvais croire qu'il y eût des impies n'ayant pas la foi. Je croyais qu'ils parlaient contre leur pensée en niant l'existence du Ciel. »

Mais dans les premiers jours de la semaine pascale, les ténèbres envahirent son âme. Qui sait ? Les matérialistes n'auraient-ils pas raison ? Qu'est-ce qui nous prouve que le Ciel existe ? Quand on meurt, que reste-t-il de la personne ? Quand le corps disparaît, la conscience peut-elle encore exister ? Surprise, Thérèse n'est pas désemparée. Depuis longtemps, elle vit dans la nuit de la foi. Dès son noviciat, elle a vécu ses oraisons dans l'aridité. En 1891, elle avait même connu « de grandes épreuves intérieures jusqu'à se demander parfois s'il y avait un Ciel ». Ces brouillards avaient été passagers. Mais les mois passent et les ténèbres persistent.

Ses doutes ne portent pas sur l'existence de Dieu, mais sur celle d'une vie future. Elle est touchée dans son désir le plus profond, celui de faire du bien après sa mort. La sainte mère Geneviève, fondatrice du carmel de Lisieux, est morte depuis cinq ans et rien ne manifeste sa survie dans l'au-delà. Aucun miracle ne s'est produit sur sa tombe. A quoi bon alors se sacrifier ?

Thérèse réagit à cette terrible tentation en se répétant la parole de Jésus : « Je m'en vais vous préparer une place... et je reviendrai, afin que là où je suis, vous soyez aussi. » Elle ne discute pas les raisonnements qui tendent à lui démontrer l'impossibilité d'une vie après la mort. Elle se contente de redire à Jésus : « Je crois à ta parole, à ta promesse ; je crois à la résurrection de la chair et à la vie éternelle. » Ces actes de foi, elle va les multiplier dans les dix-huit derniers mois de sa vie. L'esprit envahi par les objections, par les « doutes », Thérèse ne doute pas. Elle croit.

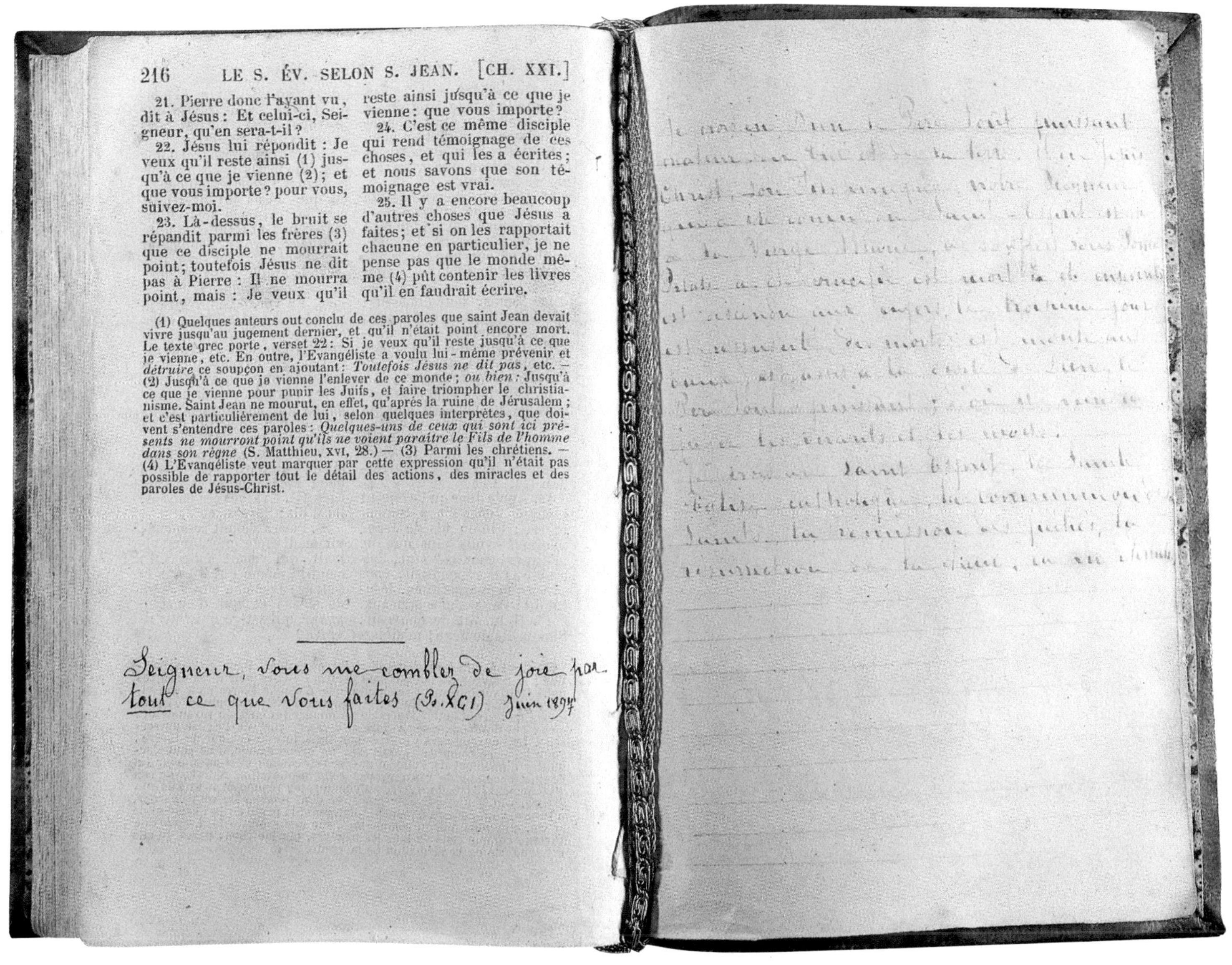
216 LE S. ÉV. SELON S. JEAN. [CH. XXI.]

21. Pierre donc l'ayant vu, dit à Jésus : Et celui-ci, Seigneur, qu'en sera-t-il ?

22. Jésus lui répondit : Je veux qu'il reste ainsi (1) jusqu'à ce que je vienne (2) ; et que vous importe ? pour vous, suivez-moi.

23. Là-dessus, le bruit se répandit parmi les frères (3) que ce disciple ne mourrait point ; toutefois Jésus ne dit pas à Pierre : Il ne mourra point, mais : Je veux qu'il reste ainsi jusqu'à ce que je vienne : que vous importe ?

24. C'est ce même disciple qui rend témoignage de ces choses, et qui les a écrites ; et nous savons que son témoignage est vrai.

25. Il y a encore beaucoup d'autres choses que Jésus a faites ; et si on les rapportait chacune en particulier, je ne pense pas que le monde même (4) pût contenir les livres qu'il en faudrait écrire.

(1) Quelques anteurs out conclu de ces paroles que saint Jean devait vivre jusqu'au jugement dernier, et qu'il n'était point encore mort. Le texte grec porte, verset 22 : Si je veux qu'il reste jusqu'à ce que je vienne, etc. En outre, l'Evangéliste a voulu lui-même prévenir et *détruire* ce soupçon en ajoutant : *Toutefois Jésus ne dit pas*, etc. — (2) Jusqu'à ce que je vienne l'enlever de ce monde ; *ou bien :* Jusqu'à ce que je vienne pour punir les Juifs, et faire triompher le christianisme. Saint Jean ne mourut, en effet, qu'après la ruine de Jérusalem ; et c'est particulièrement de lui, selon quelques interprètes, que doivent s'entendre ces paroles : *Quelques-uns de ceux qui sont ici présents ne mourront point qu'ils ne voient paraître le Fils de l'homme dans son règne* (S. Matthieu, XVI, 28.) — (3) Parmi les chrétiens. — (4) L'Evangéliste veut marquer par cette expression qu'il n'était pas possible de rapporter tout le détail des actions, des miracles et des paroles de Jésus-Christ.

Seigneur, vous me comblez de joie par tout ce que vous faites (Ps. XCI) Juin 1897

Le *Credo* que Thérèse écrivit de son sang sur un feuillet ajouté à la fin de son Évangile de poche (12 × 7,5 cm)

Thérèse avait détaché de son *Manuel du chrétien* les deux cent seize pages des quatre Évangiles et les avait fait relier en un fascicule qu'elle portait constamment sur elle — ce qui lui permettait de méditer l'Évangile aussi souvent qu'elle le désirait. Sur la dernière page elle avait copié le verset du psaume 91 qui exprimait si bien l'une de ses convictions fondamentales : puisque « rien ne peut me séparer de l'amour du Seigneur », « tout est grâce ».

Au père Godefroid Madelaine, qui est en train de prêcher la retraite communautaire du carmel du 8 au 15 octobre 1896, Thérèse confie ses tentations contre la foi. Le prédicateur lui conseille de porter le *Credo* en permanence sur son cœur. Thérèse décide donc d'écrire de son propre sang à la fin de son Évangile le texte du *Je crois en Dieu.* Ainsi montre-t-elle à Dieu qu'elle est prête à verser tout son sang pour chacun des articles du Symbole des apôtres, notamment pour les deux derniers : « Je crois [...] à la résurrection de la chair et à la vie éternelle » (voir p. 261).

Malgré les ténèbres qui envahissent son âme, Thérèse chante son espérance du Ciel. « Je chante ce que je *veux* croire », confie-t-elle.

J.M.J.T. Fête du Sacré Cœur de Jésus
12 Juin 1896

Ce que je verrai bientôt pour
la Première fois !...

Je suis encor sur la rive étrangère,
Mais pressentant le bonheur éternel,
Oh ! je voudrais déjà quitter la terre
Et contempler les merveilles du Ciel...
Lorsque je rêve aux joies de l'autre vie
De mon exil je ne sens plus le poids
Puisque bientôt vers ma seule Patrie
Je volerai pour la première fois !......

Ah ! donne moi, Jésus de blanches ailes
Pour que vers toi, je prenne mon essor
Je veux voler aux rives Eternelles,
Je veux te voir, ô mon Divin Trésor !
Je veux voler dans les bras de Marie
Me reposer sur ce trône de choix,
Et recevoir de ma Mère chérie
Le doux Baiser pour la première fois !...

L'aumônier du carmel : l'abbé Youf (1842-1897)

Thérèse n'a connu qu'un évêque, Mgr Hugonin. Elle n'a connu au carmel qu'un seul aumônier, l'abbé Youf. Chargé du monastère de la rue de Livarot en 1873, il y exerça son ministère pendant vingt-quatre ans et, huit jours après la mort de Thérèse, le 8 octobre 1897, il entra lui aussi dans son éternité, à l'âge de cinquante-cinq ans.
M. Youf était ardent au travail. Élève consciencieux dans sa jeunesse, il demeura toute sa vie très économe de son temps : il passait directement du repas à sa table de travail. S'il sortait en ville, on le voyait plongé dans son bréviaire ou dans quelque autre livre. Lecteur assidu des ouvrages de spiritualité, il pensait être ainsi mieux à même d'accomplir son travail d'aumônier. Sa santé lui avait interdit assez vite le ministère paroissial, mais il préparait minutieusement tous ses sermons : il les avait regroupés dans des recueils reliés qu'il mettait à la disposition des carmélites.
Thérèse n'oubliait pas le conseil que lui avait donné l'abbé Youf en 1887 : « N'hésitez pas à faire le voyage de Bayeux et demandez directement à votre évêque la permission d'entrer au carmel à quinze ans ! » Elle lui en restait très reconnaissante. Ce conseil reflétait bien l'une des préoccupations majeures de ce prêtre : aider les jeunes à découvrir et à réaliser leur vocation sacerdotale ou religieuse. On disait volontiers de lui qu'il « peuplait le carmel de sujets d'élite » et l'on savait la peine qu'il se donnait pour permettre à de jeunes garçons d'atteindre le niveau scolaire nécessaire à l'admission dans un séminaire. Combien de copies n'a-t-il pas corrigées dans ce but !
Thérèse avait beaucoup d'affection pour lui. Il était à ses yeux « le prêtre », celui qui a reçu le pouvoir de consacrer le Corps du Christ et de le porter dans ses mains. Avec quel amour préparait-elle à la sacristie les vases sacrés ! Avec quel soin avait-elle peint et enluminé le missel d'autel dont il se servait ! (Voir p. 199.) C'est à lui qu'elle se confessait régulièrement. Ce n'était pas le grand élan de confiance comme avec le père Alexis Prou. Mais Thérèse avait vite compris que Jésus voulait être son seul « directeur ». Le père Pichon le lui avait dit dès le début de sa vie cloîtrée : « Mon enfant, que Notre-Seigneur soit toujours votre supérieur et votre maître des novices ! »
Le brave aumônier ne fut pas d'un grand secours pour elle quand elle lui confia, en avril 1896, les objections qui assaillaient son esprit au sujet de l'au-delà. « Ne vous arrêtez pas à ces pensées ! se contenta-t-il de lui conseiller. C'est très dangereux ! » Le conseil n'était pas mauvais, mais il ne lui apportait guère de lumière.

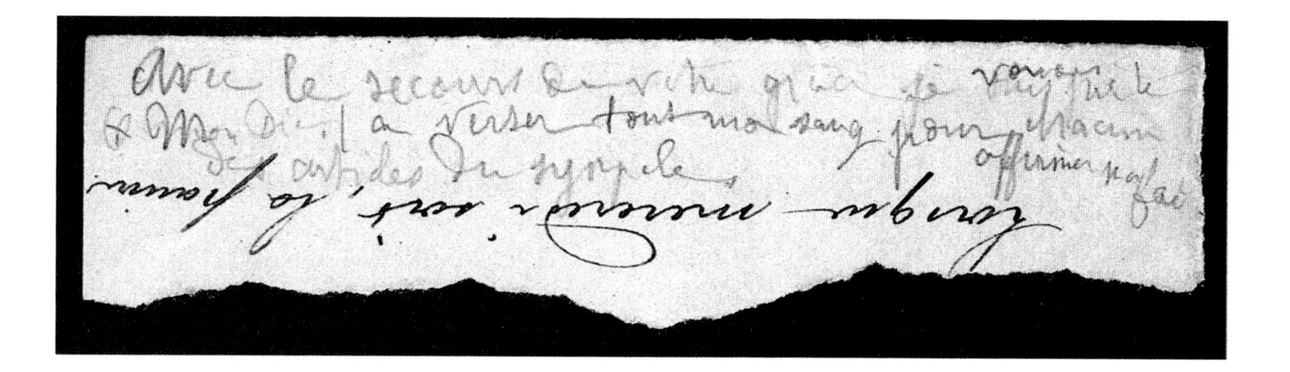

Avec le secours de votre grâce je suis prête
Mon Dieu à verser tout mon sang pour chacun
des articles du symbole
affirmer ma foi

En juin 1897 très probablement, Thérèse griffonne sur un bout de papier le cri de sa foi : « Mon Dieu, avec le secours de votre grâce je suis prête à verser tout mon sang pour affirmer ma foi. » (*Autre lecture :* pour chacun des articles du Symbole.)

C'est très probablement à la même époque que Thérèse a gravé, avec une fine pointe, sur le linteau de la porte de sa cellule : « Jésus est mon unique Amour » !

Image offerte à Thérèse par sœur Marie de la Trinité à l'occasion de sa profession (30 avril 1896)

Selon une tradition qui remonte au IVe siècle, Jésus aurait enseigné le *Notre Père* à ses disciples sur le mont des Oliviers. Un carmel français a été fondé à cet endroit en 1875. Dans le cloître, la prière dominicale se trouve écrite en soixante-dix-huit langues. Le carmel de Lisieux correspondait régulièrement avec celui de Jérusalem. Au cours de l'été 1897, mère Marie de Gonzague préviendra la prieure du mont des Oliviers que Thérèse est au plus mal.

Je me fais l'effet de Jeanne d'Arc assistant au sacre de Charles VII

Le 30 avril 1896, cinq ans jour pour jour après sa première entrée au carmel de l'avenue de Messine, à Paris, sœur Marie de la Trinité prononce ses vœux définitifs. « Sœur Thérèse de l'Enfant-Jésus semblait aussi heureuse que moi », notera-t-elle plus tard. « Je me fais l'effet de Jeanne d'Arc assistant au sacre de Charles VII », disait Thérèse. Cette humble fierté de la maîtresse des novices transparaît sur la photographie prise ce jour-là.

A ma petite Sœur tant aimée ....
Souvenir du beau jour de ma Profession 30 Avril 1896.
« Je possède enfin Celui que mon cœur
« aime ... et je ne le quitterai plus ! ... »
Sr Marie de la Trinité et de la sainte Face
rel. carm. ind.

Au verso,
la dédicace de la nouvelle professe

Sœur Marie de la Trinité est particulièrement sensible au témoignage

Photographie du 30 avril 1896

Entre la novice agenouillée, au sourire malicieux, et la prieure assise et marquée par les ans, Thérèse se tient debout, à la fois grave et sereine. On distingue de gauche à droite : sœur Marthe, sœur Marie du Sacré-Cœur, sœur Marie-Madeleine du Saint-Sacrement, sœur Marie de l'Eucharistie et Thérèse. A genoux, derrière la nouvelle professe, sœur Geneviève, qui a fait profession le 24 février précédent.

de joie que lui transmet Thérèse. Joie qui est le fruit d'un ardent amour pour Jésus, comme en témoigne la poésie qu'elle reçoit comme cadeau de fête, le 31 mai 1896, en la fête de la Sainte-Trinité : « Te plaire est mon unique étude / Et ma béatitude / C'est toi, Jésus... »

Mère Agnès intitulera plus tard ce poème « J'ai soif d'amour ». A en juger par les nombreuses reprises du brouillon, cette « soif » s'est coulée avec difficulté dans le moule de la poésie. Mais Thérèse ne cherche pas à produire des chefs-d'œuvre littéraires. En juin 1894, Marie de la Trinité lui avait montré un traité de versification qu'elle avait amené au carmel. Thérèse le lui rendit bien vite. « J'aime mieux ne pas connaître toutes ces règles : mes poèmes sont un jet du cœur, une inspiration. Je ne saurais m'assujettir à en faire un travail d'esprit, une étude. A ce prix, je préférerais renoncer à faire des poésies. »

Jusqu'à la fin de sa vie, sœur Marie de la Trinité bénéficia d'une relation tout à fait privilégiée avec Thérèse. Leurs entretiens se déroulaient dans un climat de simplicité et sur un ton jovial qui convenaient parfaitement au message de l'une et au caractère de l'autre.

Dans les derniers mois de leur vie commune, les échanges s'approfondissent. Thérèse va même jusqu'à confier à sœur Marie de la Trinité ses tentations contre la foi. La jeune professe s'étonne : « Mais ces cantiques si lumineux que vous composez démentent ce que vous me dites ! — Ah, répond Thérèse, je chante ce que je veux croire, mais c'est sans aucun sentiment. Je ne voudrais même pas vous dire jusqu'à quel point la nuit est noire dans mon âme, de crainte de vous faire partager mes tentations. »

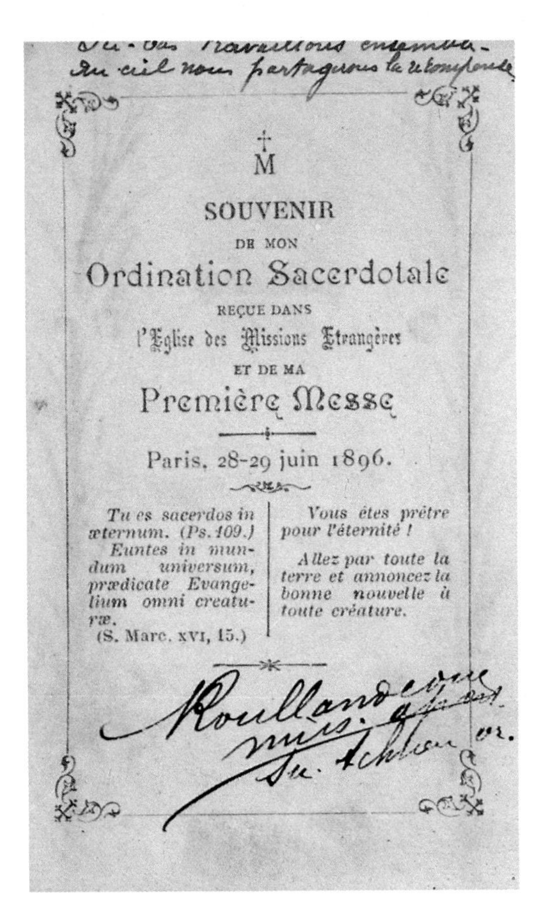
M

SOUVENIR

DE MON

Ordination Sacerdotale

REÇUE DANS

l'Église des Missions Étrangères

ET DE MA

Première Messe

Paris, 28-29 juin 1896.

Tu es sacerdos in æternum. (Ps. 109.) *Euntes in mundum universum, prædicate Evangelium omni creaturæ.* (S. Marc, XVI, 15.)	*Vous êtes prêtre pour l'éternité !* *Allez par toute la terre et annoncez la bonne nouvelle à toute créature.*

Roulland

Image d'ordination du père Roulland

A Dieu, mon frère, la distance ne pourra jamais nous séparer

Le père Adolphe Roulland (1870-1934)

Né à Cahagnolles, à 15 kilomètres au sud de Bayeux, il exerce quelque temps le métier de son père, maréchal-ferrant. De ce fait, il n'entre en sixième qu'au printemps de 1885, dans sa quinzième année, après avoir reçu quelques leçons de latin d'un prémontré originaire du même village, le père Norbert. Comme les autres religieux, les prémontrés avaient été expulsés de leurs communautés en 1880.

Le 8 septembre 1890 — le jour où Thérèse fait profession —, le jeune homme se rend en pèlerinage à Notre-Dame de la Délivrande. Là, il décide de poursuivre sa marche vers le sacerdoce. En 1892, il demande son admission au séminaire des Missions étrangères de Paris. Pour les époux Roulland, qui n'ont pas d'autre enfant, le sacrifice est rude. A l'époque, les missionnaires partaient sans espoir de retour, puisque les congés n'existaient pas. Le 12 septembre 1892, Adolphe arrive donc à la rue du Bac où cent cinquante jeunes gens se préparent comme lui à devenir missionnaires. Vers la mi-mai 1896, Adolphe annonce au père Norbert qu'il sera ordonné prêtre le 28 juin avec vingt-neuf autres séminaristes. Il lui demande d'intervenir auprès du carmel de Lisieux — le seul carmel de son diocèse — pour qu'une fille de sainte Thérèse accepte de prendre spécialement en charge son apostolat. Il n'est pas encore en mesure de lui indiquer le pays où il doit partir puisqu'il ne l'apprendra lui-même que quelques heures après l'ordination.

Les prémontrés avaient pu rentrer dans leur maison de Mondaye en 1894 et le jeune diacre connaissait les liens qui existaient entre l'abbaye et le carmel de Lisieux : dom Godefroid, prieur de Mondaye, devait y assurer de nouveau un triduum du 22 au 24 juin 1896.

En recevant cette demande, mère Marie de Gonzague fait aussitôt venir dans son bureau sœur Thérèse de l'Enfant-Jésus : « Voulez-vous prendre en charge un missionnaire qui doit être ordonné prêtre dans quelques semaines ? » Thérèse a tout de suite envie de répondre par l'affirmative. Elle présente néanmoins quelques objections. Depuis le mois de juin 1895, elle offre déjà ses « pauvres mérites » pour un autre séminariste missionnaire, l'abbé Bellière... Il ne manque pas d'autres religieuses plus saintes qu'elle pour assumer cette charge. La prieure bouscule d'un mot ce scrupule : son obéissance doublera ses mérites. Elle lui demande seulement de garder secrète cette correspondance : aux yeux de la communauté, ce frère spirituel sera le « missionnaire de Notre Mère ».

Pale confectionnée par Thérèse
pour le nouveau prêtre

Deux thèmes chers à Thérèse : le bateau qui avance à la lumière de Jésus-Hostie et l'oiseau qui se laisse fasciner par son regard. Sur la guirlande, l'objet incessant de son action de grâce : « je chanterai à jamais les Miséricordes du Seigneur ».

Aussitôt, Thérèse se met à l'ouvrage. Elle confectionne une pale, un corporal et un purificatoire qu'elle offre à mère Marie de Gonzague, le 21 juin, pour sa fête. Ainsi, le futur prêtre pourra recevoir ces cadeaux avant son ordination. Le 3 juillet, en se rendant en Normandie pour dire adieu à sa famille, il passe par le carmel de Lisieux célébrer l'une de ses premières messes. Au parloir, il rencontre mère Marie de Gonzague et sœur Thérèse de l'Enfant-Jésus. Les rideaux noirs restent tirés... Le 23 juillet, le père Roulland écrira à Thérèse : « Je n'oublierai jamais votre dernière parole : "A Dieu, mon frère !" »

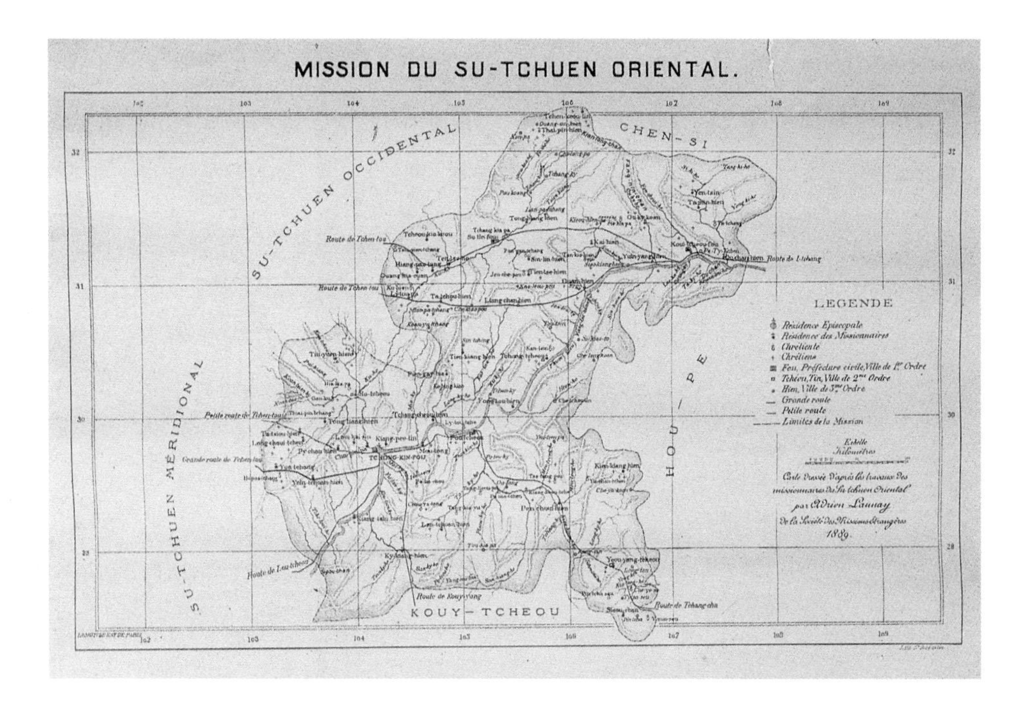

Le champ apostolique du père Roulland

Thérèse a affiché cette carte dans la lingerie où elle travaille avec sœur Marie de Saint-Joseph. Elle peut ainsi penser plus facilement aux courses apostoliques de son frère missionnaire.

L'ART DE FRANCHIR LA CLÔTURE

Si Thérèse d'Avila a obligé les carmélites à se cacher derrière des grilles et des rideaux, elle ne les a pas empêchées pour autant de satisfaire leur légitime curiosité féminine... ou celle de leurs correspondants ! On pourrait donner bien des exemples de la malice innocente qui leur a permis de lever, quand cela leur paraissait opportun, le rideau de la clôture.

Ainsi, pour permettre au père Roulland de « repérer » le visage de celle qui allait prendre en charge son apostolat, mère Marie de Gonzague convint avec lui d'un signe. Au parloir, le 3 juillet, elle lui dit, juste avant qu'il ne célèbre sa messe de prémices : « La dernière qui restera agenouillée un moment au guichet de l'autel après la communion de toutes les religieuses [en raison de ses fonctions de sacristine], c'est elle ! » Et Thérèse, présente à l'entretien, d'ajouter : « Et la première qui communiera, mon Père, c'est la Prieure ! »

Les échanges de photographies étaient aussi d'un grand secours pour rendre les rapports plus humains. Ainsi, le père Roulland envoya sa photo à mère Marie de Gonzague avec charge pour elle de la transmettre à sœur Thérèse de l'Enfant-Jésus : « Puisque vous permettez à une sœur de traverser les mers avec un frère, lui écrivait-il le 29 juillet 1896, vous permettrez au frère de franchir les grilles du cloître. » Deux jours plus tôt, Thérèse lui avait envoyé à Marseille l'une de ses photos. Au verso du carton de support, elle avait inscrit les dates mémorables de sa vie.

Il va sans dire que c'est essentiellement en Jésus que Thérèse retrouvait son frère missionnaire. « A Dieu, mon frère, lui écrit-elle le 30 juillet, la distance ne pourra jamais séparer nos âmes. La mort même rendra notre union plus intime. Si je vais bientôt dans le Ciel, je demanderai à Jésus la permission d'aller vous visiter au Su-Tchuen et nous continuerons ensemble notre apostolat. » Mais, dans cette même lettre, Thérèse demande à son frère de lui envoyer les principales dates de sa vie, afin qu'elle puisse s'unir davantage à lui ces jours-là.

Image offerte à Thérèse par mère Marie de Gonzague (date inconnue)

Grâce à cette image, Thérèse pouvait connaître l'heure à laquelle le père Roulland célébrait sa messe en Chine.

L'ouvrage que tient Thérèse lui a été donné par le père Roulland, lors de son passage à Lisieux : *La Mission du Su-Tchuen au XVIIIe siècle. Vie et apostolat de Mgr Pottier*, par L. Guiot (Téqui, 1892). Thérèse y découvre le champ d'apostolat confié à son second frère spirituel. Sur le rouleau qu'elle tient en main se trouve écrit le mot de Thérèse d'Avila qu'elle répète souvent : « Je donnerais mille vies pour sauver une seule âme. »
En posant un lys près du livre sur la Chine, Thérèse exprime l'une de ses convictions profondes. Il lui suffit de vivre son existence toute simple de consacrée pour participer de près à l'apostolat d'un missionnaire. Elle le redit encore dans le poème qu'elle offre au père Roulland le 16 juillet, en la fête de Notre-Dame-du-Mont-Carmel :

« A lui de traverser la terre,
De prêcher le nom de Jésus.
A moi, dans l'ombre et le mystère,
De pratiquer d'humbles vertus.

La souffrance, je la réclame,
J'aime et je désire la Croix...
Pour aider à sauver une âme
Je voudrais mourir mille fois ! »

Un an plus tard exactement, après une nouvelle hémoptysie, elle prononcera sa célèbre promesse : « Je veux passer mon ciel à faire du bien sur la terre. »

Photographie du début de juillet 1896

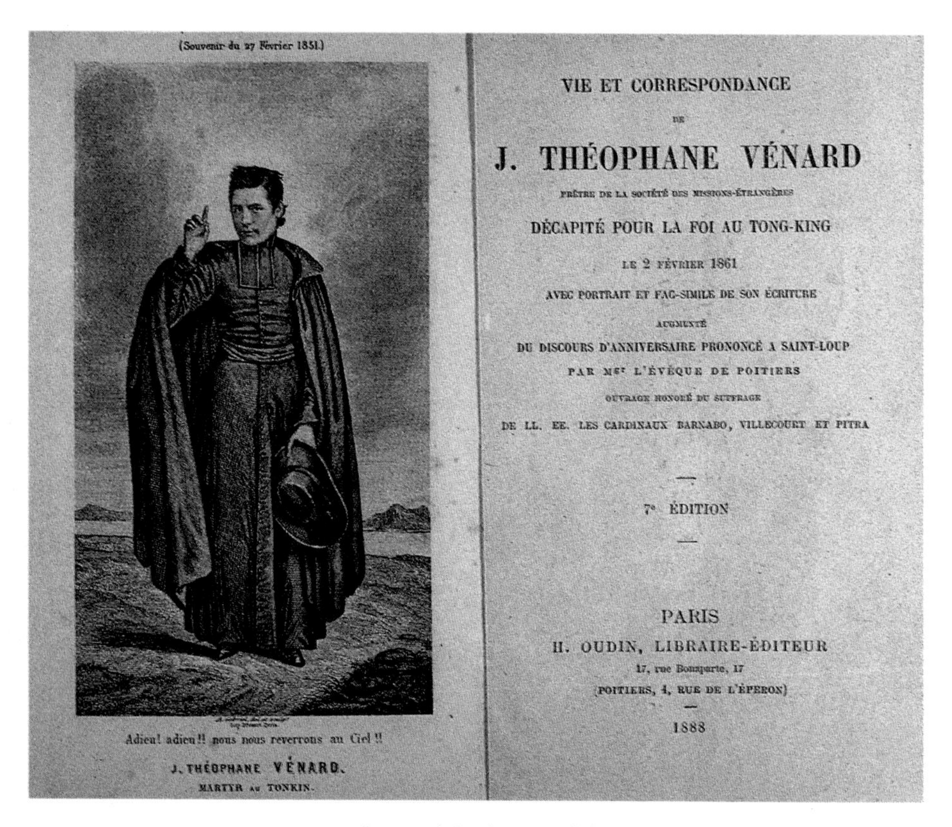

(Souvenir du 27 Février 1851)

Adieu! adieu!! nous nous reverrons au Ciel!!

J. THÉOPHANE VÉNARD.
MARTYR au TONKIN.

VIE ET CORRESPONDANCE
DE
J. THÉOPHANE VÉNARD
PRÊTRE DE LA SOCIÉTÉ DES MISSIONS-ÉTRANGÈRES
DÉCAPITÉ POUR LA FOI AU TONG-KING
LE 2 FÉVRIER 1861
AVEC PORTRAIT ET FAC-SIMILE DE SON ÉCRITURE
AUGMENTÉ
DU DISCOURS D'ANNIVERSAIRE PRONONCÉ A SAINT-LOUP
PAR Mgr L'ÉVÊQUE DE POITIERS
OUVRAGE HONORÉ DU SUFFRAGE
DE LL. EE. LES CARDINAUX BARNABO, VILLECOURT ET PITRA

7e ÉDITION

PARIS
H. OUDIN, LIBRAIRE-ÉDITEUR
17, rue Bonaparte, 17
POITIERS, 4, RUE DE L'ÉPERON
1888

C'est la lecture de ce livre qui suscite dans le cœur de Thérèse une amitié spirituelle très forte pour le jeune martyr des Missions étrangères de Paris, décapité au Tonkin en 1861. La carmélite découvre en lui une âme étonnamment semblable à la sienne : un tempérament gai, un cœur très simple et plein d'affection pour les membres de sa famille. Cette lecture fait revivre chez elle le désir de partir en mission. Peu après sa profession, elle avait confié au père Pichon son désir de partir pour Saigon, dans le carmel fondé en 1861 par sœur Philomène et trois autres religieuses de Lisieux.
En 1896, le projet refait surface. Les carmélites de Saigon et de Hanoi demandent en effet du renfort. Le 2 août, jour où le père Roulland s'embarque pour la Chine, il est sérieusement question du départ de mère Agnès pour Saigon. Dans

L'exemplaire lu par Thérèse en 1896
ne reproduisait pas ce portrait.
Elle ne le reçut que le 10 août 1897
(voir p. 297).

O Théophane,
angélique martyr,
En souriant, tu sus vivre
et mourir

Image réalisée par Thérèse
quelques mois avant sa mort

Le 4 juin 1897, Thérèse se trouve réunie avec ses sœurs dans la cellule de sœur Geneviève, à deux pas de la sienne. Épuisée, elle s'est allongée sur le lit. « Oh ! mes petites sœurs, leur dit-elle, que je suis heureuse ! Je vois que je vais bientôt mourir, j'en suis sûre maintenant. »

les semaines qui suivent, on envisage la même chose pour sœur Geneviève et pour sœur Marie de la Trinité. « Pourquoi pas moi ? » se dit Thérèse. Au mois de novembre, sa santé paraît justement se rétablir. Elle reprend tous les exercices de communauté, matines comprises. Mère Marie de Gonzague accueille d'autant plus favorablement sa demande qu'elle-même avait désiré partir pour Saigon au moment de sa fondation.

Afin de connaître la volonté de Dieu, Thérèse commence une neuvaine à Théophane Vénard. Au bout de quelques jours, elle se remet à tousser comme au printemps. Le projet doit être remis à plus tard, mais il n'est pas enterré pour autant. Le 2 février 1897, jour anniversaire du martyre de Théophane, Thérèse écrit un poème en son honneur : elle y exprime son désir de partir, mais aussi sa certitude d'être utile en terre de mission, même si elle doit poursuivre son existence dans les limites étroites de son carmel. Le 19 mars, elle écrit encore au père Roulland : « Je puis [...] vous assurer que, si Jésus ne vient pas bientôt me chercher pour le Carmel du Ciel, je partirai un jour pour celui de Hanoi. »

Gravure qui se trouvait dans le recueil des *Fables* de La Fontaine à l'usage de Thérèse (le livre appartenait à Pauline)

L'image déplaisait tellement à Thérèse qu'elle avait demandé à sa sœur de l'arracher de son exemplaire. « Ce n'est pas "la mort" qui viendra me chercher, disait-elle encore le 1er mai 1897, c'est le bon Dieu. La mort, ce n'est pas un fantôme, un spectre horrible, comme on la représente sur les images. » On comprend que Thérèse préférait de beaucoup les images où Jésus en personne vient cueillir les âmes comme autant de fleurs pour orner son paradis.

Il appelle la mort. Elle vient sans tarder,
Lui demande ce qu'il faut faire...

(LA MORT ET LE BUCHERON.)

Je ne trouve rien sur la terre qui me rende heureuse ; mon cœur est trop grand, rien de ce qu'on appelle bonheur en ce monde ne peut le satisfaire. Ma pensée s'envole vers l'Éternité, le temps va finir !... mon cœur est paisible comme un lac tranquille ou un ciel serein ; je ne regrette pas la vie de ce monde, mon cœur a soif des eaux de la vie éternelle !...... Encore un peu et mon âme quittera la terre, finira son exil, terminera son combat... Je monte au Ciel... je touche la patrie, je remporte la victoire !... Je vais entrer dans ce séjour des élus, voir des beautés que l'œil de l'homme n'a jamais vues, entendre des harmonies que l'oreille n'a jamais entendues, jouir de joies que le cœur n'a jamais goûtées...... Me voici rendue à cette heure que chacune de nous a tant désirée !... Il est bien vrai que le Seigneur choisit les petits pour confondre les grands de ce monde... Je ne m'appuie pas sur mes propres forces mais sur la force de Celui qui sur la Croix a vaincu les puissances de l'enfer. Je suis une fleur printanière que le maître du jardin cueille pour son plaisir... Nous sommes toutes des fleurs plantées sur cette terre et que Dieu cueille en son temps, un peu plus tôt, un peu plus tard... Moi petite éphémère je m'en vais la première ! Un jour nous nous retrouverons dans le Paradis et nous jouirons du vrai bonheur !...

Thérèse de l'Enf. Jésus empruntant les pensées de l'angélique Martyr Théophane Vénard

C'est à cette époque qu'elle a dû confectionner cette image à l'intention de ses sœurs. On y retrouve le désir exprimé depuis si longtemps : mourir d'amour. En haut, une adaptation de la troisième lecture de matines, en l'octave de Sainte-Agnès (28 janvier). En bas, l'antienne du *Benedictus*. Le texte de saint Jean de la Croix est un passage que Thérèse a marqué d'une croix sur l'exemplaire qu'elle va garder comme livre de chevet pendant toute sa maladie.

Au verso, Thérèse a recopié des phrases de Théophane Vénard qu'elle fait siennes. Trois d'entre elles commentent l'image qu'elle a choisie pour dire adieu à ses sœurs. « Je suis une fleur printanière que le maître du jardin cueille pour son plaisir... Nous sommes toutes des fleurs plantées sur cette terre et que Dieu cueille en son temps, un peu plus tôt, un peu plus tard... Moi, petite éphémère, je m'en vais la première. »

O visage plus beau que les lys

Au recto du support cartonné (13,1 × 9,1 cm), Thérèse a collé les photos des trois signataires prises le même jour, au même endroit, dans la même pose, peu après le 3 juillet 1896. Par la suite, on a remplacé la photo de Thérèse prise ce jour-là par le portrait au fusain réalisé par sœur Geneviève en 1899.

En 1896, Thérèse choisit la Transfiguration — l'une des grandes fêtes de la confrérie de la Sainte Face — pour se consacrer solennellement à la « Face adorable de Jésus ». Se joignent à elle celles qu'elle a invitées l'année précédente à se livrer comme elle à l'Amour miséricordieux, et qui ont, elles aussi, une profonde dévotion à la Sainte Face. Ici comme dans son acte d'offrande de juin 1895, Thérèse demande au Seigneur de lui donner son propre amour divin pour qu'elle puisse L'aimer d'un « amour infini ». En 1897, c'est à l'infirmerie qu'elle fêtera le 6 août et qu'elle confirmera la place essentielle de la Sainte Face dans sa piété personnelle.

Consécration à la Sainte Face.

Ô Face Adorable de Jésus! puisque vous avez daigné choisir particulièrement nos âmes pour vous donner à elles, nous venons les consacrer à vous.... Il nous semble ô Jésus, vous entendre nous dire: « Ouvrez-moi mes sœurs, mes épouses bien-aimées, car ma Face est couverte de rosée et mes cheveux des gouttes de la nuit. » Nos âmes comprennent votre langage d'amour nous voulons essuyer votre doux Visage et vous consoler de l'oubli des méchants, à leurs yeux vous êtes encore comme caché, ils vous considèrent comme un objet de mépris......

Ô Visage plus beau que les lys et les roses du printemps! vous n'êtes pas caché à nos yeux.... les larmes qui voilent votre divin regard nous apparaissent comme des Diamants précieux que nous voulons recueillir afin d'acheter avec leur valeur infinie les âmes de nos frères.

De votre Bouche Adorée nous avons entendu la plainte amoureuse, comprenant que la soif qui vous consume est une soif d'Amour, nous voudrions pour vous désaltérer posséder un Amour infini...

Époux Bien-Aimé de nos âmes, si nous avions l'amour de tous les cœurs, tout cet amour serait à vous.... Eh bien! donnez-nous cet amour et venez vous désaltérer en vos petites épouses............

Des âmes, Seigneur, il nous faut des âmes..... surtout des âmes d'apôtres et de martyrs afin que par elles nous embrasions de votre Amour la multitude des pauvres pécheurs. Ô Face Adorable nous saurons obtenir de vous cette grâce!.. oubliant notre exil sur le bord des fleuves de Babylone nous chanterons à vos Oreilles les plus douces mélodies; puisque vous êtes la vraie, l'unique Patrie de nos cœurs, nos cantiques ne seront pas chantés sur une terre étrangère.

Ô Face chérie de Jésus! en attendant le jour éternel où nous contemplerons votre Gloire infinie notre unique désir est de charmer vos Yeux Divins en cachant aussi notre visage afin qu'ici bas, personne ne puisse nous reconnaître... Votre Regard Voilé voilà notre Ciel ô Jésus!...

Signé:

Th. de l'Enf. Jésus et de la Ste Face – M. de la Trinité et de la Ste Face – G. de Ste Th. – Marie de l'[illegible]

Consécration à la Sainte Face
composée par Thérèse
pour le 6 août 1896,
fête de la Transfiguration

Au début de la deuxième strophe, Thérèse revient sur un thème cher à saint Jean de la Croix et qu'elle fait sien tout à fait, à savoir que les créatures les plus merveilleuses ont une beauté bien pâle — et bien éphémère — quand on la compare à Celle du Verbe de Dieu venu en notre chair et aujourd'hui transfiguré.

Thérèse avait déjà développé cette idée en avril 1895 pour aider Céline à ne pas vivre dans la nostalgie du parc de La Musse dont elle avait joui pendant des années :

« Jésus, c'est toi, l'Agneau que j'aime
Tu me suffis, ô bien suprême !
En toi j'ai tout, la terre et le Ciel même
La fleur que je cueille, ô mon Roi
C'est toi !... »

Thérèse s'inspire ici des litanies de la Sainte Face récitées fréquemment en communauté. Elle termine sa prière en réaffirmant son désir de vivre inconnue, à l'exemple de Celui dont le visage est resté caché durant sa Passion. Mais, dès ici-bas, nous pouvons charmer ses yeux divins. Le regard de Jésus posé sur elle reste toujours, pour Thérèse, le Ciel commencé sur terre.

Je me sens la vocation de Guerrier, de Prêtre, d'Apôtre, de Docteur, de Martyr

Le 7 septembre au soir, Thérèse commence sa retraite privée annuelle, c'est-à-dire qu'elle va vivre durant dix jours consécutifs « en solitude », sans participer aux travaux ni aux récréations de la communauté. Le lendemain, elle commémore le sixième anniversaire de sa profession. Elle prend deux feuilles 21 × 27 cm, les plie en deux et, sur huit pages, écrit à Jésus une lettre d'action de grâce : « O Jésus, mon Bien-Aimé, qui pourra dire avec quelle tendresse, quelle douceur, Vous conduisez ma petite âme ! » Elle Le remercie d'abord pour le songe dont elle a bénéficié dans la nuit du 9 au 10 mai dernier. La vénérable Anne de Jésus, l'une des fondatrices du carmel en France, lui est apparue en songe et l'a couverte de caresses. La religieuse espagnole lui a ensuite annoncé qu'elle mourrait bientôt et que le bon Dieu était très content d'elle. Deux paroles qui l'ont comblée de joie. Par ce songe, le Seigneur a surtout voulu éclairer sa nuit d'un rayon de lumière. Oui, « il y a un ciel et ce ciel est peuplé d'âmes qui me chérissent, qui me regardent comme leur enfant »... même si je ne pense guère à elles, car il faut bien reconnaître, continue Thérèse, que « la Vénérable Anne de Jésus m'avait été jusqu'alors absolument indifférente*: je ne l'avais jamais invoquée ».*

Thérèse parle ensuite des désirs qui se sont développés chez elle depuis quelque temps. La vocation de carmélite, d'épouse et de mère ne lui suffit plus. Elle sent bouillonner en elle d'immenses désirs apparemment contradictoires. Elle aspire à d'autres vocations : elle voudrait être guerrier, prêtre, apôtre, docteur, martyr... car elle voudrait prouver son amour pour Jésus de mille manières. Un genre de supplice ne lui suffirait pas : il les lui faudrait tous. « Ce sont des folies », pense-t-elle. Des folies d'autant plus déraisonnables qu'elle n'est elle-même qu'une toute petite âme, faible et impuissante !

Etre ta épouse ô Jésus, être carmélite, être par mon union
avec toi, la mère des âmes cela devrait me suffire.......... il
n'en est pas ainsi... Sans doute ces trois privilèges sont bien
ma vocation. Carmélite, Epouse et Mère, cependant je sens
en moi d'autres vocations, je me sens la vocation de Guerrier
de Prêtre, d'Apôtre, de Docteur, de Martyr; enfin, je sens
le besoin, le désir d'accomplir pour toi Jésus, toutes les œuvres
les plus héroïques.... Je sens en mon âme le courage d'un
Croisé, d'un Zouave Pontifical, je voudrais mourir sur un
champ de bataille pour la défense de l'Eglise...
Je sens en moi la vocation de Prêtre, avec quel amour, ô Jésus,
je te porterais dans mes mains lorsqu'à ma voix tu descendrais
du Ciel... Avec quel amour je te donnerais aux âmes!...
Mais hélas! tout en désirant d'être Prêtre, j'admire et j'envie
l'humilité de St François d'Assise et je me sens la vocation de
l'imiter en refusant la sublime dignité du Sacerdoce.
Ô Jésus! mon amour, ma vie... comment allier ces contrastes?

Prière du 8 septembre 1896
(manuscrit B)

Image que sœur Geneviève prêta
à Thérèse au mois de juillet 1897
un jour où celle-ci souffrait beaucoup.
Peut-être était-ce le 3 juillet,
quand la malade réclama la lecture
de la vie de saint François d'Assise
pour en recevoir des exemples d'humilité

Comme François, Thérèse aimait beaucoup les animaux et se servait spontanément du langage des fleurs pour exprimer son désir de s'ouvrir à Jésus et de Lui offrir toute sa vie comme un parfum d'agréable odeur. Mais, à la suite du Poverello, elle voulait surtout L'aimer sans mesure, faire pour Lui des folies et se tenir toujours devant Lui avec un cœur de pauvre. « Tout en désirant être Prêtre, écrit-elle, j'admire et j'envie l'humilité de saint François d'Assise et je me sens la vocation de l'imiter en refusant la sublime dignité du Sacerdoce. »

Image chère à Thérèse.
Elle utilisera une photographie
de ce sujet pour composer,
à l'intention de l'abbé Bellière,
sa dernière image (voir p. 251).

Pour Thérèse, le prêtre est essentiellement l'homme de l'Eucharistie. Il est celui qui donne Jésus à ses frères : « Je sens en moi la vocation de prêtre. Avec quel amour, ô Jésus, je te porterais dans mes mains lorsque, à ma voix, tu descendrais du Ciel... Avec quel amour je te donnerais aux âmes ! »

Vitrail de la cathédrale Saint-Pierre
de Lisieux (XVe siècle)

Assez rares sont les représentations sur vitrail de la crucifixion de saint Pierre.

Tarcisius reçoit la visite
de saint Sébastien. Image offerte
à Céline à la mi janvier 1897

Ô Glorieux Soldat du Christ !
vous qui pour l'honneur du Dieu
des armées avez victorieusement combat-
tu et remporté la palme et la
couronne du Martyre, écoutez mon
secret « Comme l'angélique Tarcisius
je porte le Seigneur » Je ne suis qu'
une enfant et cependant je dois
lutter chaque jour afin de conserver
l'inestimable trésor qui se cache
en mon âme....
Souvent je dois rougir du sang de
mon cœur l'arène du combat....
Ô Puissant Guerrier ! soyez mon
protecteur, soutenez moi de votre
bras victorieux et je ne redouterai
pas les puissances ennemies. Avec
votre secours je combattrai jusqu'au
soir de la vie, alors vous me présente-
rez à Jésus et de sa main je recevrai la
palme que vous m'aurez aidée à cueillir !

Pour Thérèse, le soldat qui porte secours à Tarcisius est saint Sébastien lui-même. La légende dit en effet de lui qu'il fortifiait et visitait les martyrs. Céline, qui aimait tout ce qui était chevaleresque, avait une dévotion spéciale pour ce martyr. Elle avait demandé à Thérèse de composer la prière qui se trouve au verso de l'image.

Thérèse a légèrement colorié les personnages en rouge et or. Elle accentue la blessure frontale de Tarcisius et fait couler le sang jusqu'à terre — détail absent de la lithographie originale. Quant aux deux anges, ils deviennent pour Thérèse le symbole des Saints Innocents, de ceux qui entrent dans le Royaume des cieux « les mains vides ». C'est ainsi qu'elle désire s'y présenter elle-même.

Le 20 janvier, on célèbre saint Sébastien et, le 24 février, Céline fêtera le premier anniversaire de sa profession. Par cette image, Thérèse exhorte sa sœur à imiter le courage du martyr-soldat, tout en l'invitant à entrer de plus en plus dans sa Petite Voie. La victoire sur les difficultés d'une vie communautaire, la « palme du martyre », on doit les obtenir à la façon des Saints Innocents : comme un cadeau absolument gratuit de la part du Seigneur. On retrouve dans cette image toute l'âme de Thérèse : comme Tarcisius, elle n'est qu'une enfant ; comme Sébastien, elle veut être un guerrier vaillant (voir p. 222).

*Jésus s'est toujours plu à combler mes désirs, pense Thérèse. Céline l'a rejointe au carmel, deux frères missionnaires lui ont été donnés. Si des désirs aussi fous habitent son cœur, c'est que Jésus veut, d'une façon ou d'une autre, les satisfaire. (**Voir p. 210.**)*

Thérèse se met donc à chercher dans l'Écriture la solution de son problème. Elle tombe sur les chapitres 12 et 13 de la première lettre de Paul aux Corinthiens. Chacun, explique l'apôtre, doit accepter d'occuper dans l'Église une fonction différente : l'œil ne peut être la main ! Cette réponse ne la satisfait nullement, puisque précisément elle voudrait être à la fois *prêtre, apôtre et martyre... Elle voudrait même avoir été missionnaire depuis toujours et l'être jusqu'à la fin des temps. Elle continue sa recherche... et elle trouve.*

Thérèse avait une dévotion particulière pour les carmélites de Compiègne. En 1894, elle avait participé avec joie aux fêtes du centenaire de leur martyre et, tout en confectionnant des oriflammes en leur honneur, elle avait confié à sœur Thérèse de Saint-Augustin : « Quel bonheur si nous avions le même sort, la même grâce ! »
Chargé du procès de béatification de ces martyres, l'abbé de Teil était venu faire une conférence sur elles au carmel de Lisieux. Un exposé que Thérèse avait beaucoup apprécié : il avait relancé dans son cœur le désir du martyre et lui avait fait dire au sortir du parloir qu'avec un tel postulateur les carmélites de Compiègne allaient bientôt monter sur les autels. Elle ne se doutait évidemment pas que, douze ans plus tard, ce même abbé de Teil serait nommé vice-postulateur de sa propre cause de béatification.

Dans le Cœur de l'Église, ma Mère, je serai l'Amour

Puisque l'Église est un corps, elle doit avoir un cœur, un cœur brûlant d'amour. Et c'est cet amour qui fait agir tous les membres de l'Église. Par conséquent, pense Thérèse, il lui suffit de vivre intensément sa vocation de contemplative, de faire partie de tous ceux qui, dans l'Église, aiment intensément Jésus, d'être, dans l'Église, le cœur, pour réaliser toutes les autres vocations auxquelles elle se sent irrésistiblement appelée.

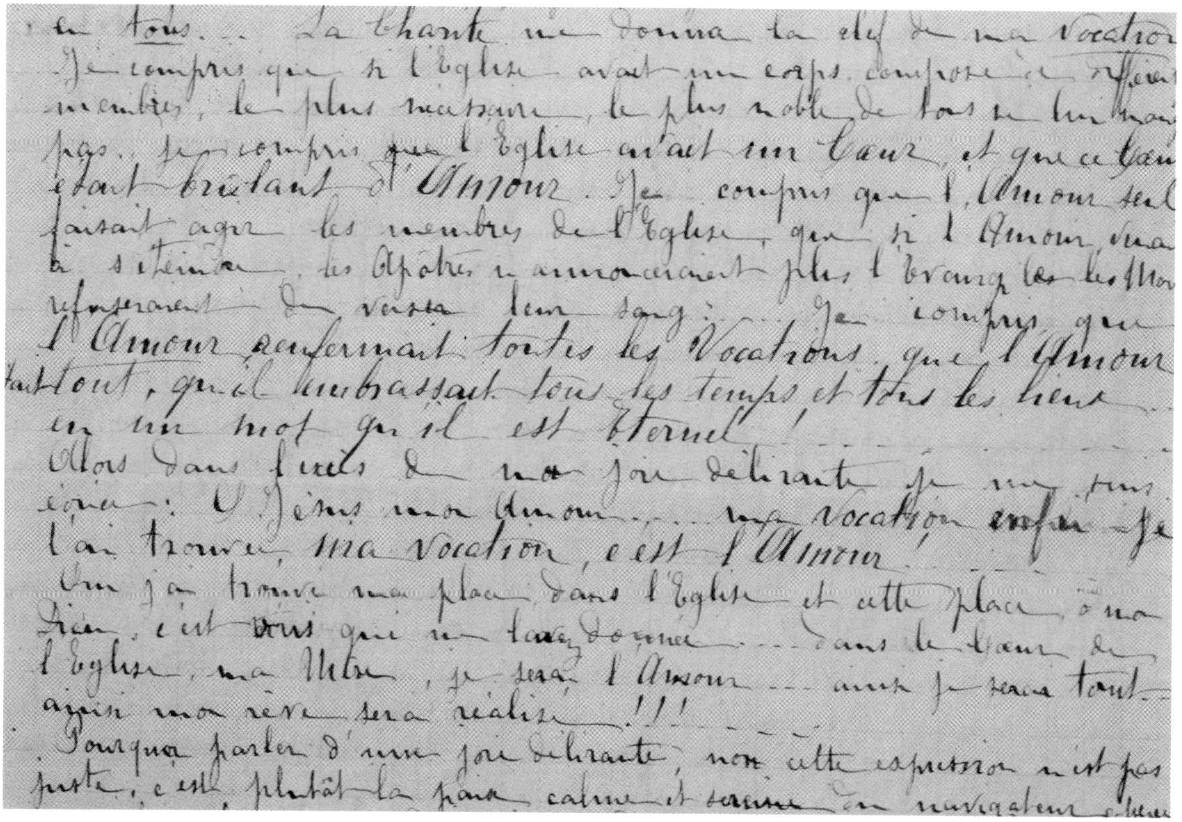

en tous... La Charité me donna la clef de ma vocation. Je compris que si l'Église avait un corps, composé de différents membres, le plus nécessaire, le plus noble de tous ne lui manquait pas, je compris que l'Église avait un Cœur, et que ce Cœur était brûlant d'Amour. Je compris que l'Amour seul faisait agir les membres de l'Église, que si l'Amour venait à s'éteindre, les Apôtres n'annonceraient plus l'Évangile, les Martyrs refuseraient de verser leur sang... Je compris que l'Amour renfermait toutes les Vocations, que l'Amour était tout, qu'il embrassait tous les temps et tous les lieux... en un mot qu'il est Éternel !... Alors dans l'excès de ma joie délirante je me suis écriée : Ô Jésus mon Amour... ma vocation enfin je l'ai trouvée, ma vocation, c'est l'Amour !... Oui j'ai trouvé ma place dans l'Église et cette place, ô mon Dieu, c'est vous qui me l'avez donnée... dans le Cœur de l'Église, ma Mère, je serai l'Amour... ainsi je serai tout... ainsi mon rêve sera réalisé !!! ... Pourquoi parler d'une joie délirante, non cette expression n'est pas juste, c'est plutôt la paix calme et sereine du navigateur

Passage du manuscrit B
où Thérèse explique sa découverte

L'ENVOI DU MANUSCRIT À LA MARRAINE

Avant le début de sa retraite, Thérèse a reçu une demande expresse de sa marraine. « Écrivez-moi quelque chose sur votre petite doctrine. » Sœur Marie du Sacré-Cœur aimerait posséder un testament spirituel de sa filleule. Après avoir écrit les huit pages de sa lettre à Jésus, Thérèse se dit qu'elles sont en définitive une sorte de condensé de sa Petite Voie. Elle décide de les offrir à sa marraine, après y avoir ajouté deux pages d'introduction.

Au reçu de cet ensemble — appelé désormais le manuscrit B —, sœur Marie du Sacré-Cœur est à la fois émerveillée et découragée. « Voulez-vous que je vous dise, écrit-elle à sa filleule, vous êtes possédée par le bon Dieu... absolument comme les méchants le sont du Vilain. » Comment peut-elle proposer sa doctrine comme une Petite Voie qui rend la sainteté accessible à tous ? Pour pouvoir la suivre, il faudrait être dévorée par la même soif du martyre. Ce qui doit être bien rare.

Bienheureux contresens de la marraine ! Pour le dénoncer, Thérèse écrit à toute vitesse, dans la soirée du 17 septembre, une lettre merveilleuse qui met les choses au point...
« Mes désirs du martyre ne sont rien, ce ne sont pas eux qui me donnent la confiance illimitée que je sens en mon cœur. [...] Je sens bien que ce n'est pas cela du tout qui plaît au bon Dieu dans ma petite âme. Ce qui Lui plaît, c'est de me voir aimer ma petitesse et ma pauvreté, c'est l'espérance aveugle que j'ai en sa miséricorde... Voilà mon seul trésor, Marraine chérie. »
Autrement dit, pour devenir saint, point n'est besoin de sentir dans son cœur de grands élans. A Gethsémani, Jésus Lui-même a supplié son Père d'éloigner de Lui le calice de souffrances qui L'attendait. Ce que le Seigneur nous demande ? Reconnaître notre impuissance radicale à parvenir par nos propres forces au véritable amour... et attendre tout de Lui. « C'est la confiance, affirme Thérèse, et rien que la confiance, qui doit nous conduire à l'Amour. »

Ô Jésus ! que ne puis-je dire à toutes les petites âmes, combien ta condescendance est ineffable... je sens que si par impossible tu trouvais une âme plus faible, plus petite que la mienne tu te plairais à la combler de faveurs plus grandes encore, si elle s'abandonnait avec une entière confiance à ta miséricorde infinie. Mais pourquoi désirer communiquer tes secrets d'amour, ô Jésus, n'est-ce pas toi seul qui me les as enseignés et ne peux-tu pas les révéler à d'autres !... Oui je le sais, et je te conjure de le faire, je te supplie d'abaisser ton regard divin sur un grand nombre de petites âmes... Je te supplie de choisir une légion de petites victimes dignes de ton Amour !...

La toute petite Sr Thérèse de l'Enfant Jésus et de la Ste Face

Finale du manuscrit B

Si sœur Marie du Sacré-Cœur avait bien lu ce que sa filleule avait écrit à la fin de sa méditation, elle n'aurait pas été découragée en la recevant. Les désirs immenses qu'elle porte en son cœur ne l'empêchent pas de rester la « toute petite Thérèse ».

Photographie prise dans la cour
de la sacristie (juillet 1896)

Mère Agnès n'aimait pas cette photo à cause de la pose et de la mauvaise disposition des vêtements. Voulant qu'on la détruise, elle avait écrit sur le cliché : « manquée ». Certes, la façon dont Thérèse tient sa tige de lys est assez maladroite. Mais quelle transparence et quelle énergie dans le regard ! Quelle assurance tranquille dans le sourire ! Dans une quinzaine de jours, Thérèse offrira à sa cousine un poème dont les décasyllabes respirent la même sérénité et la même détermination :

« Comme un enfant plein de délicatesses
Je veux, Seigneur, Te combler de caresses
Et dans le champ de mon apostolat
Comme un guerrier je m'élance au [combat ! »

Plus que jamais, Thérèse possède une âme de Jeanne d'Arc. Le mois précédent, elle disait au Seigneur :

« La victoire est à moi... toujours je Te [désarme
Avec mes fleurs ! »

Thérèse n'a pas attendu la fin de sa vie pour avoir beaucoup de délicatesse dans ses rapports avec les autres. Mais en relisant l'Évangile — qu'elle médite de plus en plus —, elle est frappée par un certain nombre de traits. Jésus affirme que le second commandement est « semblable » au premier — c'est-à-dire, pense Thérèse, aussi important que lui. Jésus nous a même demandé, le soir de la Cène, de nous aimer « comme » Il nous aime. Idéal impossible à réaliser, s'Il ne vient pas aimer Lui-même en nous tous nos frères.

Cette année, le bon Dieu m'a fait la grâce de comprendre ce que c'est que la charité

Image que Thérèse s'est confectionnée pour la mettre dans son bréviaire. Au recto, gravure de saint Martin découpée dans une Histoire de France

Il ne semble pas que la famille Martin ait eu une dévotion particulière envers le saint dont elle portait le nom. Mais Thérèse avait sans doute placé cette gravure dans son bréviaire pour se rappeler le commandement de la charité fraternelle dont elle venait de découvrir davantage l'importance.

Oh ! Seigneur, je sais que vous ne commandez rien d'impossible, vous connaissez mieux que moi ma faiblesse, mon imperfection, vous savez bien que jamais je ne pourrais aimer mes sœurs comme vous les aimez, si *vous-même*, ô mon Jésus ne les aimiez encore *en moi*. C'est parceque vous vouliez m'accorder cette grâce que vous avez fait un commandement *nouveau*... Oh ! que je l'aime puisqu'il me donne l'assurance que votre volonté est d'*aimer en moi* tous ceux que vous me commandez d'aimer !...

Thérèse consacre de longues pages
de son dernier manuscrit
à nous faire part de ses découvertes
au sujet de la charité fraternelle

Sœur Marie de Saint-Joseph
(1858-1936)

Voici la sœur qui fut, pour Thérèse, l'occasion de mieux comprendre, à la fin de sa vie, toutes les exigences évangéliques au sujet de la charité fraternelle.
1895 : sœur Marie de Saint-Joseph a trente-sept ans. Son caractère neurasthénique lui vaut d'être écartée du sein de la communauté. Personne ne désire travailler avec elle, car on doit toujours s'attendre à essuyer de sa part quelque accès imprévu de colère. Mais Thérèse a trouvé le chemin de son cœur. Aussi sœur Marie de Saint-Joseph obtient-elle de mère Agnès, alors prieure, la permission d'aller solliciter de temps en temps des conseils de sa cadette. Celle-ci les lui donne de son mieux. L'année suivante, pour sa fête (19 mars), Thérèse lui offre un poème : « Le Cantique éternel chanté dès l'exil ». Elle lui rappelle avec délicatesse que sa « grande misère » ne doit pas l'empêcher de faire de toute sa vie « un seul acte d'amour ».
Mieux encore : en ce même mois de mars 1896, Thérèse se propose de la seconder à la lingerie. Jusqu'en mai 1897, elle va supporter avec sérénité ses sautes d'humeur. Elle confie un jour à sœur Marie du Sacré-Cœur : « Ah ! si vous saviez comme il faut lui pardonner ! Comme elle est digne de pitié ! Ce n'est pas sa faute si elle est mal douée. C'est comme une pauvre horloge qu'il faut remonter tous les quarts d'heure ! »
Thérèse pense certainement à elle, lorsqu'elle écrit dans son dernier manuscrit : « Les âmes imparfaites ne sont point recherchées. Sans doute on se tient à leur égard dans les bornes de la politesse religieuse mais, craignant peut-être de leur dire quelques paroles peu aimables, on évite leur compagnie. — En disant les âmes imparfaites, je ne veux pas seulement parler des imperfections spirituelles, puisque les plus saintes ne seront parfaites qu'au Ciel, je veux parler du manque de jugement, d'éducation, de la susceptibilité de certains caractères, toutes choses qui ne rendent pas la vie très agréable. Je sais bien que ces infirmités morales sont chroniques, il n'y a pas d'espoir de guérison, mais je sais bien aussi que ma Mère ne cesserait pas de me soigner, d'essayer de me soulager, si je restais malade toute ma vie. »
On comprend que, trois semaines après avoir rendu son tablier de lingère, Thérèse ait pu écrire : « Cette année, le bon Dieu m'a fait la grâce de comprendre ce que c'est que la charité. » Ces quatorze mois de travail aux côtés de sœur Marie de Saint-Joseph lui ont beaucoup appris.
C'est également cette sœur qui donne à Thérèse l'occasion de faire des actes de patience les jours de lessive. Elle ne se rend pas compte qu'elle asperge sa voisine d'eau sale par la façon qu'elle a de soulever les

mouchoirs dans le bac de la buanderie. Quand Thérèse tombe malade, sœur Marie de Saint-Joseph est désemparée. Comme presque toutes les autres religieuses, elle se voit interdire l'accès de l'infirmerie. Un jour de septembre, elle cueille une violette et la glisse délicatement sur le rebord de la fenêtre. Le merci de Thérèse lui parviendra de façon inattendue le lendemain de sa mort. Le soir du 1er octobre 1897, sœur Marie de Saint-Joseph trouve sa propre cellule embaumée d'un tel parfum de violette qu'elle cherche partout le bouquet. Elle se souvient de la petite violette du 13 septembre. Elle comprend et le parfum s'évanouit. Avec l'aggravation de sa neurasthénie, elle devra quitter le monastère en 1909. Elle mourra vingt-cinq ans plus tard.

En avril 1897, Thérèse connaît une nouvelle épreuve. Elle apprend brusquement qu'elle a été mystifiée par un escroc peu banal qui s'est même permis de projeter sa photographie à Paris, boulevard Saint-Germain. Une histoire rocambolesque qui reflète bien le genre d'anticléricalisme qui pouvait exister à l'époque.

Une conversion incroyable

En 1896, les catholiques de France sont enthousiasmés par la conversion extraordinaire d'une certaine « Diana Vaughan ». Née aux USA, elle arrive en 1884 à Paris, à l'âge de vingt ans. Elle appartient à une secte luciférienne maçonnique, le palladisme. La presse catholique en parle de façon plutôt sympathique : on dit en effet qu'elle n'a pas voulu profaner une hostie consacrée.

Le 8 mai 1895, La Croix *demande à ses lecteurs de prier la vénérable Jeanne d'Arc pour sa conversion. Le 13, jour de la Fête-Dieu, Diana est terrassée par la grâce. Quelques mois plus tard, elle reçoit le baptême, compose une* Neuvaine eucharistique *et annonce son désir d'entrer en religion.*

Thérèse s'enthousiasme

Les carmélites de Lisieux partagent l'enthousiasme de la plupart des catholiques de France pour cette étonnante conversion. Thérèse s'y intéresse d'autant plus qu'elle s'est produite par l'intercession de Jeanne d'Arc. Aussi décide-t-elle, en accord avec ses novices, de composer une saynète sur la conversion de celle que la presse catholique salue comme une « nouvelle Jeanne d'Arc ». On la jouera le 21 juin pour la fête de mère Marie de Gonzague, réélue prieure le 21 mars précédent.

Léo Taxil

Thérèse donne à sa pièce un titre significatif : Le Triomphe de l'humilité, *en vue de rappeler à ses sœurs que l'arme essentielle à employer contre Satan, c'est l'humilité.*

L'envoi d'une photographie

Mère Agnès suggère à Thérèse de composer quelques vers à l'intention de la convertie. L'inspiration ne vient pas et mère Agnès se contente d'envoyer à Diana Vaughan une photographie que Céline a prise l'année précédente, où l'on voit Thérèse et sa sœur dans les rôles respectifs de Jeanne d'Arc et de sainte Catherine. Ce « tableau » ne pourra que plaire à la « nouvelle Jeanne d'Arc » qui a besoin d'être encouragée dans sa vocation.

Thérèse accompagne l'envoi de quelques lignes. La lettre et le tableau ne sont pas envoyés directement à Diana Vaughan, car elle est obligée de se cacher pour éviter les représailles des membres de son ancienne secte. On les envoie à son correspondant, Léo Taxil, qui se présente, lui aussi, comme un grand converti. Après avoir publié toute une série de pamphlets anticléricaux, A bas la calotte *(1879),* Les Soutanes grotesques *(1879), etc., il a été foudroyé par la grâce en étudiant les procès de Jeanne d'Arc. En 1885, il rompt avec la libre pensée et fait paraître de nombreux ouvrages pour dénoncer les méfaits de la franç-maçonnerie. C'est lui l'« imprésario » de Diana Vaughan.*

Le doute grandit

Mais voici qu'en 1896 beaucoup de journalistes se prennent à douter de la sincérité de cet homme. Il annonce donc qu'il donnera avec Diana Vaughan une conférence destinée à dissiper tous les doutes. Elle aura lieu le lundi de Pâques 19 avril 1897, dans la grande salle de la Société de géographie, boulevard Saint-Germain. C'était à l'époque l'une des plus grandes salles de la capitale. Elle était louée à toutes sortes d'organismes.

Une séance houleuse

Miss Vaughan ayant annoncé qu'au péril de sa vie elle se manifesterait en chair et en os, la police a été réquisitionnée pour assurer la sécurité de la conférencière. A l'ouverture de la séance, la salle est comble : journalistes français et étrangers de toutes tendances, de nombreux prêtres et religieuses, des libres penseurs. Au total quatre cents personnes.

Il y a véritablement des âmes qui,
par l'abus des grâces,
perdent ce précieux trésor de la foi

Annonce de la réunion organisée par Léo Taxil à la Société de géographie et programmée pour le lundi de Pâques 19 avril. Des projections lumineuses sont annoncées.

***

On annonce une séance promise par Diana Vaughan à la Société de Géographie de Paris pour le lundi de Pâques.

Voici le programme publié par diverses feuilles :

Cette séance sera précédée d'un discours de Léo Taxil intitulé : *Douze ans sous la bannière de l'Eglise* et dans lequel il déclarera se séparer de la lutte antimaçonnique.

La conférence de Diana Vaughan aura pour titre : *le Palladisme terrassé.*

Des projections lumineuses montreront des *actes de famille* légalisés concernant miss Diana Vaughan et d'autres papiers maçonniques et des portraits.

On annonce une série d'autres réunions semblables dans un grand nombre de villes d'Europe et d'Amérique.

Le Normand (samedi 17 avril 1897)

» Que dire encore de cette séance? Des projections, il devait y en avoir par centaines ; une seule a eu lieu, une photographie représentant l'apparition de sainte Catherine a Jeanne d'Arc, d'après un tableau qui aurait été fait en l'honneur de Diana Vaughan dans un couvent des Carmélites. Quel couvent? La maison de Taxil probablement...

» La farce est terminée... jusqu'à ce que l'histrion recommence ses exercices. Car il va se mettre à diffamer les catholiques après les avoir exploités. Sans doute il publiera les lettres

Le Normand (samedi 24 avril 1897)

Thérèse apprend par cet article que sa photographie a été projetée le lundi précédent à Paris par Léo Taxil. Cet article est un extrait de celui qui a paru dans *L'Univers* le mercredi précédent. Il est signé Eugène Tavernier.

Comme prévu, la séance commence par un discours de Léo Taxil. Il annonce avec fracas que son anticléricalisme est toujours aussi fort et qu'il s'amuse à tromper son monde depuis douze ans. Dans la salle, même les plus anticléricaux l'accablent d'injures. Heureusement, les policiers sont là et ils ont obligé les participants à déposer leur canne dans le hall d'entrée. La colère du public est à son comble quand Léo Taxil annonce avec cynisme qu'il a monté de toutes pièces l'« affaire » Diana Vaughan. Elle est un pur produit de son imagination. Et le palladisme est une secte qui n'a jamais existé que dans son esprit. « Quant à la Neuvaine eucharistique, *ajoute-t-il, c'est moi qui l'ai composée ! »*

Durant toute la durée de son discours, le public avait sous les yeux une photographie projetée sur un grand écran. Elle représentait Jeanne d'Arc enchaînée dans sa prison et consolée par sainte Catherine. Le faire-part de la soirée avait annoncé des centaines de projections. En fait, Léo Taxil ne projeta ce soir-là que la photographie qu'il avait reçue de Lisieux l'année précédente. Il essaya de persuader ses auditeurs qu'il s'agissait d'une carmélite déguisée en Jeanne d'Arc. On comprend que les journalistes, écœurés par tous ses mensonges, ne le crurent pas. C'était pourtant vrai.

La réaction de Thérèse

Le carmel de Lisieux apprit la mystification dès le 21 avril par un entrefilet laconique paru dans Le Normand. *Et le samedi 24 avril, le journal publiait à la une un long article intitulé : « Les Aveux de Léo Taxil. » Thérèse y apprenait que l'infâme escroc s'était servi de sa photo pour se moquer du culte des chrétiens envers Jeanne d'Arc. L'épreuve était rude. Comme tous les catholiques de son temps, Thérèse avait été mystifiée. Quelle humiliation ! Mais Thérèse n'oublie pas ce qu'elle a écrit à la fin de sa pièce : « Vous désirez, ferventes carmélites, Gagner des cœurs à Jésus, votre Époux, Eh bien ! pour Lui, restez toujours petites./ L'humilité met l'enfer en courroux. »*

Elle déchire en miettes la lettre de remerciements de Diana Vaughan que Léo Taxil lui a fait parvenir en juillet 1896 en réponse à la sienne, et s'en va la jeter à la fumière du jardin ! Non pas au feu, mais au fumier. Il est des gestes plus éloquents qu'un discours.

Un nouvel enfant à sauver

Léo Taxil a été baptisé. Il a même fait ses études à Marseille dans un collège chrétien. Thérèse le considère comme un nouvel enfant à sauver : un autre Pranzini. Elle pense certainement à lui quand elle écrit deux mois plus tard dans son dernier manuscrit : « Jésus m'a fait sentir qu'il y a véritablement des âmes qui n'ont pas la foi, qui, par l'abus des grâces, perdent ce précieux trésor. »

Samedi 24 Avril 1897
Prix : 10 Centimes
68e Année — N° 33
ADMINISTRATION & RÉDACTION
25, Rue du Bouteiller, 25
LISIEUX
LE NORMAND
DÉPOTS dans les principales localités de l'ARRONDISSEMENT de LISIEUX
Journal de la Ville et de l'Arrondissement de Lisieux
Paraissant le Mardi et le Samedi
25, RUE DU BOUTEILLER, LISIEUX

L'exemple de Jeanne fortifie Thérèse dans son espérance de poursuivre son action au-delà de la mort. Dans sa prison de Rouen, Jeanne sait très bien que les Anglais ne sont pas définitivement boutés hors de France ; sa mission n'est pas achevée mais, après sa mort, elle continuera à sauver son pays autrement. Ce sont d'ailleurs les derniers mots que, dans sa seconde pièce, Thérèse fait chanter à Jeanne sur le bûcher : « Je meurs pour sauver ma patrie ».

J'entre dans l'éternelle vie ! —
Je vois... les anges les élus... —
Je meurs, pour sauver ma patrie
Venez... Vierge Marie...
Jésus ! — Jésus !!! ...

Jeanne d'Arc accomplissant sa mission
Les dernières paroles de Jeanne sur le bûcher

Jeanne est morte à dix-neuf ans ; Thérèse va mourir à vingt-quatre ans. Mais sa mission, comme celle de Jeanne, ne fait que commencer. Dans ma vie, pense Thérèse, Jésus s'est plu à réaliser tous mes désirs, même ceux qui semblaient les plus enfantins ou les plus irréalisables. Il a fait tomber de la neige le jour de ma prise d'habit ; Il a permis que Céline me rejoigne au carmel, alors que trois sœurs de la même famille s'y trouvaient déjà ; Il m'a même donné deux frères missionnaires ! Pourquoi le Seigneur changerait-Il de conduite à l'approche de ma mort ? Pourquoi mettrait-Il en mon cœur de si grands désirs de faire du bien après ma mort, s'Il ne voulait pas les réaliser ? Ma vraie mission va commencer.

Thérèse et sœur Geneviève
dans les rôles respectifs de Jeanne d'Arc
et de sainte Catherine
C'est cette photographie qui fut projetée
le 19 avril 1897 par Léo Taxil
dans la salle de la Société de géographie

Sœur Geneviève a partiellement repeint la photographie qu'elle avait prise en janvier 1895 (voir p. 220). Elle a notamment gravé sur le mur les mots de Jésus et de Marie.

Jhesus † Maria !
T-C.L.
1895

Statue de la Vierge
dite du Cœur-de-Marie

Les mots gravés au-dessus de la niche ont été prononcés par Thérèse le 23 août 1897.

Thérèse confie un jour à sœur Geneviève : « J'ai encore quelque chose à faire avant de mourir. J'ai toujours rêvé d'exprimer dans un chant à la Sainte Vierge tout ce que je pense d'elle. » Les sermons qu'elle a entendus sur Marie l'ont souvent gênée. On célèbre tellement ses vertus qu'on la rend inimitable ; on exalte tellement ses prérogatives qu'elle semble éclipser la gloire de tous les saints, comme le soleil à son lever fait disparaître les étoiles.
« Que cela est étrange ! remarque Thérèse. Une mère qui fait disparaître la gloire de ses enfants ! Moi je pense tout le contraire, je crois qu'elle augmentera beaucoup la splendeur des élus. »
C'est dans le même sens qu'elle disait : « On sait bien que la Sainte Vierge est la Reine du Ciel et de la terre, mais elle est plus Mère que Reine. »
En mai 1897, Thérèse met à exécution son projet. Mois de mai, mois de Marie. Elle rassemble ses forces et compose en l'honneur de la Vierge sa dernière poésie. En vingt-cinq strophes, elle relate la vie de Marie de Nazareth, telle que l'Évangile nous la présente. Vie toute simple, vie de foi. Elle aime voir en Marie le modèle de tous les chrétiens qui ont à vivre leur amour de Dieu et du prochain au cours de journées sans éclat :

« Point de ravissements, de miracles,
[d'extases
N'embellissent ta vie, ô Reine des élus. »

Marie est vraiment pour Thérèse le modèle insurpassable des « petites âmes ». Elle n'évoque sa propre histoire que dans la toute dernière strophe :

« Toi qui vins me sourire au matin
[de ma vie
Viens me sourire encor... Mère...
[voici le soir !... »

J'aurais voulu
être prêtre pour prêcher sur la Sainte Vierge

L'Occident catholique est aujourd'hui familiarisé avec l'icône orientale. Il n'en était pas de même au XIXe siècle. Le culte de Notre-Dame du Perpétuel-Secours (peinte sans doute en Crète au XIVe ou au XVe siècle) était l'une des rares exceptions à la règle. Il était propagé par les pères rédemptoristes : après avoir prêché une mission en paroisse, ils y intronisaient solennellement la reproduction de l'icône mariale qu'ils vénèrent dans leur église de Rome.

On retrouve ici le type de la Vierge byzantine, dite « Hodighitria », c'est-à-dire « Celle qui montre la Voie » *(hodos)*, Jésus étant le chemin qui conduit au Père. Dans les icônes du même type, l'Enfant-Jésus se tient droit, bénit de la main droite et porte en l'autre le rouleau des Écritures. Ici, Il blottit ses deux mains en celle de Marie, qui rassure son enfant, effrayé par la vision des instruments de la Passion.

Sœur Marie de la Trinité vénérait beaucoup cette icône. En 1894, elle lui attribue la solution des difficultés qui faisaient obstacle à son entrée au carmel de Lisieux. Thérèse en gardait l'image dans son bréviaire et compose en mars 1897 un poème en son honneur. Elle y demande à Marie la grâce d'être fortifiée dans son épreuve :

« Lorsque je lutte, ô ma Mère chérie,
Dans le combat tu fortifies mon cœur
Toujours, toujours, image de ma Mère
Oui, tu seras mon bonheur, mon trésor,
Et je voudrais à mon heure dernière
Que mon regard sur toi se fixe encor. »

L'icône de Notre-Dame du Perpétuel-Secours (cathédrale Saint-Pierre)

Début du dernier poème composé par Thérèse

(Air : Pourquoi m'avoir livré l'autre jour ô ma Mère)

J.M.J.T.

Mai 1897

Pourquoi je t'aime, ô Marie !

Oh ! je voudrais chanter Marie, pourquoi je t'aime
Pourquoi ton nom si doux fait tressaillir mon cœur
Et pourquoi la pensée de ta grandeur suprême
Ne saurait à mon âme inspirer de frayeur
Si je te contemplais dans ta sublime gloire
Et surpassant l'éclat de tous les bienheureux
Que je suis ton enfant je ne pourrais le croire
O Marie, devant toi, je baisserais les yeux !...

Le soir du dimanche 30 mai, Thérèse révèle à sa « petite mère » que, par deux fois, l'année précédente, elle a craché du sang. Mère Agnès est bouleversée. Sa petite sœur va mourir ! Il faut qu'elle achève la rédaction de ses souvenirs... Il lui reste tant de choses à dire ! Mère Agnès va donc trouver mère Marie de Gonzague — laquelle ignore encore l'existence du premier manuscrit — et lui suggère d'ordonner à Thérèse de poursuivre son travail.
« Écrire sur quoi ? demande la malade qui vient de vomir. — Sur les novices, sur vos frères spirituels. » On lui remet un petit cahier à couverture de moleskine noire qu'elle juge bien trop beau pour elle et, dès le 3 ou 4 juin, elle se met à l'œuvre. Elle décide de parler de ses découvertes récentes sur la charité fraternelle, de son travail auprès des novices, mais elle commence par confier à sa prieure la façon dont elle a découvert sa Petite Voie et sa terrible tentation de douter de l'existence du Ciel.

La voiture d'infirme utilisée
par M. Martin depuis le mois de mai 1892
jusqu'à sa mort (29 juillet 1894)
Thérèse l'utilise en juin 1897
pour écrire dans le jardin du carmel
son dernier manuscrit

Elle est sans cesse distraite par les infirmières, les sœurs qui passent, les novices qui veulent lui parler. « Je ne sais pas si j'ai pu écrire dix lignes sans être dérangée... Tenez, voici une faneuse qui s'éloigne après m'avoir dit d'un ton compatissant : Ma pauv' p'tite sœur, ça doit vous fatiguer d'écrire comme ça toute la journée... J'suis bien contente qu'on soit en train d'faner, car ça vous distrait toujours un peu. » Et Thérèse d'ajouter qu'elle s'efforce de ne pas s'impatienter, de mettre en pratique ce qu'elle écrit sur la charité fraternelle.

Photographie du 7 juin 1897 (première pose)

Aimer jusqu'à mourir d'amour

Le lundi de la Pentecôte, en prévision de la fête de mère Marie de Gonzague, le 21 juin — et « en vue de ma mort prochaine », précise Thérèse dans une lettre à l'abbé Bellière datée du 18 juillet —, Céline désire photographier sa sœur.

Thérèse prend en mains deux images de son bréviaire qui rappellent à la fois son nom de religieuse et sa spiritualité : l'Enfant-Jésus dit de Messine (voir p. 205) et la Sainte Face de Tours (voir p. 136).

« Mourir d'Amour ! » Ce « rêve » que Thérèse avait chanté dans son poème de février 1895 (voir p. 245), elle l'exprime encore deux jours plus tard en écrivant dans son manuscrit : « Il me semble maintenant que rien ne m'empêche de m'envoler, car je n'ai plus de grands désirs, si ce n'est celui d'aimer jusqu'à mourir d'amour. »

Pour une fois, Thérèse a pris soin de noter la date : 9 juin. C'est le second anniversaire de son offrande à l'Amour miséricordieux. Ce jour-là, elle pressent que sa mort est proche. C'est aussi le jour où elle confie à sa marraine, avec une tranquille assurance, qu'elle est certaine de travailler encore beaucoup après sa mort. Le bon Dieu ne mettrait pas dans son cœur un tel désir s'il ne voulait pas l'exaucer.

Rampe de l'escalier que Thérèse montait chaque soir pour rejoindre sa cellule

La sentence écrite sur le mur ne correspondait pas du tout à l'idée qu'elle se faisait du Ciel.

Au fur et à mesure que l'échéance approche, Thérèse est persuadée que la mort, loin de mettre un terme à ses activités apostoliques, lui permettra de les exercer plus intensément. Cette représentation du Ciel ne manquait pas d'originalité. Mère Geneviève, pour laquelle Thérèse avait tant de vénération, avait dit avant de mourir qu'elle ne désirait le Ciel que pour voir Dieu. La pensée que les anges s'occupent de nous, tout en étant sans cesse tournés vers Dieu, était l'une des raisons invoquée par Thérèse pour étayer son espérance. D'autre part, la vie de Louis de Gonzague, qu'on lisait au réfectoire en mai-juin 1897, était venue corroborer ses vues. L'auteur mettait en valeur la fécondité de la vie posthume de ce jésuite mort à vingt-trois ans. Le 9 juin, on venait de lire l'histoire d'un chanoine allemand qui, ayant demandé à saint Louis de Gonzague de le sauver, avait vu celui-ci lui apparaître et faire tomber sur son lit une pluie de roses, signe de la grâce de guérison qu'il allait recevoir. Après le repas, dans la pièce qui jouxtait le réfectoire, Thérèse, le coude appuyé sur un meuble, déclara très sérieusement à sa marraine :

« Moi aussi, après ma mort, je ferai pleuvoir des roses. »

Bientôt, elle donnera aussi quelques consignes à mère Agnès pour l'édition de ses manuscrits. Tranquillement, elle ose dire : « On connaîtra mieux la douceur du bon Dieu ».

Après ma mort, je ferai pleuvoir des roses

Thérèse précise les corrections qu'il faudra faire à ses « cantiques » pour leur publication

Fautes à corriger dans les cantiques
Vivre d'Amour – Au dernier couplet au lieu de
« quand enfin se briseront mes liens. il faut
Quand je verrai se briser mes li-ens.
Les Sts Innocents – Prémices étant du féminin
il faut dire :
« Dans ses bras maternels vous fûtes en prémices
Offerts à Dieu »
et non pas
« en ses bras maternels vous fûtes les
Jésus seul – Au lieu de dire au 2ème couplet :
« Toi qui conserves et qui rends l'innocence
Tu ne saurais tromper ma confiance »
(Il faut dire :)
« Ton Cœur qui garde et qui rend l'innocence
Ne saurait pas tromper ma confiance
Pourquoi je t'aime ô Marie
Au 10e couplet au lieu de : « sur nos rivages
a fait épanouir mettre as et puis au lieu
de ces choses dans il faut « toute chose en ton cœur »

Photographie du 7 juin 1897 (troisième pose)

Thérèse pose une troisième fois. Tout est plus « arrangé » ! La figure est tendue dans un suprême effort. Thérèse est si faible que le jardinier l'entend s'écrier : « Oh ! faites vite, je me sens épuisée ! » Les novices n'aimaient pas cette photographie. Thérèse l'écrit à l'abbé Bellière le 18 juillet suivant : « Elles se sont écriées, en me voyant, que j'avais pris mon grand air ; il paraît que je suis ordinairement plus souriante. » Mais Thérèse ne la détestait pas, parce qu'elle s'y trouvait énergique.

dans toute sa plénitude. Le Tout-Puissant leur a donné pour
point d'appui : Lui-même et Lui seul. Pour levier :
l'oraison qui embrase d'un feu d'amour, et c'est ainsi qu'ils ont soulevé le monde...
c'est ainsi que les Saints encore militants le soulèvent et
que jusqu'à la fin du monde les Saints à venir le sou
lèveront aussi.
Ma Mère chérie, maintenant je voudrais vous dire ce
que j'entends par l'odeur des parfums du Bien-Aimé. — Puisque Jésus est rem
té au Ciel, je ne puis le suivre qu'aux traces qu'Il a lais
mais que ces traces sont lumineuses, qu'elles sont embaumées
Je n'ai qu'à jeter les yeux dans le St Évangile, aussitôt
je respire les parfums de la vie de Jésus et je sais de quel cô
courir... Ce n'est pas à la première place mais à la dern
que je m'élance, au lieu de m'avancer avec le pharisien
je répète remplie de confiance l'humble prière du publicain, mais surto
j'imite la conduite de Madeleine, son étonnante ou plutôt
son amoureuse audace qui charme le Cœur de Jésus, séd
le mien. Oui je le sens quand même j'aurais sur la
conscience tous les péchés qui se peuvent commettre, j'irai
cœur brisé de repentir me jeter dans les bras de Jésus, car je
sais combien Il chérit l'enfant prodigue qui revient à Lui
Ce n'est pas parce que le bon Dieu dans sa prévenante misér
a préservé mon âme du péché mortel que je m'élève à

Quand même j'aurais sur la conscience
tous les péchés
qui se peuvent commettre...

par la confiance et l'amour.

Sr Thérèse de l'Enfant Jésus a écrit ces dernières lignes au crayon dans son lit à l'infirmerie (Juillet 1897)
Elle n'a pas écrit autre chose sur ce cahier, ce que l'on pourrait croire en voyant la page coupée.
Cette page a été coupée pour un motif insignifiant.

Sr Agnès de Jésus
r.c.i. Prieure

« Amour » :
le dernier mot par lequel se termine chacun des trois manuscrits de Thérèse

A l'infirmerie, Thérèse achève de chanter les miséricordes du Seigneur à son égard, au crayon, car l'usage d'un encrier n'est guère recommandé quand on est alité. Il lui importe que le lecteur comprenne bien sa pensée. Elle insiste auprès de mère Agnès : « Dites bien, ma Mère, que si j'avais commis tous les crimes possibles, j'aurais toujours la même confiance : je sens que toute cette multitude d'offenses serait comme une goutte d'eau jetée dans un brasier ardent. » Et elle demande que l'on ajoute à son manuscrit le récit qu'elle a lu dans la Vie des Pères du désert *: une grande pécheresse nommée Paésie se convertit très peu de temps avant de mourir ; aussitôt sa mort survenue, le père Jean le Nain, qui l'avait aidée dans sa démarche de conversion, voit son âme s'envoler au paradis. Thérèse voudrait que personne ne doute de la miséricorde infinie du Seigneur. Pour Lui, un jour est comme mille ans. Il peut donc en un instant nous préparer à paraître devant Lui.*

J'ai beaucoup souffert ici-bas : il faudra le faire savoir aux âmes

Durant son premier mois de séjour à l'infirmerie, Thérèse a de nombreuses hémoptysies — au moins une vingtaine. Dès lors, comment le Dr de Cornière peut-il affirmer que la malade fait une congestion pulmonaire ? Erreur de diagnostic ? C'est peu probable. On savait à l'époque que le crachement de sang était l'un des symptômes caractéristiques de la tuberculose pulmonaire. D'autre part, le médecin ordonne à Thérèse les remèdes prescrits à l'époque aux tuberculeux. Il semble beaucoup plus vraisemblable que, pour ne pas bouleverser la famille et la communauté, le Dr de Cornière ait voulu éviter de prononcer le mot de « tuberculose », tabou à l'époque, comme l'est aujourd'hui celui de « cancer ». Aussi bien, il n'était pas alors possible de la guérir. Toujours est-il que la malade est épuisée. Elle fait pourtant l'effort vraiment héroïque d'écrire chaque semaine (13, 18, 26 juillet) à l'abbé Bellière en vacances qui quémande son aide avec insistance. Elle écrit également une lettre d'adieu au père Roulland, deux à sa famille, plus quelques billets à ses sœurs. Mère Agnès, qui sent venir la fin, la questionne beaucoup : avec simplicité, Thérèse lui confie quelques grâces dont elle avait bénéficié dans le passé — notamment la grâce du voile marial (voir p. 152) et le trait de feu reçu après son offrande à l'Amour miséricordieux (voir p. 240).

Le 30 juillet, on l'estime suffisamment « mourante » pour recevoir l'extrême-onction et la communion en viatique. Le lendemain, elle confie : « J'ai trouvé le bonheur et la joie sur la terre mais uniquement dans la souffrance, car j'ai beaucoup souffert ici-bas : il faudra le faire savoir aux âmes. »

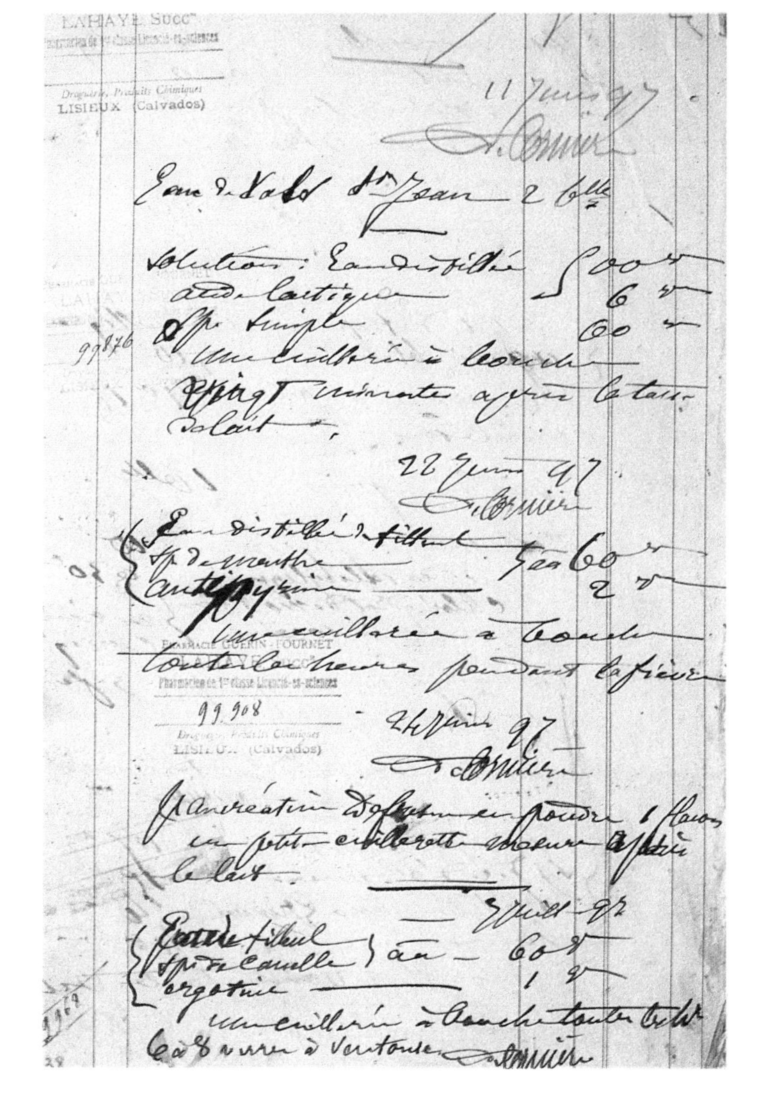

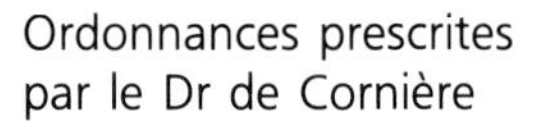

Ordonnances prescrites
par le Dr de Cornière

A une époque où la Sécurité sociale n'existait pas, Thérèse n'aimait pas qu'on lui fasse prendre des remèdes coûteux, même s'ils lui étaient envoyés par son oncle. « Je ne suis plus traitée comme une petite pauvre », disait-elle alors. S'ils étaient offerts par d'autres personnes, elle les acceptait davantage, en pensant que le Seigneur les récompenserait de leur générosité à son égard. En 1888, M. Guérin avait revendu sa pharmacie à M. Lahaye.

Le docteur de Cornière (1841-1922)
(photographie de 1898 ou 1899)

Ancien interne de l'hôpital Saint-Louis, à Paris, installé à Lisieux en 1869, il y fut nommé chirurgien-chef de l'hôpital en 1891. Médecin du carmel de 1886 à 1920, il soigna Thérèse à partir de juillet 1896.

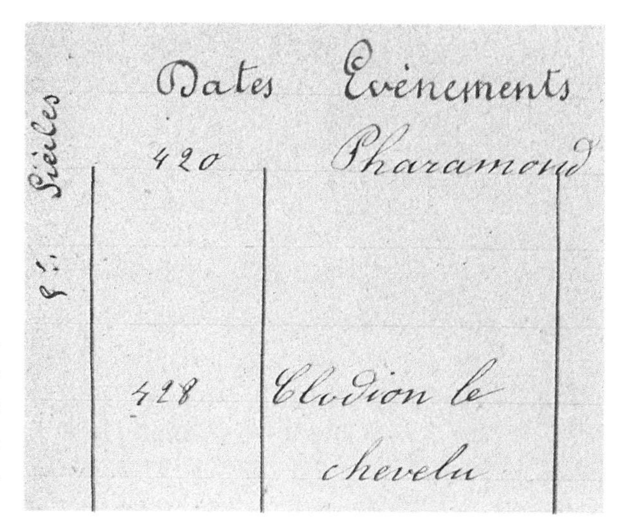

Cahier de classe de Thérèse

Malade, Thérèse n'a pas perdu son humour. Elle appelle le Dr de Cornière « Clodion le Chevelu », le surnom donné au chef de la tribu des Francs Saliens qui avait envahi la Gaule au début du Ve siècle.

La statue fut placée à l'infirmerie
le 16 juillet 1897, comme
en témoigne la note écrite
par mère Agnès sur le socle

La nuit suivante, à 2 heures du matin, Thérèse exprimait son désir le plus profond : « Je veux passer mon ciel à faire du bien sur la terre. »

Mère Agnès a reçu de mère Marie de Gonzague l'autorisation de garder sa sœur malade le soir, durant l'office de matines. Elle le fait dès le 5 juin. A partir du 8 juillet — date du transfert de Thérèse à l'infirmerie — mère Agnès s'installe au chevet de sa sœur pendant les heures d'office, les récréations et chaque fois que les infirmières sont requises ailleurs.
Soucieuse de ne pas perdre les souvenirs que Thérèse lui confie en ces moments privilégiés, mère Agnès prend hâtivement des notes sur des feuilles volantes et reporte ensuite ces notes sur un carnet. Trente ans plus tard (1922-1923), elle recopiera toutes ces notes sur un carnet recouvert de cuir jaune — ce

Je veux passer mon ciel à faire du bien sur la terre

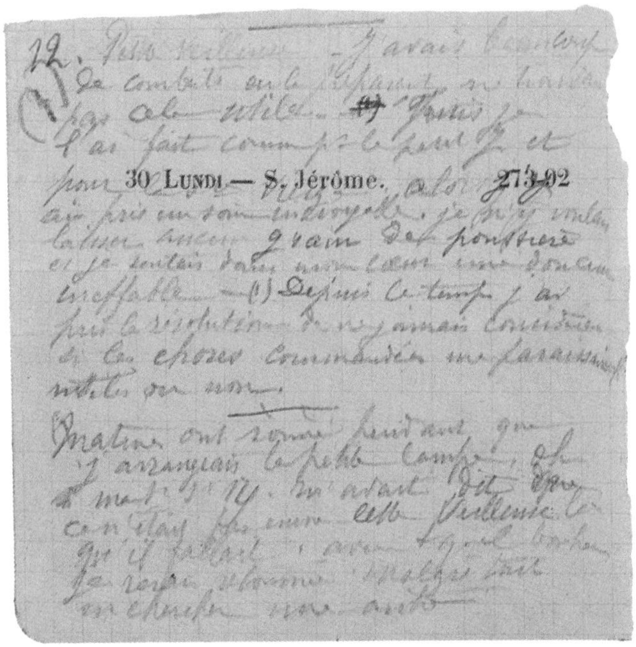

La feuille de calendrier
sur laquelle mère Agnès a consigné
les notes prises
au chevet de Thérèse le 12 juillet

Thérèse a elle-même utilisé en juillet deux autres feuillets de cet agenda périmé de 1895. L'agenda se trouvait donc à l'infirmerie.

que nous appelons le Carnet jaune — et les publiera en partie en 1927 dans un petit livre qui aura un immense succès : Novissima Verba *ou* Derniers entretiens de sainte Thérèse de l'Enfant-Jésus. *Malheureusement, une seule de ces feuilles primitives a été retrouvée dans les archives du carmel.*
Le 12 juillet, Thérèse confie à sa sœur le combat intérieur qu'elle a dû livrer lorsqu'elle était à la porterie avec sœur Saint-Raphaël et qu'elle a reçu l'ordre de nettoyer au plus vite une veilleuse destinée à des parents de la prieure. Il s'agissait d'une « chauffeuse » en porcelaine, haute de 22 cm, composée de quatre parties démontables et destinée à garder chaude une tisane.

Le 27 mai 1897, jour de l'Ascension, Thérèse confiait à mère Agnès : « Oh ! je voudrais bien avoir le portrait de Théophane Vénard ; c'est une âme qui me plaît. Saint Louis de Gonzague était sérieux, même en récréation, mais Théophane Vénard, il était gai toujours. »
Le 10 août, Thérèse recevait ce « portrait » et le fit épingler au rideau de son lit. Elle est frappée par le geste que fait Théophane sur la photo : de l'index droit, il désigne le ciel : « Regardez ce qu'il me montre, fait-elle remarquer. Il aurait bien pu ne pas avoir cette pose-là ». Le « portrait » avait été obtenu par le montage, sur une silhouette dessinée au trait, de la tête de Théophane, empruntée à une photo véritable : d'où certaines fautes de proportions.
Le 6 septembre, Thérèse reçoit une relique du jeune martyr. Dans les dernières semaines de sa maladie, il lui arrive souvent de prendre le portrait et la relique de Théophane et de les caresser. Tout en faisant ce geste, elle pense sans doute à quelques-unes des phrases de Théophane qu'elle a recopiées au verso d'une image le mois de juin précédent (voir p. 269).

Portrait de Théophane Vénard que Thérèse reçut à l'infirmerie le 10 août et qu'elle fit accrocher au rideau de son lit

Au bas de l'image (17×9,7 cm), une légende : « Adieu ! Adieu ! Nous nous reverrons au Ciel ! » Sur la légende, Thérèse a fait coller cinq miniatures de ses images préférées : une Mater dolorosa, des photos de ses petits frères et sœurs décédés, saint Joseph portant l'Enfant-Jésus, sainte Cécile, l'*Ecce homo* de Guido Reni.

Après l'alerte du 30 juillet et des jours suivants, Thérèse jouit d'un répit relatif. Elle s'étonne même d'avoir envie de « toutes sortes de bonnes choses ». Le 6 août, les hémoptysies cessent, mais la fièvre et l'oppression demeurent. Le 9, le Dr de Cornière rejoint sa femme à Plombières, mais constate, avant de partir, la détérioration du poumon gauche. Il prescrit de « petits remèdes » pour le temps de son absence et indique un remplaçant lexovien.

Le 15 août, nouveau tournant dans la maladie de Thérèse. Le côté gauche lui fait très mal, ses jambes enflent. Le 17 août, en l'absence du Dr de Cornière, mère Marie de Gonzague autorise enfin le Dr Francis La Néele à examiner sa cousine. Son diagnostic est clair : « Le poumon droit est absolument perdu, rempli de tubercules en voie de ramollissement. Le gauche est pris dans son tiers inférieur [...] La tuberculose est arrivée au dernier degré. » Le mot est enfin prononcé. La maladie a envahi tout l'organisme, y compris les intestins. Les souffrances sont horribles. Thérèse étouffe. On craint l'occlusion intestinale. « C'est à perdre la raison », avoue-t-elle. « Quand je dirai : "Je souffre", dit-elle à sœur Geneviève, vous répondrez : "Tant mieux !" Je n'ai pas la force ; alors c'est vous qui achèverez ce que je voudrais dire. »

Je souffre !...

N'oublions pas que Thérèse avait sans cesse l'image de la Sainte Face devant les yeux : elle était accrochée à l'un des rideaux de son lit. Elle expérimente en elle-même quelque chose de ce qu'a connu le Christ à Gethsémani : infiniment heureux d'être le Fils bien-aimé du Père, il était infiniment triste. Plus que jamais, elle se répète la parole du père Pichon : « Jésus a souffert avec tristesse ; sans tristesse est-ce que l'âme souffrirait ? » Elle se réfère aussi à une réflexion de Lamennais qu'elle a lue dans son Imitation *: « Notre Seigneur au jardin des Oliviers jouissait de toutes les délices de la Trinité, et pourtant son agonie n'en était pas moins cruelle. C'est un mystère, mais je vous assure que j'en comprends quelque chose par ce que j'éprouve moi-même. »*

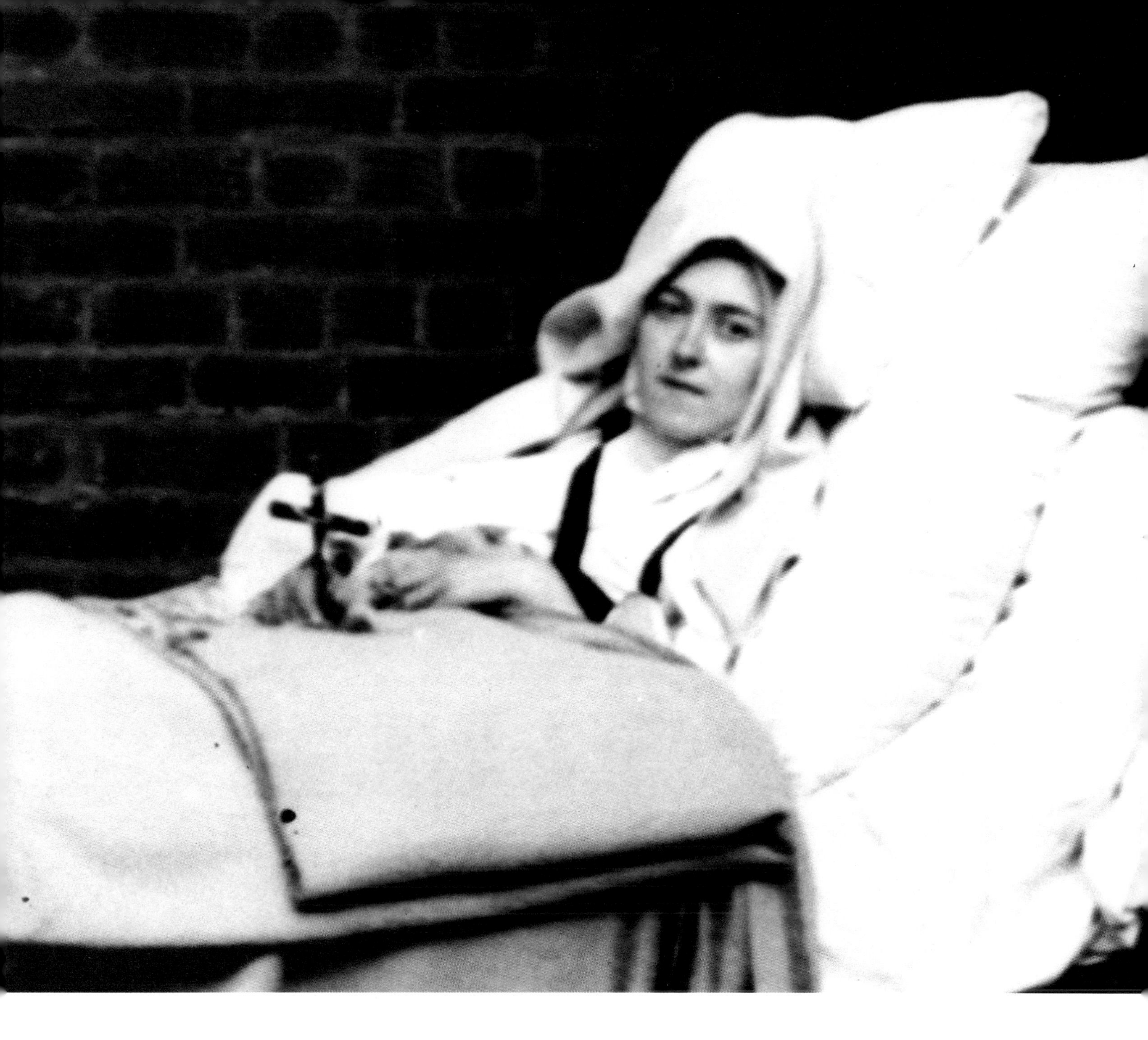

Je souffre

L'après-midi du 27 août se termine la période des grandes souffrances. Restent la fièvre, la soif et l'oppression. Elle ne respire plus qu'avec la moitié du poumon gauche.

Le 30 août, sur un lit roulant, on la sort sous le cloître, jusque devant la porte ouverte du chœur : sa dernière visite au Saint-Sacrement. Avant de la ramener à l'infirmerie, sœur Geneviève la photographie, effeuillant des roses sur son crucifix. Le 14 septembre, refaisant ce geste familier, elle ose dire : « Ramassez bien ces pétales, mes petites sœurs, ils vous serviront à faire des plaisirs plus tard... N'en perdez aucun. » Des miracles se produiront effectivement plus tard au contact de ces pétales.

Sur le mur de l'infirmerie,
à gauche de la fenêtre,
se trouvait alors une toile
marouflée représentant
le Christ au jardin des Oliviers
acceptant le calice
que lui présente un ange

Thérèse aimait penser que l'ange console Jésus en lui montrant la moisson des élus qu'il est en train de sauver :

« Un ange te montrant cette moisson [choisie
Fit renaître la joie sur ta Face bénie. »

Pour Thérèse, son infirmerie est un autre jardin des Oliviers, une autre prison de Rouen : le salut du monde est en train de s'y accomplir. Deux heures avant de mourir, en pleine agonie, elle confiera : « Jamais je n'aurais cru qu'il était possible de tant souffrir ! Jamais ! jamais ! Je ne puis m'expliquer cela que par les désirs ardents que j'ai eus de sauver des âmes. »

La procession accompagnant
le Saint-Sacrement
porté à une carmélite malade
(photographie des premières années
du XXe siècle)

Les longues prières qui entouraient alors la réception de la communion à l'infirmerie épuisaient littéralement Thérèse. Aussi dut-elle y renoncer. Elle communia pour la dernière fois le 19 août, en la fête de saint Hyacinthe. C'est évidemment pour la conversion du père Loyson qu'elle offrit sa dernière communion.

O Marie...

Le 4 août, on apporte à Thérèse une gerbe d'épis qui vient d'être moissonnée. Elle en détache alors le plus beau en disant : « Ma Mère, cet épi est l'image de mon âme : le bon Dieu m'a chargée de grâces pour moi et pour bien d'autres. » Puis, craignant que ce ne soit une pensée d'orgueil, elle ajoute : « Oh que je voudrais être humiliée et maltraitée pour voir si j'ai vraiment l'humilité du cœur !... Pourtant, quand j'étais humiliée autrefois, j'étais bien heureuse... Oui, il me semble que je suis humble... Le bon Dieu me montre la vérité : je sens si bien que tout vient de Lui. »

L'ermitage de la Sainte-Face, en bordure de l'allée des Marronniers

La tonnelle provenait du jardin des Buissonnets et abritait, du temps de Thérèse, la Sainte Face de Tours. La malade pouvait voir l'ermitage de son lit et c'est de ce côté-là qu'elle regardait lorsqu'elle disait le 28 août : « Voyez-vous là-bas le trou noir où l'on ne distingue plus rien : c'est dans un trou comme cela que je suis pour l'âme et pour le corps. Ah ! oui, quelles ténèbres ! Mais j'y suis dans la paix. »

O Marie, si j'étais la Reine du Ciel et que vous soyez Thérèse, je voudrais être Thérèse afin que vous soyez la Reine du Ciel !!!...............

8 Septembre 1897

L'ultime prière de Thérèse

Le 8 septembre 1897, septième anniversaire de sa profession, est une journée d'accalmie et de douceur pour la malade. Elle demande à revoir l'image de Notre-Dame des Victoires où elle avait collé la petite fleur que son père lui avait donnée. Elle écrit alors au verso, d'une main tremblante, cette ultime prière mariale. Ce furent les dernières lignes qu'elle écrivit.

Un peu alambiquée au premier abord, et donc surprenante de la part de Thérèse, cette prière a été considérée comme un pastiche de la réflexion communément attribuée à saint Augustin : « Seigneur, mon âme se réjouit grandement quand elle pense que vous êtes Dieu ; car si l'impossible pouvait être qu'Augustin fût Dieu et que vous fussiez Augustin, j'aimerais mieux que vous fussiez Dieu que non pas Augustin. » Thérèse avait entendu lire ce trait dans une *Vie des saints et fêtes de toute l'année* qu'on lisait tous les ans au réfectoire, le 28 août, en la fête de saint Augustin.

Peut-être Thérèse pense-t-elle aussi à ce qu'elle avait dit quinze jours plus tôt, le 21 août : « La Sainte Vierge a eu bien moins de chance que nous, puisqu'elle n'a pas eu de Sainte Vierge à aimer, et c'est une telle douceur de plus pour nous, et une telle douceur de moins pour elle. »

Ma bonne Sainte Vierge faites que votre petite Thérèse ne se tourmente plus jamais.

La première prière que l'on a retrouvée écrite de la main de Thérèse est également une prière à Marie. Elle date très probablement du mois de juin 1884

Thérèse y manifeste l'inquiétude de conscience qui la tourmente depuis le 13 mai 1883 : est-il bien vrai que la Vierge lui a souri et qu'Elle l'a guérie ?

Je n'ai pas encore eu
une minute de patience.
Ce n'est pas ma patience à moi !

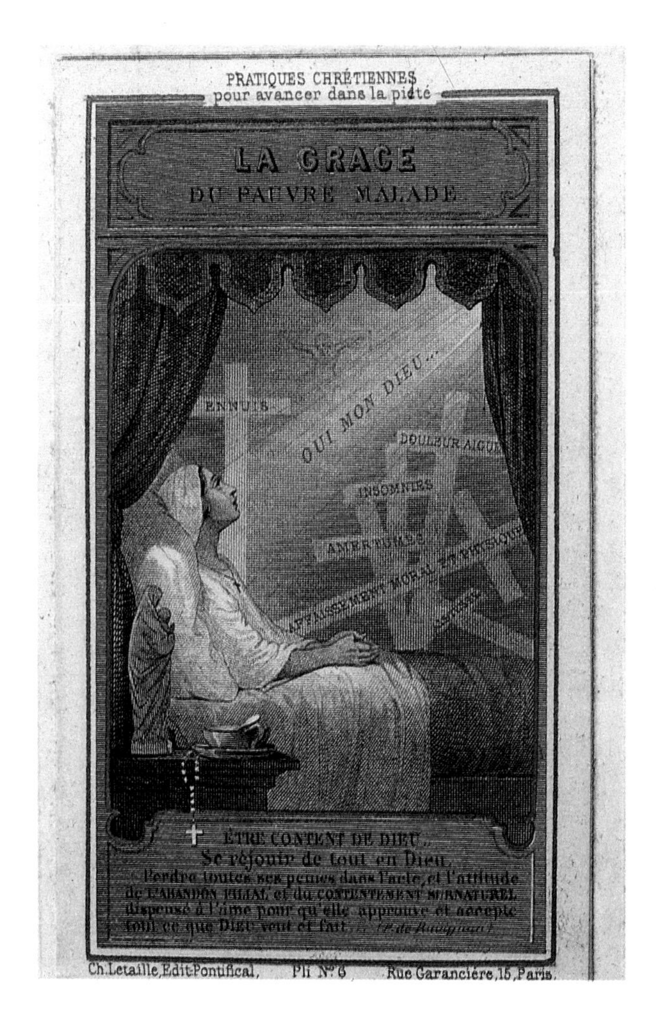

Image envoyée par Mme La Néele
le 15 septembre 1897

Mme La Néele avait acheté cette image dans une librairie religieuse de Caen et l'avait envoyée à la malade en lui disant : « Je ne sais quoi t'envoyer pour te faire plaisir ; quand je sors, je regarde les étalages avec une grande attention, cherchant toujours un objet qui puisse t'être agréable. Hier, j'ai vu cette image chez Dudouit et j'ai pensé à te l'envoyer pour te montrer que je pense sans cesse à toi. »

Très touchée de cette marque d'affection ainsi que des douceurs envoyées par son oncle (artichauts et fromage à la crème), Thérèse fait le lendemain cette réflexion : « Oh ! je me croyais bien aimée, je n'aurais jamais cru qu'ils m'aimaient tant ! »

Certaines représentations de l'image ont certainement trouvé un écho dans l'âme de Thérèse, car elles correspondaient à ce qu'elle était en train de vivre :
— Être content de Dieu. Tout en souffrant atrocement (étouffements, toux, insomnies, escarres, constipation, gangrène des intestins), Thérèse ne renie pas ce qu'elle avait écrit à la fin de son Évangile de poche (voir p. 259) : « Seigneur, vous me comblez de joie par tout ce que Vous faites. » Elle multiplie même les jeux de mots pour consoler ceux qui viennent la voir.
— La divine patience. Thérèse est intimement persuadée que la patience admirée en elle n'est pas la sienne : Jésus la lui communique une seconde après l'autre.

— Le billet d'entrée pour le Ciel, en revanche, ne doit pas tellement lui plaire, puisqu'elle veut se présenter devant le Seigneur « les mains vides », à la manière des Saints Innocents. Elle sait néanmoins que ses souffrances sont loin d'être inutiles : elle peut gagner ainsi la vie de ses enfants, obtenir pour les pécheurs, pour les incroyants, des grâces de conversion.
— La récompense. L'image centrale que l'on découvre une fois retiré le billet d'entrée pour le Ciel rappelle enfin à Thérèse l'objet ultime de son espérance :

« Mon Bien-Aimé, de ton premier sourire
Fais-moi bientôt entrevoir la douceur.
Bientôt de ta bouche adorée
Donne-moi l'éternel baiser. »

MON DIEU, AYEZ PITIÉ

Toute la journée du 30 septembre, Thérèse étouffe mais, à la surprise générale, elle remue beaucoup, s'assoit dans son lit, ce qu'elle ne pouvait plus faire depuis longtemps. « Voyez ce que j'ai de forces aujourd'hui ! dit-elle. Non, je ne vais pas mourir ! J'en ai encore pour des mois, peut-être des années ! » A mère Marie de Gonzague elle confie : « O ma Mère, je vous assure que le calice est plein jusqu'au bord !... Mais le bon Dieu ne va pas m'abandonner, bien sûr... Il ne m'a jamais abandonnée... Oui, mon Dieu, tout ce que vous voudrez, mais ayez pitié de moi ! »
L'après-midi, sa prieure pose sur ses genoux une image de Notre-Dame du Mont-Carmel. « Oh ! ma Mère, présentez-moi bien vite à la Sainte Vierge, je suis un bébé qui n'en peut plus ! Préparez-moi à bien mourir. » On lui répond qu'elle est prête. « Oui, il me semble que je n'ai jamais cherché que la vérité ; oui, j'ai compris l'humilité du cœur... Il me semble que je suis humble [...] Je ne me repens pas de m'être livrée à l'amour. »
Vers 17 heures, la cloche sonne pour convoquer en hâte la communauté à l'infirmerie. L'agonisante accueille les sœurs par un sourire. Un « râle terrible » déchire sa poitrine. Ses mains deviennent violacées, une sueur abondante inonde son visage. Le temps passe. La prieure renvoie les sœurs.
Après 19 heures, Thérèse peut articuler : « Ma Mère ! N'est-ce pas encore l'agonie ? Ne vais-je pas mourir ?... — Oui, ma pauvre petite, c'est l'agonie, mais le bon Dieu veut peut-être la prolonger de quelques heures. — Eh bien !... allons !... Oh ! je ne voudrais pas moins longtemps souffrir... » Elle regarde son crucifix : « Oh ! je l'aime... Mon Dieu... je vous aime !... »
Sa tête retombe. Mère Marie de Gonzague fait de nouveau sonner la cloche : la communauté revient en hâte. Les sœurs agenouillées voient son visage redevenir très paisible, son regard brillant se fixer un peu au-dessus de la « Vierge du sourire », l'« espace d'un Credo *». Puis elle s'affaisse, les yeux fermés. Il est 19 h 20.*

Sœur Geneviève, en larmes, sort précipitamment sous le cloître. Il pleut. « Si au moins il y avait des étoiles au Ciel ! » se dit-elle. Quelques instants plus tard, les nuages sont balayés, des étoiles scintillent dans un ciel devenu très pur.

La dernière larme de Thérèse, recueillie par sœur Geneviève sur un linge qu'elle a découpé en forme de larme

MON DIEU, JE VOUS AIME

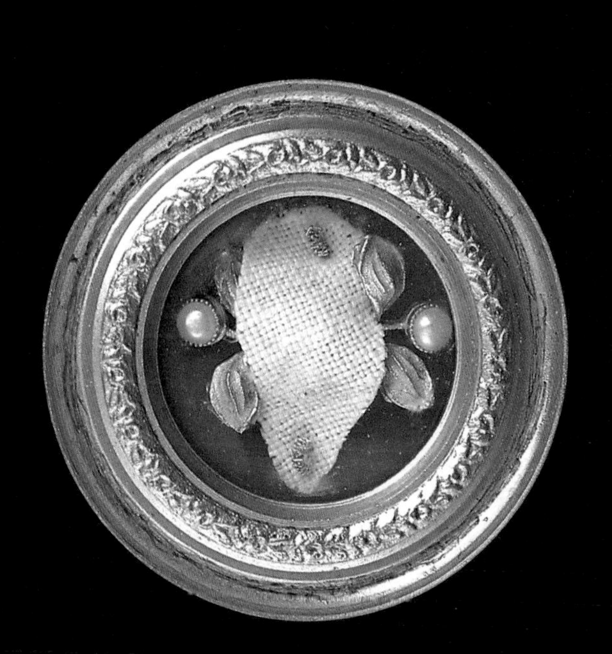

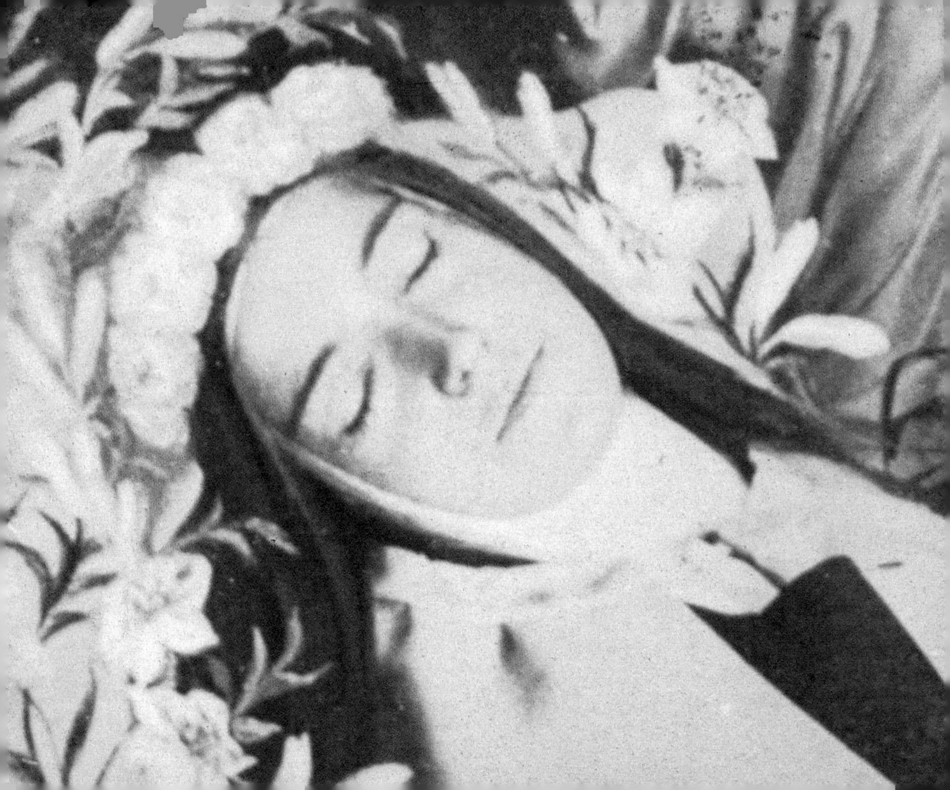

La première tombe de Thérèse (1897-1910)

Le 6 septembre 1910 a lieu la reconnaissance officielle des reliques de Thérèse. Après treize ans de séjour dans la fosse, on ne trouve que des débris d'ossements recouverts de lambeaux d'étoffes. Mais les fossoyeurs sont impressionnés par la très forte odeur de violette qui se dégage des planches pourries. Ils retrouvent aussi, absolument intacte, la palme déposée dans le cercueil.

Le 6 septembre 1910 a lieu la reconnaissance officielle des restes de Thérèse. trouve aujourd'hui la statue de Thérèse (voir p. 328). La ferveur des pèlerins sera souvent indiscrète. En 1912, on ira jusqu'à placer sur la tombe cette inscription : « Prière aux personnes qui cueillent des fleurs de laisser les racines ! »

Le lundi 4 octobre, Thérèse est inhumée dans le cimetière de la ville. Léonie mène le deuil, entourée de Mme Guérin, des La Néele, de quelques amis. Cloué par la goutte, l'oncle Guérin ne peut assister aux obsèques. Il ne se doutait pas que sa nièce étrennerait la concession qu'il venait d'acheter pour le carmel.

*Grâce à la diffusion de l'*Histoire d'une âme*, Thérèse est très vite connue, aimée et priée à travers le monde. On vient en pèlerinage sur sa tombe pour obtenir une guérison ou une conversion. En 1903, un jeune prêtre écossais de passage à Lisieux, l'abbé Taylor, propose aux sœurs de Thérèse d'entreprendre des démarches en vue d'un procès de canonisation. Les carmélites sont stupéfaites : rien, dans la vie de Thérèse, ne justifie pareil projet. L'idée fera pourtant son chemin. La « petite sœur Thérèse » sera canonisée par le peuple de Dieu bien avant de l'être par le Vatican.*

Sœur Thérèse de l'Enfant-Jésus
ET DE LA SAINTE FACE
RELIGIEUSE CARMÉLITE
1873-1897
Histoire d'une Ame
ÉCRITE PAR ELLE-MÊME
LETTRES — POÉSIES
DEUXIÈME MILLE
LIBRAIRIES DE L'ŒUVRE DE SAINT-PAUL
PARIS 6, rue Cassette, 6. | BAR-LE-DUC 36, rue de la Banque. | FRIBOURG 13, Grand'Rue, 13.

La première édition de l'*Histoire d'une âme* paraît le 30 septembre 1898, juste un an après la mort de Thérèse L'ouvrage de 475 pages est tiré à deux mille exemplaires

*Conformément à la volonté de la défunte, mère Agnès a corrigé les trois manuscrits de Thérèse, les répartissant en onze chapitres, en ajoutant un douzième, dans lequel elle a résumé les derniers mois de son existence. Elle a complété l'ensemble par quelques-unes de ses poésies et des fragments de sa correspondance. Malgré la banalité du titre, l'ouvrage est épuisé en quelques mois. Rééditions et traductions se multiplient. On édite en petit format les douze chapitres de l'*Histoire d'une âme *en un volume qui paraît en 1902 :* Une rose effeuillée. *Deux ans plus tard, on publie l'*Appel aux petites âmes *: cette plaquette, qui se contente de résumer la vie et le message de Thérèse, obtient un immense succès.*
Des milliers de lecteurs sont bouleversés. Beaucoup de prêtres avouent que cette lecture leur fait plus de bien que toutes les retraites suivies jusque-là. Les carmélites de Lisieux reçoivent de plus en plus de lettres leur demandant une relique de « la petite sœur Thérèse » ou les informant d'une grâce obtenue par son intercession. Livres et reliques passent de main en main : l'étincelle se propage.

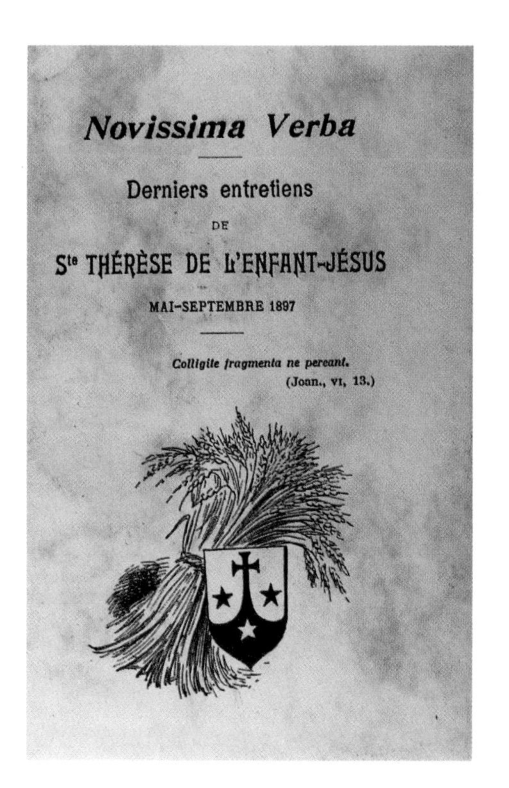

Novissima Verba
Derniers entretiens
DE
Ste THÉRÈSE DE L'ENFANT-JÉSUS
MAI-SEPTEMBRE 1897
Colligite fragmenta ne pereant.
(Joan., VI, 13.)

Novissima verba

Ce livre de poche (15×9 cm) n'a été publié qu'en 1927. Il contient les paroles que mère Agnès a recueillies de sa sœur en les notant sur des feuilles de calendrier (voir pages 296-297). L'édition critique de ces *Derniers entretiens* a paru en 1971 — premier volume des sept autres ouvrages de l'édition dite du Centenaire.

*En 1906, l'*Histoire d'une âme *est déjà traduite en six langues (anglais, polonais, néerlandais, italien, portugais, espagnol). Mais les carmélites gardent la tête froide et ne songent nullement à faire canoniser Thérèse. Seule les intéresse la diffusion du tableau de la Sainte Face, réalisé par sœur Geneviève d'après la photo du linceul de Turin. Thérèse n'a-t-elle pas dit que sa dévotion à la Sainte Face était le cœur de sa spiritualité ? Pour l'expansion de son message, il suffit donc de faire connaître le tableau de sœur Geneviève. L'abbé Eugène Prévost s'y emploie. Il a fait imprimer en huit langues, au verso de l'image, une prière à la Sainte Face composée par Thérèse : « O Jésus, dont le visage est la seule beauté qui ravit mon cœur. » Pour aider les prêtres en difficulté, ce prêtre canadien a fondé l'Œuvre sacerdotale, très appréciée du Vatican. Il obtient de Pie X, en février 1906, que l'image et la prière à la Sainte Face soient indulgenciées. Au mois de mars de l'année suivante, il offre au pape un exemplaire de l'*Histoire d'une âme *: en l'ouvrant, Pie X remarque l'image de la Sainte Face qu'il connaissait déjà et que l'on avait incorporée dans l'édition de 1906. Le pape ne cache pas son émotion.*

Tel fut le premier contact entre le pape et Thérèse. Celle-ci n'avait-elle pas toujours voulu s'effacer derrière la Sainte Face ?

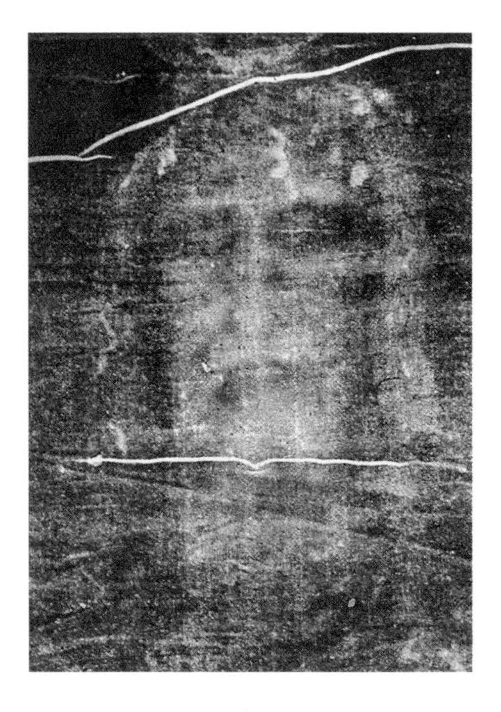

Photographie du linceul de Turin réalisée en 1898 par Secondo Pia et publiée en 1902 par le professeur Paul Vignon dans son livre *Le Linceul du Christ*

Images de la Sainte Face diffusées par l'abbé Prévost

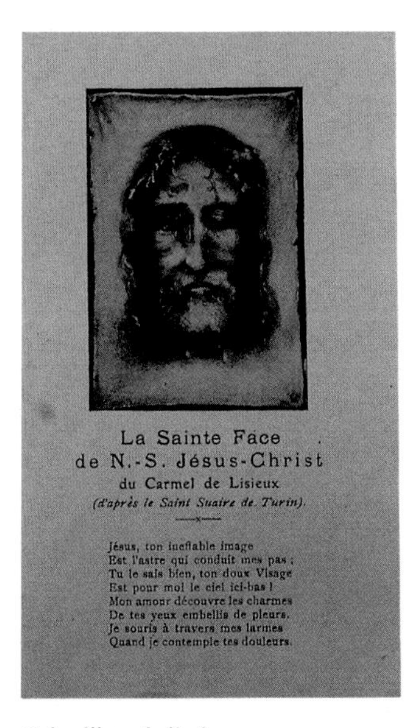

Grisaille réalisée par sœur Geneviève en 1905 d'après le cliché publié par le professeur Vignon.

En mars 1909, le tableau recevra le grand prix de l'Exposition internationale d'art religieux de Bois-le-Duc (Pays-Bas)

Carmel de Lisieux
1904

Laissant dans une armoire les photographies qu'elles possédaient de Thérèse, les carmélites de Lisieux ont inondé le monde, pendant plus de soixante ans, d'images et de cartes postales la représentant de façon assez mièvre. Pourquoi nous ont-elles caché si longtemps son véritable visage, notamment son menton volontaire ?

Elles estimaient que ces photographies ne correspondaient pas à la réalité. Pour ne pas bouger durant les neuf secondes de pose, Thérèse contractait tellement son visage qu'on ne la voit jamais sourire franchement.

Sœur Geneviève jugea donc nécessaire de composer un portrait de sa sœur plus « vrai » que toutes les photographies qu'elle en avait prises, et que désormais elle allait soigneusement cacher au public. Heureusement, elle ne les supprima pas, ce qui permit leur publication intégrale en 1961, deux ans après sa mort. Pour bizarre qu'elle nous paraisse, la conduite de sœur Geneviève reflète bien la mentalité de l'époque. On estimait alors que la photographie ne pourrait jamais rivaliser avec l'art du portrait : elle est, disait-on couramment, ce que l'orgue de barbarie est à la musique. Seul le peintre, pensait-on, peut rendre la véritable physionomie de quelqu'un.

On comprend que sœur Geneviève s'y soit essayée, d'autant qu'un peintre renommé, Édouard Krug, l'avait assurée de son talent. Ce disciple de Flandrin lui avait donné des leçons de peinture en 1893 et se faisait fort de l'introduire au Salon, si elle consentait à suivre quelques stages à Paris. Céline déclina l'invitation, mais continua à bénéficier de ses conseils et de ses encouragements. Au carmel, elle reçut plusieurs fois sa visite et, pour lui manifester son estime, le peintre lui offrit un jour sa palette. Elle pouvait donc penser que, sans être géniales, ses peintures étaient valables.

Portrait réalisé
par sœur Geneviève en 1911

*Il est néanmoins regrettable qu'au lieu d'en rester au portrait ovale (1899), exécuté au fusain, qui figura longtemps au frontispice de l'*Histoire d'une âme*, sœur Geneviève se soit lancée dans des portraits en couleurs. Mgr de Teil, celui-là même qui avait souhaité un portrait trichrome en tête du rapport qu'il préparait pour le Vatican, s'était exclamé devant les reproductions de ce portrait : « On croirait que sœur Thérèse s'est peint les lèvres ! »*

« Thérèse aux roses » (1925)

Pour raconter les faveurs de toute sorte obtenues par l'intercession de Thérèse, faveurs qui ont été parfois accompagnées d'apparitions de la « petite sœur » en bure brune, on a publié sept volumes, intitulés Pluies de roses. *Édités de 1907 à 1925, ils représentent un total de plus de trois mille pages, écrites en petits caractères.*

Quelques-uns de ces miracles se sont produits sur la tombe même de Thérèse, telle la guérison instantanée, le 26 mai 1908, d'une petite fille aveugle âgée de quatre ans, que sa mère avait emmenée la veille au cimetière de Lisieux. Le miracle fit grosse impression parmi les Lexoviens, assez réticents à l'idée que leur compatriote puisse être canonisée : l'âge de cette petite Reine Fauquet ne pouvait donner lieu à aucun soupçon. Le Dr La Néele, si peu favorable au lancement de la cause, fut bien obligé de délivrer un certificat médical attestant la guérison.

Les membres
du tribunal ecclésiastique
institué par Mgr Lemonnier,
évêque de Bayeux,
pour instruire la cause
de canonisation de sœur Thérèse
Photo prise, le 3 août 1910,
au petit séminaire
Sainte-Marie-de-Caen

Debout, à droite de l'évêque : l'abbé Pierre Théophile Dubosq, supérieur du grand séminaire et promoteur de la foi ; assis : le chanoine Quirié, vicaire général ; debout, à gauche de l'évêque : le chanoine Deslandes, premier notaire ; assis : l'abbé Roger de Teil, vice-postulateur de la cause.

Impressionnés par le nombre exceptionnel de faveurs obtenues par l'invocation de Thérèse, les chrétiens du monde entier réclamèrent sa canonisation. Malgré son peu d'enthousiasme pour cette cause, Mgr Lemonnier ne put pas faire autrement que d'ouvrir à Bayeux, en 1910, un procès « ordinaire » — ainsi appelé parce qu'il se déroule sous la responsabilité de l'Ordinaire du lieu (l'évêque). Trente-sept témoins vinrent déposer sur la vie de Thérèse. En 1915 s'ouvrait à Bayeux le procès dit « apostolique » — celui qui se déroule par délégation directe du Siège apostolique de Rome. Il se terminait le 30 octobre 1917. Les 9 et 10 août précédents, on avait procédé à une seconde exhumation des restes de Thérèse — cérémonie qui s'était déroulée devant une foule estimée à mille cinq cents personnes.

Le 14 août 1921, déclarant que sœur Thérèse de l'Enfant-Jésus avait pratiqué de façon héroïque la foi, l'espérance, la charité et toutes les autres vertus, le pape Benoît XV la proclamait « vénérable ». Il prononçait à cette occasion un très beau discours sur l'extraordinaire modèle d'enfance spirituelle que nous offre Thérèse.

Militaires
entrant au cimetière de Lisieux
en chantant le *Magnificat* (1913)

Ces pèlerinages militaires annoncent le rôle primordial que les soldats vont jouer, pendant la guerre de 1914-1918, dans le développement de la dévotion populaire envers la « petite sœur Thérèse ». Autant que les Alliés, les soldats allemands vont la supplier de les protéger.

La translation
solennelle des reliques,
le 26 mars 1923

Le 26 mars 1923, un mois avant sa béatification, les reliques de Thérèse furent transportées au carmel, sous la châsse où elles se trouvent désormais. Cette translation eut lieu sous un magnifique soleil printanier et dans un recueillement impressionnant. Du fait que Thérèse n'était pas encore béatifiée, il n'était permis ni de chanter ni de jouer de la musique. Seule, la récitation du chapelet venait rompre de temps en temps le silence d'une file de cinquante mille pèlerins s'étalant sur une longueur de deux kilomètres. Sur un char drapé de blanc reposait le précieux cercueil, recouvert d'un drap de brocart d'or. La garde d'honneur était assurée par un détachement d'officiers et de soldats français et américains.
Des miracles eurent encore lieu ce jour-là. Un grand blessé de guerre, paralysé depuis quinze mois, se mit à marcher au passage du char ; une jeune aveugle, qui attendait devant le carmel l'arrivée du cortège, sentit subitement ses yeux s'ouvrir et put contempler l'entrée triomphale de Thérèse dans son carmel.

La châsse de Thérèse,
dans la chapelle du carmel

Le gisant de marbre contient quelques ossements de Thérèse : mais la quasi-totalité de ses reliques est enfermée dans un coffre doré, placé sous la châsse. La rose d'or que Thérèse tient dans la main droite a été déposée le 30 septembre 1925 par le cardinal Vico, légat de Pie XI, le soir du grand triduum par lequel Lisieux a célébré la canonisation de Thérèse.
Au-dessus de la châsse, la « Vierge du sourire » (voir p. 18 et 52).

FAIRE
SUR LA TERRE

LA FRANCE ILLUSTRÉE

Paraissant le Samedi

Une Chapelle à l'Orphelinat d'Auteuil dédiée à la Bienheureuse Thérèse de l'Enfant-Jésus.

Le monument de l'adoption
(Auguste Maillard, sculpteur)
Chapelle
des Orphelins-Apprentis d'Auteuil,
40, rue La Fontaine, Paris XVIe

Sœur Marie de la Trinité (voir p. 204) présente à Thérèse deux garçons : le premier porte le brassard des premiers communiants et rappelle l'œuvre initiale fondée par l'abbé Roussel ; le second, en costume de travail, représente les apprentis.

Revenu sain et sauf de la guerre, le père Brottier apprend en 1919 que son supérieur l'a très spécialement confié à « la petite sœur Thérèse ». Pour lui manifester sa reconnaissance, l'ancien aumônier militaire désire élever un sanctuaire en son honneur. Dès qu'il eût accepté, au mois de novembre 1923, de reprendre l'œuvre fondée par l'abbé Roussel, il demande à Thérèse de lui envoyer dix mille francs pour qu'il puisse y réaliser son rêve. Le dernier jour de la neuvaine célébrée à cette intention, une enveloppe arrive contenant la somme escomptée. Le 13 juillet 1924, la première pierre de l'église d'Auteuil est posée. Afin de récolter les fonds nécessaires à la construction de l'édifice, le père Brottier fait poser des affiches dans le métro et mobilise la générosité des amis des Orphelins-Apprentis d'Auteuil. Le 5 octobre 1930, le cardinal Verdier procède à la consécration du sanctuaire, le premier dédié à Thérèse en France et dans le monde.

Dès la glorification de Thérèse par l'Église, son culte se répandit à travers le monde. Dans la moindre église de village, on trouve la statue moulée par les soins du père Marie-Bernard, moine de la Grande Trappe de Soligny. Ébauchée en février 1919, elle a été terminée en septembre 1922. Quant aux images de Thérèse, elles ont littéralement envahi l'univers.

La basilique de Choubrah,
au Caire

Cet édifice a été offert par les musulmans à « la petite sainte d'Allah » pour la remercier de toutes les faveurs qu'elle leur a obtenues. Il est encore, à l'heure actuelle, très fréquenté.
Près de deux mille églises ou chapelles ont été construites depuis 1925 en l'honneur de Thérèse.

LA VÉNÉRABLE
THÉRÈSE DE L'ENFANT JÉSUS
« Mon Dieu.... je vous aime! »
©-1921

THÉRÈSE DE L'ENFANT JÉSUS
Attentive à toutes les causes,
Pour aider tant de cœurs émus,
A genoux, demande ses roses...
« J'aime la France, ma Patrie,
je veux lui conserver la Foi »

LA SERVANTE DE DIEU
SŒUR THÉRÈSE DE L'ENFANT JÉSUS
ET DE LA SAINTE FACE
Religieuse carmélite
1873-1897

« Jésus, je voudrais tant l'aimer !
l'aimer comme jamais il n'a été aimé »
Thérèse.
SŒUR THÉRÈSE DE L'ENFANT JÉSUS
ET DE LA SAINTE FACE
Morte en odeur de sainteté au Carmel de Lisieux
à l'âge de 24 ans
1873-1897
La douceur de l'agneau, le céleste sourire,
Les lyriques accents, tout en elle a fait dire :
C'est un ange qu'on vit passer par le Carmel.

« Je veux passer mon Ciel à faire du bien sur la terre »
LA SERVANTE DE DIEU
THÉRÈSE DE L'ENFANT JÉSUS

LA SERVANTE DE DIEU
THÉRÈSE DE L'ENFANT JÉSUS

L'ADOPTION
HOMMAGE RECONNAISSANT

« Je veux passer mon Ciel à faire du bien sur la terre »
LA SERVANTE DE DIEU
THÉRÈSE DE L'ENFANT JÉSUS

LA VÉNÉRABLE
THÉRÈSE DE L'ENFANT JÉSUS
« Mon Dieu.... je vous aime! »
©-1921

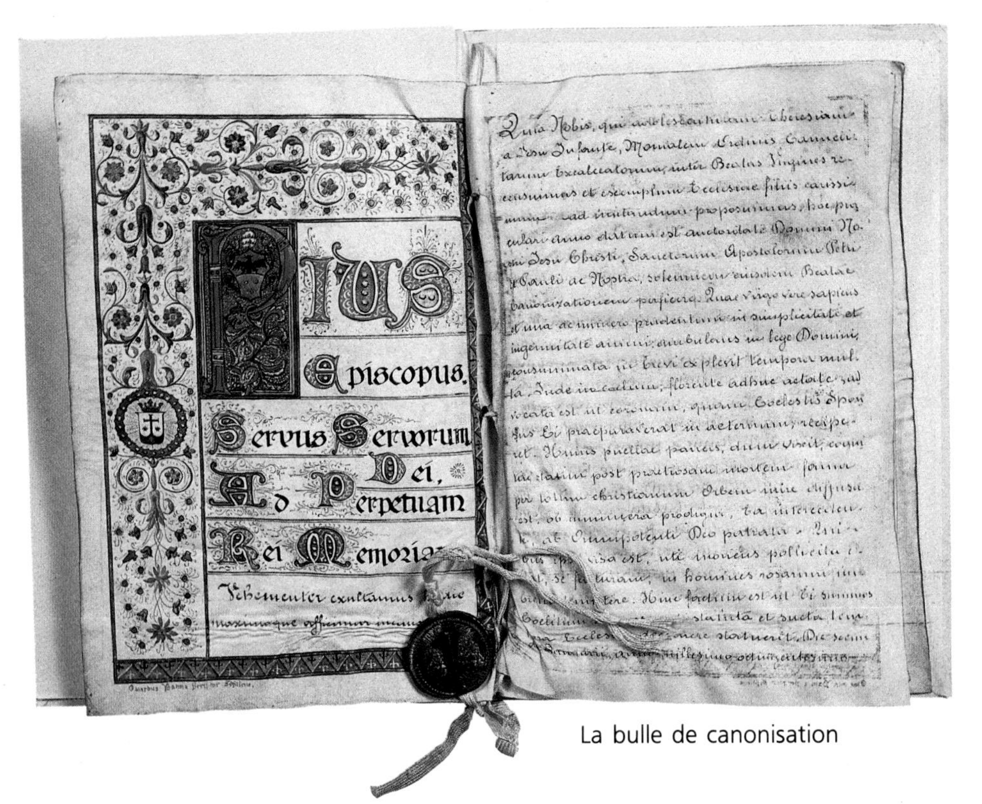

La bulle de canonisation

Il était réservé au pape Pie XI de procéder à l'ultime glorification de celle qu'il appelait volontiers l'« Étoile de son pontificat ». Le 29 avril 1923, il présidait les cérémonies de sa béatification et, le 17 mai 1925, entouré de vingt-trois cardinaux et de deux cent cinquante évêques, il la canonisait. Cinq cent mille fidèles étaient venus à Rome à cette occasion, mais seulement cinquante mille d'entre eux purent entrer dans la basilique Saint-Pierre et entendre le pape déclarer solennellement que l'on pouvait désormais appeler la petite carmélite de Lisieux « sainte Thérèse de l'Enfant-Jésus ». Pour la première fois en l'occurrence, des applaudissements enthousiastes et prolongés saluèrent cette proclamation.

Tout au long de son pontificat, Pie XI ne cessa de confier à Thérèse ses grandes initiatives apostoliques, notamment le lancement de l'Action catholique et le développement des missions. Du reste, le 14 décembre 1927, il déclarait Thérèse patronne principale des missions, à l'égal de saint François-Xavier.

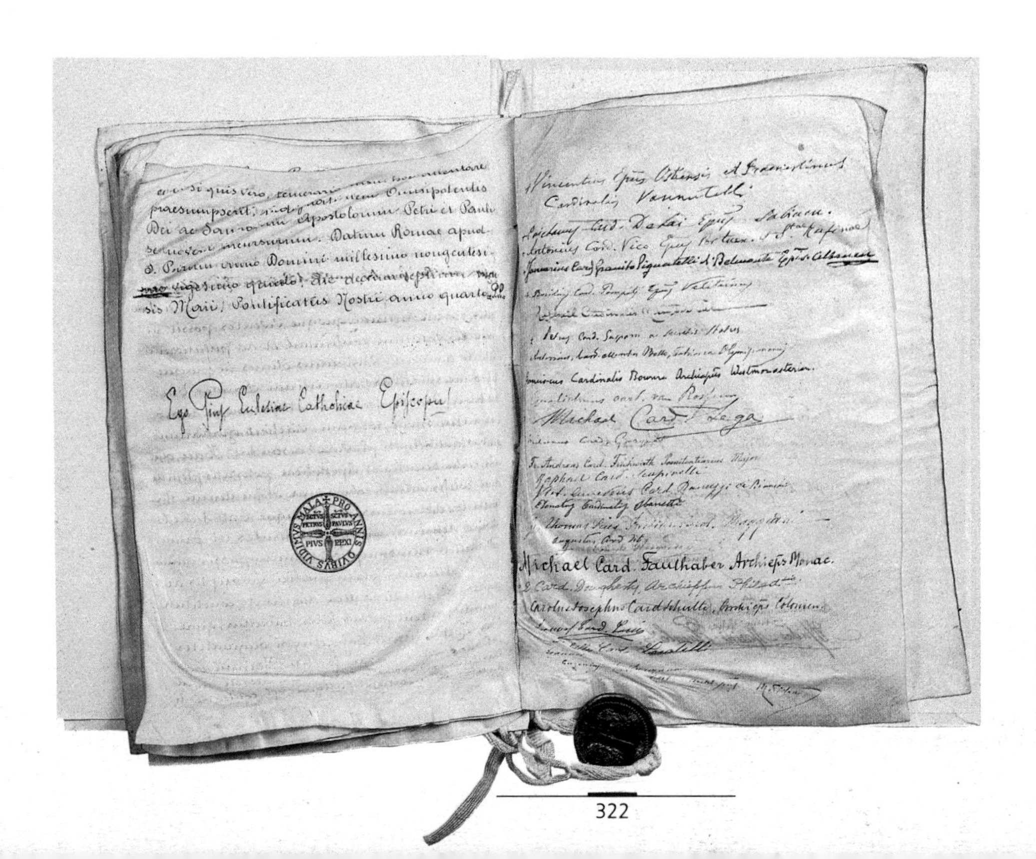

La canonisation de Thérèse en la basilique Saint-Pierre de Rome, le 17 mai 1925 (Tableau de sœur Marie du Saint-Esprit, carmélite de Lisieux)

Carte de souscription diffusée en 1929 afin de recueillir des offrandes au profit de la basilique

Le campanile ne fut pas construit à l'endroit initialement prévu, car on dut couler de grosses masses de béton à droite du parvis, pour empêcher les terres argileuses de la colline de glisser dans la vallée. On décida alors d'asseoir le campanile sur ce « verrou » particulièrement solide.

Malgré l'opposition du clergé local qui jugeait inopportune sa construction, on commença en 1929 les travaux de fondation de la basilique. Comme celle de Montmartre, elle repose sur une forêt de pilotis en béton, qui rejoignent la couche de calcaire à plus de trente mètres en-dessous des couches argileuses de la colline.

Pie XI avait demandé à Mgr Suhard, le nouvel évêque de Bayeux, que l'on fît « très grand, très beau et le plus vite possible ». Les records de vitesse ont été incontestablement battus : le parvis, le chemin de croix, la crypte et la basilique ont été achevés et payés en moins de dix ans. Le 11 juillet 1937, au terme du XIe Congrès eucharistique national, le cardinal Pacelli — le futur pape Pie XII — procédait à la bénédiction solennelle de la basilique.

Après la guerre, une fois réparés les dommages très limités causés par les cent cinquante bombes ou obus tombés sur la colline, Mgr Germain, directeur du pèlerinage, demandait à Pierre Gaudin de dessiner les mosaïques et les vitraux de la basilique. Son père, Jean Gaudin, avait été le mosaïste de la crypte, en 1932.

La basilique
en cours de construction

Thérèse s'expose aux flammes d'amour qui jaillissent du Cœur de Jésus. Consumée par cette fournaise, elle veut réaliser mille choses pour aimer Dieu et le faire aimer : elle se sent la vocation de prêtre, d'apôtre, de martyr (voir p. 273). Mais l'Esprit-Saint lui fait comprendre qu'en restant, dans le cœur de l'Église, celle qui met beaucoup d'amour dans tout ce qu'elle fait, elle exercera éminemment toutes les autres vocations : « Dans le cœur de l'Église, ma Mère, je serai l'Amour. Ainsi je serai tout ! » (Voir p. 277.)

La verrière du transept sud

L'ermitage Sainte-Thérèse,
tout près du carmel

Le cardinal Suhard,
en pèlerinage à Lisieux (1936)

Chargé par son évêque de gérer le financement des travaux de la basilique, l'abbé Germain voulut aussi fonder près du carmel un centre spirituel qui permettrait aux pèlerins d'approfondir le message de Thérèse. Dès 1928, des retraites étaient données à l'ermitage. « En le construisant, disait-il, j'ai donné à Lisieux sa basilique spirituelle. »
Après avoir servi de caserne à l'armée allemande, le bâtiment devint, au mois d'octobre 1944, le séminaire de la Mission de France. C'est en effet à Lisieux qu'arrivèrent, en 1942, les premiers séminaristes de la Mission de France, sous la direction du père Louis Augros, sulpicien. Le cardinal Suhard, archevêque de Paris depuis 1940, estimait opportun de former à l'école de Thérèse les prêtres qui seraient envoyés au milieu de populations fortement marquées par l'athéisme. La carmélite de Lisieux n'avait-elle pas communié elle-même, dans les dix-huit derniers mois de sa vie, au drame des incroyants ? (Voir p. 258.) D'autre part, le cardinal

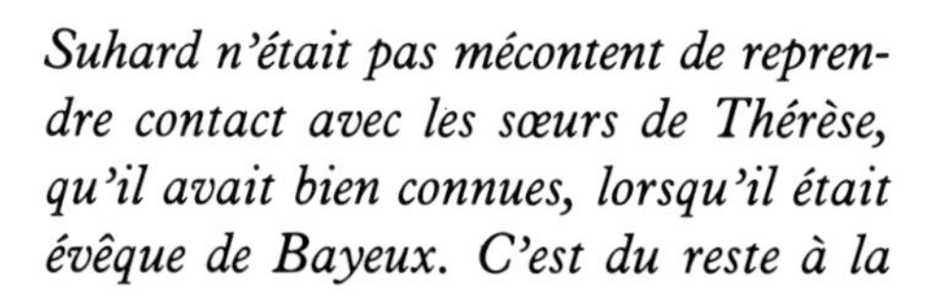

Suhard n'était pas mécontent de reprendre contact avec les sœurs de Thérèse, qu'il avait bien connues, lorsqu'il était évêque de Bayeux. C'est du reste à la suite d'une correspondance régulière avec mère Agnès qu'il prit la décision d'ouvrir le séminaire à Lisieux.
Quand, en 1952, les séminaristes quittèrent Lisieux pour Limoges, ils ne manquèrent pas de dire qu'ils avaient été littéralement « limogés ». L'ermitage retrouva sa destination première : l'accueil des retraitants et des pèlerins.

Thérèse, patronne des missions
Tableau de sœur Marie
du Saint-Esprit

Le 2 juin 1980, le pape Jean-Paul II terminait son premier voyage en France en célébrant la messe sur l'esplanade de la basilique. « Les saints ne vieillissent pratiquement jamais, affirmait-il dans l'homélie, ils ne tombent jamais dans la prescription. » Thérèse, ajoutait-il, nous rappelle « la vérité la plus fondamentale et la plus universelle du message évangélique : Dieu est notre Père et nous sommes Ses enfants ».

7055 WWA

Les grandes fêtes annuelles qui se déroulent à Lisieux en l'honneur de sainte Thérèse ont lieu le dernier dimanche de septembre et le samedi qui précède, en souvenir de sa mort survenue le 30 septembre 1897.

Le samedi soir, le coffret contenant ses reliques est placé dans une châsse en vermeil offerte par le Brésil et celle-ci est portée en procession jusqu'à la basilique ; le lendemain, elle revient au carmel.

Pèlerinage à Lisieux
des Orphelins-Apprentis d'Auteuil
qui a lieu chaque année
le troisième dimanche de septembre

L'enclos des carmélites
au cimetière de Lisieux

La croix désigne l'endroit de la première tombe de Thérèse (1897-1910) et la statue se dresse sur la seconde (1910-1923).

VENEZ
MOI

INDEX DES TEXTES CITÉS

L'index donne la page de l'album, puis les références des textes de Thérèse dans l'ordre de leur apparition. Les sentences imprimées en grandes lettres italiques viennent en premier lieu. Les sigles sont suivis du numéro de la page ou du folio de l'un des trois manuscrits de Thérèse ; il s'agit alors du folio recto, sauf indication contraire (v).

SIGLES UTILISÉS

A — Manuscrit autobiographique dédié à mère Agnès de Jésus (1895).
B — Lettre à sœur Marie du Sacré-Cœur, manuscrit autobiographique (1896).
C — Manuscrit autobiographique dédié à mère Marie de Gonzague (1897).
CG — *Correspondance générale de Thérèse*, Le Cerf-DDB, 1972-1973, 2 vol.
CJ — « Carnet jaune » de mère Agnès de Jésus.
CSG — *Conseils et souvenirs*, publiés par sœur Geneviève, coll. « Foi vivante », 1973.
DE — Thérèse de l'Enfant-Jésus, *Derniers entretiens*, 1971.
DE II — Volume d'annexes des *Derniers entretiens*, 1971.
LC — Lettres des correspondants de Thérèse (en CG).
LT — Lettres de Thérèse (en CG).
Mss I, etc. — Trois volumes du P. François de Sainte-Marie, accompagnant l'édition en facsimilé (1956) des *Manuscrits autobiographiques* (Mss I, II, III).
M Tr — *Sœur Marie de la Trinité, Souvenirs*, éd. P. Descouvemont, Cerf, 1986.
NPPA — Notes préparatoires au procès apostolique.
NPPO — Notes préparatoires au procès de l'Ordinaire.
PA — Procès apostolique, 1915-1917 (publication : Rome, 1976).
PN — Poésies de Thérèse, numérotation nouvelle de l'Édition du Centenaire. *Poésies*, 1979.
PO — Procès de l'Ordinaire, 1910-1911 (publication : Rome, 1973).
Pri — *Prières* composées par Thérèse, 1988.
PST — *Le Père de sainte Thérèse*, Lisieux, 1953.
TH — *Théâtre au Carmel*, « Récréations pieuses » composées par Thérèse, 1985.

Les abréviations bibliques sont celles de la *Bible de Jérusalem*.

INDEX DES NOMS

On indique en petites capitales les noms de personnes, en italiques les noms de lieux et les pages où l'on trouve la photo des personnes citées.

INDEX DES THÈMES

Les passages essentiels sont indiqués en italiques.

CHRONOLOGIE

Cette chronologie est construite autour de la vie de Thérèse de Lisieux.
A partir de 1898, nous mentionnons seulement les années importantes de son histoire posthume.

1873 — ALENÇON

2 janvier : Naissance de Marie-Françoise-Thérèse Martin, 36, rue Saint-Blaise
4 janvier : Baptême en l'église Notre-Dame
15 ou 16 mars : Départ en nourrice chez Rose Taillé, à Semallé (Orne)

Démission de Thiers. Mac-Mahon, président
Échec des tentatives de restauration
Les troupes allemandes évacuent la France
Prise d'Hanoï
Création de l'hebdomadaire catholique *Le Pèlerin*
Rimbaud : *Une saison en enfer*
Naissance de Péguy, Marc Sangnier
Invention des cachets en pharmacie

1874

2 avril : Retour définitif de Thérèse en famille à Alençon

Lois interdisant le travail des enfants de moins de douze ans
Début de l'exploration de Brazza au Congo
Verlaine : *Romances sans parole*
Wagner : *Le Crépuscule des dieux*
Hansen isole le bacille de la lèpre

1875

Thérèse sait déjà presque toutes ses lettres et commence à dire : « Je serai religieuse. »

Vote de l'amendement Wallon
Fondation de l'Institut catholique de Paris
Inauguration de l'Opéra de Paris

1876

Vers le 16 juillet : Première photo : Thérèse « fait la lippe »

Début de la conquête du Soudan
Naissance de Daniel Brottier (†1936)
1876-1910 : Construction de la basilique de Montmartre
Renoir : *Le Bal du Moulin de la Galette*
Invention du téléphone par Graham Bell
Lombroso : *Le Criminel-né*

1877

18-23 juin : Pèlerinage de Mme Martin, Marie, Pauline et Léonie à Lourdes
28 août : Mort de Mme Martin
29 août : Inhumation de Mme Martin.
15 novembre : Arrivée de Thérèse et de ses sœurs à Lisieux, sous la conduite de l'oncle Guérin
16 novembre : Installation aux Buissonnets

La population de Paris dépasse les 2 millions d'habitants
Fondation de la Faculté de théologie protestante de Paris
Monet : *La Gare Saint-Lazare*
Invention du phonographe par Edison

1878

Thérèse comprend pour la première fois un sermon sur la Passion
8 août : Voyage à Trouville. Thérèse voit la mer pour la première fois

Mort de Pie IX. Avènement de Léon XIII
Rodin : *Saint Jean-Baptiste prêchant*
Brahms : *Concerto pour violons et orchestre*

1879

Première confession : Fin de l'année ou début 1880

Démission de Mac-Mahon. Élection de Jules Grévy
Projet de loi contre les ordres enseignants
Fondation de *La Croix*, revue mensuelle
Pasteur découvre le principe des vaccins

1880

Première communion de Céline

Décrets anticléricaux : dissolution de la Compagnie de Jésus, autorisation des congrégations exigée dans un délai de trois mois, fermeture de deux cent soixante et un couvents
Jules Ferry, président du Conseil
Dom Pothier : *Les Mélodies grégoriennes*
Dostoïevski : *Les Frères Karamazov*
Degas : *Danseuse à la barre*
Découverte et fouilles du site de Delphes par l'École française d'Athènes
Premières opérations de l'appendicite
L'ascenseur électrique de Siemens
Achèvement du tunnel du Saint-Gothard

1881

3 octobre : Entrée de Thérèse à l'abbaye des Bénédictines, comme demi-pensionnaire en classe verte (1re division)

Gratuité de l'école primaire
Chute de Jules Ferry. Ministère Gambetta
La Tunisie, protectorat français
Verlaine : *Sagesse*
Toulouse-Lautrec : *Cheval de trait à Céleyran*
Offenbach : *Les Contes d'Hoffmann*
Premier tramway électrique à Berlin
Commencement du percement du canal de Panama par Ferdinand de Lesseps

1882

2 octobre : Entrée de Pauline au carmel de Lisieux. Thérèse saute une classe et entre à l'abbaye en classe violette (1re division)
Décembre : Thérèse souffre de maux de tête continuels et d'insomnies

Lois scolaires anticléricales : laïcité de l'école primaire et obligation de scolarité de six à treize ans
Première colonies de vacances
Création du musée des Arts décoratifs et du musée Grévin
Koch identifie le bacille de la tuberculose

1883

25 mars : Thérèse tombe malade chez les Guérin
6 avril : Prise d'habit de Pauline au carmel. Guérison provisoire de Thérèse
13 mai (Pentecôte) : Sourire de la Vierge, guérison de Thérèse
Juillet-août : Séjour à Saint-Ouen-le-Pin, dans la propriété de Mme Fournet, mère de Mme Guérin
Seconde quinzaine d'août : Vacances à Alençon et dans les environs

Nouveau ministère Jules Ferry
Les Français occupent le nord de Madagascar
Expédition du Tonkin : guerre franco-chinoise
Cours d'exégèse biblique d'Alfred Loisy, à Paris
Nietzsche : *Ainsi parlait Zarathoustra*
Renan : *Souvenirs d'enfance et de jeunesse* (« La Prière sur l'Acropole »)
Construction du premier gratte-ciel à Chicago
Le ballon dirigeable des frères Tissandier
Deprey réalise le premier transport d'énergie électrique à distance (Creil-Paris)
Création de la ligne ferroviaire Orient-Express

1884

8 mai : Première communion de Thérèse à l'Abbaye. Profession de sœur Agnès de Jésus au carmel
22 mai (jeudi de l'Ascension) : seconde communion
14 juin : Thérèse est confirmée par Mgr Hugonin, évêque de Bayeux
Août : Deuxième séjour à Saint-Ouen-le-Pin
3 octobre : Thérèse rentre en classe orange (1re division) ; elle a pour maîtresse mère Saint-Léon

Loi Naquet rétablissant le divorce
Encyclique *Humanum genus* de Léon XIII contre les sociétés secrètes et la franc-maçonnerie
Premier Salon des indépendants à Paris
Première pellicule photographique sur rouleau par Eastman
Mise au point de l'appareil Kodak

1885

3-10 mai : Vacances au Chalet des roses à Deauville
17-20 mai : Retraite. Début d'une crise de scrupules
21 mai : Renouvellement solennel de la première communion
Juillet-août : Troisième séjour à Saint-Ouen-le-Pin
22 août-début octobre : Voyage de M. Martin à Constantinople
Septembre : Vacances à Trouville, villa Marie-Rose, 25, rue Charlemagne
5 octobre : Thérèse entre seule à l'Abbaye en classe orange (2e division)

Réélection de Jules Grévy
Funérailles nationales de Victor Hugo
Début du syndicalisme ouvrier
Premier pèlerinage ouvrier à Rome conduit par Léon Harmel
Maupassant : *Bel Ami*
Zola : *Germinal*
Travaux de Charcot sur les centres fonctionnels du cerveau
Le bec Auer pour éclairage à incandescence
Invention de la mitrailleuse par Maxim

1886

Février-mars : Thérèse quitte l'Abbaye et prend des leçons chez Mme Papinau
Juillet : Séjour de trois jours sans Céline à Trouville, villa Les Lilas (qui prendra plus tard le nom de Pluie de roses)
15 octobre : Entrée de Marie au carmel de Lisieux
Fin octobre : Thérèse est libérée de ses scrupules
1er décembre : Retour de Léonie en famille après un essai de six semaines chez les clarisses d'Alençon
25 décembre : Après la messe de minuit, grâce de « conversion » aux Buissonnets

Boulanger, ministre de la guerre
Martyre de Charles Lwanga et de ses compagnons en Ouganda
Conversion de Léon Bloy, Charles de Foucauld, Paul Claudel
Rimbaud : *Les Illuminations*
Drumont : *La France juive*
Pisarro : *Printemps à Éragny*
Statue de *La Liberté éclairant le monde* par Bartholdi. Inauguration à New York
Hertz découvre les ondes électromagnétiques
Premiers lampadaires électriques à Paris
Liaison téléphonique Paris-Bruxelles
Première arracheuse de betteraves de Bajac

1887

1er mai : M. Martin est frappé d'une première poussée de congestion cérébrale
29 mai (Pentecôte) : Thérèse demande et obtient de son père la permission d'entrer au carmel à quinze ans
31 mai : Réception parmi les Enfants-de-Marie à l'Abbaye
20-26 juin : Séjour à Trouville, villa Les Lilas
Juillet : Éveil à la dimension apostolique devant l'image du Crucifié
13 juillet : Condamnation à mort de Pranzini
16 juillet : première entrée de Léonie au carmel de Caen
1er septembre : Thérèse lit dans *La Croix* le récit de l'exécution de Pranzini (la veille) et de sa conversion
31 octobre : Visite à Mgr Hugonin à Bayeux pour obtenir l'autorisation d'entrer au carmel
4 novembre : Départ pour Paris et Rome avec M. Martin et Céline
20 novembre : Audience de Léon XIII. Thérèse présente sa supplique au pape
2 décembre : Retour à Lisieux
28 décembre : Mgr Hugonin autorise mère Marie de Gonzague à recevoir Thérèse

Naissance de l'expression « Côte d'Azur »
Fondation du syndicat des employés de commerce et de l'industrie, premier syndicat chrétien créé par les Frères des écoles chrétiennes
Van Gogh : *Autoportrait*
Weismann énonce la théorie chromosomique de l'hérédité
Le bicycle de Rudge
Daimler met au point le moteur à explosion

1888

1er janvier : Thérèse est informée de la réponse de Mgr Hugonin, mais sœur Agnès de Jésus (Pauline) ne veut pas que l'entrée se fasse en hiver
9 avril : Entrée de Thérèse au carmel
28 mai : Confession générale au père Pichon
23 juin : Fugue de M. Martin au Havre
31 octobre : Grave rechute de M. Martin au Havre

Émission du premier emprunt russe sur la Bourse de Paris
Ordination du premier prêtre noir aux États-Unis
Barrès : *Sous l'œil des barbares*
Les Goncourt : *Germinie Lacerteux*
Gorki : *Les Rêves*
Gauguin : *Les Alyscamps*
Expédition de Nansen au Groënland

1889

10 janvier : Prise d'habit de Thérèse
12 février : M. Martin est hospitalisé à la maison de santé du Bon-Sauveur de Caen où il restera trois ans
Juillet : Grâce mariale dans l'ermitage Sainte-Madeleine
25 décembre : Résiliation du bail des Buissonnets

Échec du boulangisme aux élections de septembre
Service militaire de trois ans, auxquels sont astreints les séminaristes
Instauration du permis de conduire
Institution de la fête du Sacré-Cœur
Fondation à Caen de l'Œuvre missionnaire de Saint-Pierre apôtre, pour le clergé indigène, par Jeanne Bigard
Première rencontre « œcuménique » entre lord Halifax et l'abbé Portal
Mort du père Damien, lépreux, à Molokaï (Hawaï)
Gauguin : *Autoportrait au Christ jaune*
Tchaïkovski : *La Belle au bois dormant*
Inauguration de la tour Eiffel
La classification géologique de Marcellin Boule
Brown-Sequard découvre le rôle des glandes à sécrétion interne

1890

2 septembre : Examen canonique de Thérèse et bénédiction de Léon XIII
8 septembre : Profession religieuse
24 septembre : Prise de voile

Dans son « toast d'Alger », le cardinal Lavigerie invite les catholiques de France à se rallier à la république
Le père Lagrange fonde, à Jérusalem, l'École pratique d'études bibliques
Claudel : *Tête d'or*
Cézanne : *Les Joueurs de cartes*
Riva-Rocci : le brassard à tension artérielle
Inauguration du métropolitain de Londres
Premier vol de l'avion à vapeur *Éole*, de Clément Ader
Construction du sous-marin *La Gymnote*

1891

Vers le 10 février : Thérèse est nommée aide-sacristine auprès de sœur Stanilas
Avril-juillet : Prière pour le père Hyacinthe Loyson
8-15 octobre : Retraite prêchée par le père Alexis Prou, récollet
5 décembre : Mort de mère Geneviève, fondatrice du carmel
Fin décembre : Épidémie d'influenza

Le 1er mai sanglant de Fourmies : neuf morts
Création de l'Office du travail
Encyclique *Rerum novarum* de Léon XIII
Schleich emploie le chlorure d'éthyle comme anesthésique
Invention du bandage pneumatique entoilé par Michelin

1892

10 mai : M. Martin, paralysé des jambes, revient à Lisieux
12 mai : Dernière visite de M. Martin au parloir du carmel

Scandale de Panama
Lois sur le travail : interdit avant treize ans, limité à dix heures par jour de treize à seize ans (à onze heures pour les femmes, à douze heures pour les hommes)
Bloy : *Le Salut par les juifs*
Premier immeuble en béton armé par Hennebique (Paris, rue Danton)
Lorentz découvre les électrons

1893

2 février : Thérèse compose sa première poésie
20 février : Sœur Agnès de Jésus est élue prieure du carmel. Thérèse est associée à la nouvelle maîtresse des novices, mère Marie de Gonzague, pour la formation spirituelle de ses compagnes de noviciat
24 juin : Léonie entre une deuxième fois à la Visitation de Caen
Septembre : Thérèse demande à rester au noviciat. Elle est nommée seconde portière auprès de sœur Raphaël

Procès de Panama. Condamnation de Ferdinand de Lesseps
Fondation du premier secrétariat social à Lyon
Dvorak : *Symphonie du Nouveau Monde*
Les premières cuisinières électriques
Invention du moteur Diesel

1894

2 janvier : Thérèse atteint sa majorité. Elle redresse son écriture
21 janvier : Elle joue le rôle de Jeanne d'Arc dans la première pièce qu'elle a composée
Printemps : Elle commence à souffrir de la gorge
16 juin : Entrée de sœur Marie de la Trinité au carmel
29 juillet : Mort de M. Martin au château de La Musse (Eure)
Août : Thérèse habite désormais la cellule Saint-Élisée dans le « dortoir » (couloir) Saint-Élie
14 septembre : Entrée de Céline au carmel
Fin 1894 : Thérèse découvre les fondements scripturaires de ce qu'elle appellera plus tard sa Petite Voie

Le 8 mai, fête nationale en l'honneur de Jeanne d'Arc
Assassinat de Sadi Carnot. Élection de Casimir Perier
Vote des « lois scélérates » contre les anarchistes et sur la presse
Premier procès et condamnation de Dreyfus
Jeanne d'Arc est proclamée « vénérable » le 27 janvier
A Lille, l'abbé Six fonde la Démocratie chrétienne
France : *Le Jardin d'Épicure*
Kipling : *Premier livre de la jungle*

1895

Année de la rédaction du manuscrit A
26 février : Thérèse compose la poésie « Vivre d'amour »
9 juin (Sainte-Trinité) : Thérèse reçoit l'inspiration de s'offrir à l'Amour miséricordieux
11 juin : Acte d'offrande devant la statue de la « Vierge du sourire »
14 juin : Blessure d'amour pendant un chemin de croix
20 juillet : Léonie sort de la Visitation
15 août : Entrée de Marie Guérin au carmel
17 octobre : Thérèse est désignée comme sœur spirituelle de l'abbé Bellière

Fondation du prix Nobel de la Paix
Fondation de la CGT au congrès de Limoges
Encyclique *Provida matris* de Léon XIII instituant une neuvaine de prières pour l'unité des chrétiens
Valéry : *La Soirée chez M. Teste*
Denis : *Les Pèlerins d'Emmaüs*
Rouault : *Christ pleuré par les saintes femmes*
Découverte de peintures préhistoriques dans la grotte des Eyzies
Découverte des rayons X par Röngten
L'Arroseur arrosé de Lumière

1896

20 janvier : Thérèse remet à mère Agnès son cahier de souvenirs (manuscrit A)
24 février : Profession de sœur Geneviève
17 mars : Prise de voile de sœur Geneviève, prise d'habit de Marie Guérin (sœur Marie de l'Eucharistie)
21 mars : Élection difficile de mère Marie de Gonzague comme prieure, après sept tours de scrutin. Elle confie à Thérèse la charge des novices, tout en conservant le titre de maîtresse du noviciat
Nuit du 2 au 3 avril (nuit du Jeudi au Vendredi saint) : Première hémoptysie dans sa cellule
Peu après Pâques : Entrée soudaine de Thérèse dans la nuit de la foi
30 mai : Mère Marie de Gonzague donne un second frère spirituel à Thérèse, le père Roulland, des Missions étrangères
8 septembre : Rédaction du manuscrit B (folios 2-5) adressé à Jésus lui-même

Établissement du bagne à Cayenne
Pierre de Coubertin rétablit les Jeux olympiques à Athènes
Fondation de la première Trappe au Japon
Sienkiewicz : *Quo vadis ?*
Becquerel découvre la radioactivité
Freud formule sa première théorie de la psychanalyse

1897

Début avril : Thérèse tombe gravement malade
6 avril : Mère Agnès commence à noter les dernières paroles de Thérèse
3 juin : Mère Marie de Gonzague ordonne à Thérèse de poursuivre son autobiographie. Thérèse rédige le manuscrit C
8 juillet : Thérèse est descendue à l'infirmerie
30 juillet : Elle reçoit l'extrême-onction
15-27 août : Période de grandes souffrances
19 août : Dernière communion
Jeudi 30 septembre, vers 19 h 20 : Mort de Thérèse
4 octobre : Inhumation au cimetière de Lisieux

Incendie du Bazar de la charité à Paris (4 mai)
Bloy : *La Femme pauvre*
Gide : *Les Nourritures terrestres*
Loti : *Ramuntcho*
Péguy : *Jeanne d'Arc*
Rostand : *Cyrano de Bergerac*
Construction du Grand Palais et du Petit Palais, à Paris
Construction du premier studio de cinéma, par Méliès
Liaison de télégraphie sans fil à travers la Manche par Marconi

1898

30 septembre : Première édition de l'*Histoire d'une âme* (2 000 exemplaires)

Zola : *J'accuse*
Fondation de la Ligue des droits de l'homme
Législation sur les accidents du travail
Huysmans : *La Cathédrale*
Lichtenberger : *Mon petit Trott*
Pierre et Marie Curie annoncent la découverte du polonium et du radium
L'enregistrement magnétique des sons par Poulsen : naissance du magnétophone
Premières lampes électriques à filaments métalliques

1899

Premières faveurs et guérisons. Des pèlerins viennent prier sur la tombe de sœur Thérèse au cimetière de Lisieux

Second procès de Dreyfus : il est gracié
Max Planck présente, à Berlin, la théorie des quanta

1902

19 avril : Mère Agnès est réélue prieure ; elle restera en fonction, en dehors d'une interruption de 18 mois (1908-1909), jusqu'à sa mort, par la volonté de Pie XI (1923)

Combes, président du Conseil
Berger : l'électro-encéphalogramme

1906

9 juillet : François Veuillot, dans *L'Univers*, révèle que le carmel s'occupe d'introduire la cause de sœur Thérèse en cour de Rome

Troubles des inventaires consécutifs à la loi sur la séparation de l'Église et de l'État
Catastrophe de Courrières : mort de 1 100 mineurs de fond
Béatification des carmélites de Compiègne
Mort de sœur Élisabeth de la Trinité, carmélite de Dijon
Claudel : *Partage de midi*

1907

15 mars : Le père Prévost remet à Pie X un exemplaire de l'*Histoire d'une âme*
15 octobre : Mgr Lemonnier, nouvel évêque de Bayeux, demande aux carmélites de consigner leurs souvenirs sur sœur Thérèse

Encyclique *Pascendi* de Pie X contre le modernisme
Picasso : *Les Demoiselles d'Avignon*
Auguste Lumière invente la photographie en couleurs

1908

26 mai : Guérison, sur la tombe de Thérèse, de Reine Fauquet, une aveugle âgée de quatre ans

Excommunication de Loisy
Première manifestation du cubisme : Braque expose chez Kahnweiler à Paris
Modigliani : *Nu assis*
Henry Farman : premier vol aérien d'un kilomètre en circuit fermé

1909

Janvier : Le père Rodrigue, o.c.d. (Rome) et l'abbé de Teil (Paris) sont nommés respectivement postulateur et vice-postulateur de la Cause

Béatification de Jeanne d'Arc, le 18 avril
Création de la *Nouvelle Revue française* par Gide, Schlumberger, Copeau et Drouin, chez Gallimard

Traversée aérienne de la Manche par Louis Blériot
Peary atteint le pôle Nord

1910

3 août : Institution du tribunal diocésain pour le procès de l'Ordinaire
6 septembre : Au cimetière de Lisieux, première exhumation des restes de sœur Thérèse, transfert dans un nouveau caveau

Encyclique *Notre charge apostolique* de Pie X contre le *Sillon*, mouvement et journal de Marc Sangnier. Après avoir lu l'*Appel aux Petites âmes*, Marc Sangnier se soumet à la décision pontificale

1914

10 juin : Pie X signe le décret d'introduction de la Cause

Déclaration de guerre de l'Allemagne à la France (3 août)
Mort de Pie X le 20 août. Benoît XV lui succède
Barrès : *La Grande Pitié des églises de France*
Bloy : *Le Pèlerin de l'absolu*
Bourget : *Le Démon de midi*
Travaux d'Adams et Wolf sur la rotation des nébuleuses spirales

1915

17 mars : A Bayeux, ouverture du procès apostolique

Premier emploi des gaz asphyxiants par les Allemands
Travaux d'Einstein sur la relativité généralisée

1917

9 10 août : Deuxième exhumation et reconnaissance officielle des restes de sœur Thérèse au cimetière de Lisieux

Nivelle remplacé par Pétain. Début des mutineries militaires
Ministère Clemenceau
Benoît XV promulgue le Code de droit canonique. Il propose sa médiation en faveur d'une « paix blanche »
Apparitions mariales de Fatima
Valéry : *La Jeune Parque*
Langevin découvre les ultrasons qui sont appliqués à la guerre sur mer

1921

14 août : Benoît XV promulgue le décret sur l'héroïcité des vertus de la Vénérable servante de Dieu et prononce un discours sur l'« enfance spirituelle ».

Ghéon : *Le Pauvre sous l'escalier*
Pirandello : *Six personnages en quête d'auteur*
Découverte du sinanthrope à Chou-kou-tien
Calmette et Guérin mettent au point le vaccin contre la tuberculose (BCG)

1923

26 mars : Translation des reliques au carmel
29 avril : Béatification de sœur Thérèse de l'Enfant-Jésus par Pie XI
Le carmel reçoit entre huit cents et mille lettres par jour

Création d'un séminaire au Cameroun
Romains : *Knoch ou le Triomphe de la médecine*
Milhaud : *La Création du monde*
Louis de Broglie : la mécanique ondulatoire
Expédition Citroën au Sahara

1925

17 mai : Canonisation solennelle de Thérèse à Saint-Pierre de Rome. Homélie de Pie XI, en présence de cinquante mille personnes. Le soir, sur la place Saint-Pierre tout illuminée, cinq cent mille pèlerins

Chute du ministère Herriot
Béatification de Bernadette Soubirous. Canonisations de saint Jean Eudes, sainte Madeleine-Sophie Barat, saint Jean-Marie Vianney
Kafka : *Le Procès*
Rivière : *A la trace de Dieu*
Unamuno : *L'Agonie du christianisme*

1927

Janvier : Parution des *Novissima Verba* (les derniers entretiens)
13 juillet : La fête liturgique de sainte Thérèse de l'Enfant-Jésus est étendue à l'Église universelle
21 septembre : Mgr Lemonnier approuve les plans de la future basilique
14 décembre : Pie XI proclame sainte Thérèse de l'Enfant-Jésus patronne principale, à l'égal de saint François-Xavier, de tous les missionnaires

Pie XI sacre le premier évêque japonais pour Nagasaki
Mauriac : *Thérèse Desqueyroux*
Proust : *Le Temps retrouvé*
Abel Gance projette son film *Napoléon* sur un triple écran à l'Opéra
Lemaître propose la théorie de l'expansion de l'univers
Lindbergh traverse l'Atlantique en avion

1929

30 septembre : Pose de la première pierre de la basilique de Lisieux

Le Jeudi noir à Wall Street
Accords du Latran
Création de l'État de la cité du Vatican
Bernanos : *La Joie*
Pagnol : *Marius*
Fleming observe les propriétés antibiotiques de la pénicilline

1937

11 juillet : Inauguration et bénédiction de la basilique de Lisieux par le légat du pape, le cardinal Pacelli, futur Pie XII. Message de Pie XI retransmis par la radio

Chute du ministère Blum. Ministère Chautemps
Dixième anniversaire de la JOC au Parc des Princes à Paris (17 juillet)
Anouilh : *Le Voyageur sans bagage*
Malraux : *L'Espoir*

1941

24 juillet : Fondation de la Mission de France. Son séminaire s'installe à Lisieux

Parution clandestine du premier cahier de *Témoignage chrétien*

Mort du père Maximilien Kolbe à Auschwitz

1944

3 mai : Pie XII nomme sainte Thérèse patronne secondaire de la France, à l'égal de Jeanne d'Arc
6 juin : Débarquement des troupes alliées en Normandie
Lisieux est partiellement détruit par les bombardements des alliés

Les trois premiers frères de Taizé, autour de Roger Schutz, commencent à vivre avec lui une vie commune
Camus : *Le Malentendu*
Lecomte de Noüy : *La Destinée humaine*

1947

Cinquantième anniversaire de la mort de sainte Thérèse. Sa châsse est transportée dans presque tous les diocèses de France
L'abbé Combes donne un cours sur Thérèse aux Facultés catholiques de Paris

Ministère Ramadier
Vague de grèves, en particulier dans les transports
Le général de Gaulle crée le RPF qui remporte d'importants succès aux élections municipales
Canonisation de sainte Catherine Labouré et de saint Louis-Marie Grignion de Montfort
Camus : *La Peste*
Montherlant : *Le Maître de Santiago*
Marie-Noël : *Chants et psaumes d'automne*
Découverte des manuscrits de la mer Morte

1954

11 juillet : Consécration de la basilique de Lisieux

Chute de Dien-Bien-Phu
Conférence de Genève sur l'Indochine
Canonisation de Pie X et de Dominique Savio
Premier arrêt de l'expérience des prêtres-ouvriers en France
Beauvoir : *Les Mandarins*
Fellini : *La Strada*
Premier sous-marin américain à moteur atomique

1956

Parution de l'édition en fac-similé des *Manuscrits autobiographiques* (restitution de l'*Histoire d'une âme* selon les originaux)

Publication de la Bible de Jérusalem en un volume
Premier congrès international de pastorale liturgique
Camus : *La Chute*
Sœur Marie-Suzanne, des Missionnaires-de-Marie, découvre le vaccin contre la lèpre
Production d'électricité nucléaire à Marcoule

1980

2 juin : Pèlerinage de Jean-Paul II à Lisieux

Assassinat de Mgr Romero, archevêque de San Salvador
Cinquième synode des évêques sur la famille
Encyclique *Dives in misericordia* de Jean-Paul II
Marguerite Yourcenar est élue à l'Académie française

TIRÉE POUR LE COMPTE DES ÉDITIONS DU CERF
SUR LES PRESSES DE CLERC S.A. A SAINT-AMAND-MONTROND,
CETTE QUATRIÈME ÉDITION DE « THÉRÈSE ET LISIEUX »
A ÉTÉ ACHEVÉE D'IMPRIMER FIN MAI 1997.
Photocomposition : FACOMPO, LISIEUX
Photogravure : CLAIR OFFSET, GENTILLY
Fabrication : J.-P. LEGALL

Prix : 280 F.

Dépôt légal : Juillet 1991 - N° Éd. : 9280 - N° Imp. : 4807 - Imprimé dans la CEE